A
Bíblia
do Tarô

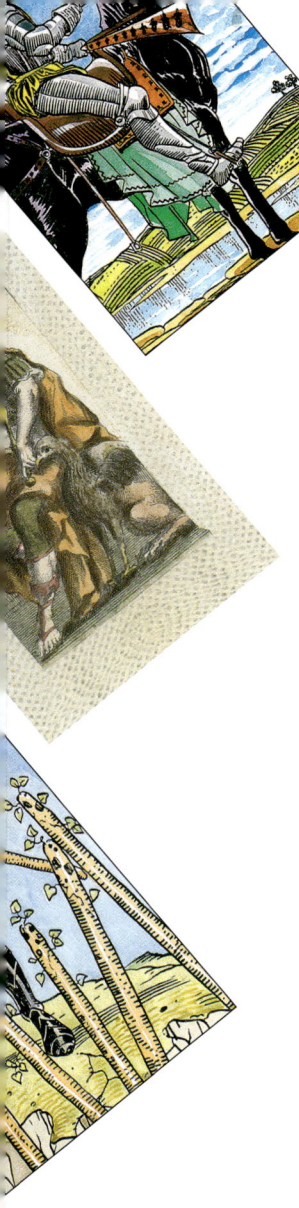

A Bíblia do Tarô

O guia definitivo das tiragens e do significado dos arcanos maiores e menores

Sarah Bartlett

Tradução
Eddie Van Feu e Patrícia Balan

Editora Pensamento
SÃO PAULO

Título do original: *The Tarot Bible*.

Copyright © 2006, 2009 Octopus Publishing Group Ltd
Copyright do texto © 2006, 2009 Sarah Bartlett
Copyright da edição brasileira © 2011 Editora Pensamento-Cultrix Ltda.
1ª edição 2011.
12ª reimpressão 2025.

Publicado pela primeira vez na Grã-Bretanha em 2006 por
Godsfield Book, uma divisão do Octopus Publishing Group Ltd,
189 Shaftesbury Avenue, London WC2H 8JY, England
www.octopus-publishing.co.uk

Todos os direitos reservados. Nenhuma parte desta obra pode ser reproduzida ou usada de qualquer forma ou por qualquer meio, eletrônico ou mecânico, inclusive fotocópias, gravações ou sistema de armazenamento em banco de dados, sem per missão por escrito, exceto nos casos de trechos curtos citados em resenhas críticas ou artigos de revistas.

A Editora Pensamento não se responsabiliza por eventuais mudanças ocorridas nos endereços convencionais ou eletrônicos citados neste livro.

Impresso na Malásia

Coordenação editorial: Denise de C. Rocha Delela e Roseli de Sousa Ferraz
Designer: Julia Francis
Banco de imagens: Sophie Delpech
Fotos de capa © Lo Scarebeo (frente)/© Octopus Publishing Group Limited (atrás)

Dados Internacionais de Catalogação na Publicação (CIP)
(Câmara Brasileira do Livro, SP, Brasil)

Bartlett, Sarah
   A Bíblia do tarô: o guia definitivo das tiragens e do significado dos arcanos maiores e menores / Sarah Bartlett; tradução Eddie Van Feu e Patrícia Balan – São Paulo: Pensamento, 2011.

   Título original: The tarot bible: the definitive guide to the cards and spreads.
   ISBN 978-85-315-1754-9

   1. Adivinhação 2. Magia 3. Ocultismo 4. Parapsicologia 5. Profecia 6. Tarô I. Título.

11-09528   CDD-133.32424

Índices para catálogo sistemático:
1. Tarô: Artes divinatórias 133.32424

Direitos de tradução para o Brasil
adquiridos com exclusividade pela
EDITORA PENSAMENTO-CULTRIX LTDA.
Rua Dr. Mário Vicente, 368 – 04270-000 – São Paulo, SP
Fone: (11) 2066-9000
E-mail: atendimento@editorapensamento.com.br
http://www.editorapensamento.com.br
que se reserva a propriedade literária desta tradução.
Foi feito o depósito legal.

Sumário

Introdução 6

Parte 1 **Tarô básico** 10
O que é o tarô? 12
A história do tarô 16
Por que usar o tarô? 22
Como ele funciona 24
Uma linguagem simbólica 26
O tarô como um espelho 28
O baralho e sua estrutura 30
Diferentes baralhos de tarô 34

Parte 2 **Manual de instruções do tarô** 40
Como usar o manual 42
Primeiros passos 44
Os Arcanos Maiores 80
Os Arcanos Menores 128
Tiragens diárias 254
Tiragens de relacionamento 276
Tiragens de revelação 300
Tiragens do destino 328
Desenvolva habilidades e o seu conhecimento 348

Glossário 384
Índice Remissivo 390
Agradecimentos 400

Introdução

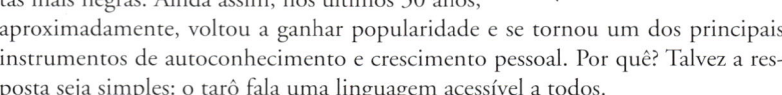

O tarô tem sido usado através dos séculos para predizer o futuro e revelar verdades ocultas. Não faz muito tempo, ele adquiriu uma conotação negativa, foi rejeitado pela Igreja, considerado malévolo ou amaldiçoado, e passou a ser associado às artes ocultas mais negras. Ainda assim, nos últimos 30 anos, aproximadamente, voltou a ganhar popularidade e se tornou um dos principais instrumentos de autoconhecimento e crescimento pessoal. Por quê? Talvez a resposta seja simples: o tarô fala uma linguagem acessível a todos.

As 78 cartas do baralho do tarô têm uma capacidade extraordinária para refletir quem você é. Elas também conferem acesso imediato ao seu eu mais profundo, que você pode chamar de intuição, alma, guia interior, mensageiro divino ou anjo da guarda. O tarô "fala" uma linguagem universal porque tem acesso aos reinos arquetípicos que permeiam seu inconsciente. Essas são qualidades universais que correspondem aos padrões mais básicos dos sentimentos, ideias e pensamentos humanos.

Este guia definitivo para o tarô é indicado tanto para os iniciantes quanto para os praticantes mais avançados. Dividido em duas partes, ele propicia uma visão abrangente tanto das suas interpretações quanto das suas práticas.

O mundo do tarô

A Parte 1 oferece uma fácil introdução ao mundo do tarô, abrangendo os fundamentos básicos. Você compreenderá sua história e suas raízes. Descobrirá o que ele é e o que não é, de onde veio e por que funciona. Você também conhecerá os benefícios que ele pode trazer ao seu desenvolvimento pessoal, tanto como um caminho que o leve a descobrir

*O tarô é um instrumento único para compreender
a si mesmo e fazer escolhas com relação ao futuro.*

um significado para a sua vida, quanto como um instrumento para o seu crescimento psicológico, autoconhecimento e escolhas com relação ao futuro.

A estrutura do baralho do tarô é explicada em detalhes nessas páginas iniciais, nas quais você também encontra descrições dos baralhos mais populares usados ao longo da história. Trata-se de informações bastante úteis na hora de escolher seu próprio jogo de cartas.

Usando o tarô

O manual de instruções é dividido em oito capítulos que abrangem vários tópicos. O capítulo "Primeiros Passos" inclui instruções passo a passo para usar o tarô, além de informações sobre como escolher um baralho, rituais e técnicas de emba-

Há muitas variedades de jogos de tarô no mercado.

ralhamento das cartas. Ele mostra como fazer perguntas e, o mais importante, oferece exercícios e guias para interpretação e desenvolvimento da sua intuição. Há informações sobre cartas invertidas e também um comentário sobre o poder da "projeção" psicológica ao ler as cartas.

O capítulo seguinte inclui interpretações completas, palavras-chave e frases para cada carta dos Arcanos Maiores do tarô, enquanto o capítulo seguinte oferece interpretações abrangentes e direcionadas às cartas do tarô que são frequentemente ignoradas ou recebem explicações breves em muitos livros. Os quatro capítulos seguintes mostram uma grande variedade de tiragens que você pode experimentar por si mesmo, como, por exemplo, tiragens para o dia a dia, os relacionamentos e o destino. Começando pelo mais básico – tiragens de duas e três cartas, cartas favoritas e tiragem de descoberta pessoal –, você poderá avançar para leituras mais profundas. Há tiragens de relacionamento que você pode fazer sozinho ou com um parceiro e tiragens com revelações para o desenvolvimento pessoal. Por fim, há as tiragens mais complexas e tradicionais como a cruz celta, a astrológica, a cigana, a zodiacal e a tiragem do ano seguinte.

O capítulo final fala sobre como desenvolver suas habilidades e aumentar seu conhecimento. Ele inclui métodos práticos para combinar o tarô com numerologia, cristais e Cabala, e outras técnicas para um maior desenvolvimento da intuição nas interpretações.

Parte 1

Tarô básico

O que é o tarô?

O tarô é um jogo de 78 cartas místicas. Há 22 cartas que formam os Arcanos Maiores e representam indivíduos que personificam uma qualidade ou arquétipo particular. As 56 cartas dos Arcanos Menores representam eventos, pessoas, comportamentos, ideias e atividades que acontecem em nossa vida. Há centenas de anos, o tarô tem sido um dos mais importantes caminhos místicos ocidentais para leitura da sorte, divinação e autoconhecimento. Ligado à alquimia, psicologia, astrologia, numerologia, Cabala, misticismo cristão, filosofia ocidental e muitas outras tradições esotéricas, o tarô está disponível para todos. Ele é um espelho da alma humana.

Uma linguagem universal

Cada carta tem uma imagem, um nome e um número, que são símbolos poderosos e têm significados específicos. Em seu nível mais simples, o tarô é uma linguagem universal que fala através de uma variedade de símbolos arquetípicos. Conhecer o significado por trás desses símbolos e suas reações a eles significa que

O autoconhecimento propicia relacionamentos melhores.

você poderá identificar essas qualidades na sua vida, trabalhar com elas de uma maneira positiva e melhorar seu desenvolvimento pessoal e seus relacionamentos.

Símbolos e arquétipos possuem um significado profundo, com muitas camadas e níveis de compreensão. Eles nos abrem para recônditos ocultos em nós mesmos, os quais poderíamos, inconscientemente, escolher negar, reprimir ou exilar. Essa linguagem universal faz do tarô um instrumento único para conhecer a si mesmo e fazer escolhas sobre o futuro.

Autoconhecimento e crescimento psicológico

O tarô propicia um caminho instantâneo e direto para compreender os ritmos e padrões que atuam em sua vida. Incrivelmente, o tarô também parece "prever" padrões ou eventos que estão para acontecer. Isso pode ser uma reação natural do nosso inconsciente, baseada nas imagens do tarô durante a leitura.

Muitas vezes queremos um sinal indicativo para uma decisão ou uma confirmação de nossas dúvidas ou crenças acerca de um relacionamento. O tarô pode nos dar pistas para o tipo de dia que poderemos ter ou de pessoa por quem podemos nos apaixonar. Mais uma vez, as cartas refletem nossos próprios desejos, ações e objetivos secretos. Ele também pode nos ajudar a desenvolver uma consciência interior para que possamos tomar decisões mais conscientes, para entendermos as razões por trás de uma situação ou nos dar uma direção quanto ao próximo passo em nossa jornada pessoal. Na verdade, o tarô é totalmente voltado para você.

A expressão de um momento qualquer

O poder do tarô é sua capacidade de guiá-lo, desenvolver sua intuição, "saber" exatamente o que você quer da vida e levá-lo a agir de acordo com esse conhecimento. As cartas revelam a energia e o clima à sua volta, e conferem uma visão interior de si mesmo a qualquer momento, para que você esteja aberto à escolha, e acima de tudo à autodescoberta.

O tarô não é maligno

O tarô não é "sinistro", nem "maligno", a menos que a pessoa que o use faça uma escolha nesse sentido. O tarô está além de nossa projeção de bom e mau e somente reflete a energia do momento e do leitor. Mas nós podemos projetar nossa bondade e maldade nele também. Usar o tarô é uma maneira de abrir-se para a sabedoria interior e para o conhecimento oculto. Devido ao medo que a Igreja incute de todas as questões esotéricas que remetam ao ocultismo, o tarô passou a ser associado com as mais sombrias artes ocultas, o que explica o medo comum que as pessoas têm de seu poder.

Infelizmente essas associações coletivas continuam profundamente enraizadas na psique individual e coletiva. O tarô não é intrinsecamente contra qualquer religião ou credo. Ele é simplesmente uma ferramenta para revelar o que existe, no sentido mais verdadeiro da palavra.

Um espelho interior

Quaisquer que sejam as origens do tarô (ver página 16), ele tem inspirado poetas e artistas através dos séculos. É um caminho simbólico em

O tarô é como um espelho, refletindo uma imagem de si mesmo no momento em que você olha para ele.

que se pode caminhar a qualquer momento da vida para conhecer a verdade sobre si mesmo "através do espelho". Ele é simplesmente uma série de pontos de apoio ou caminhos secretos para a autodescoberta.

Passado, presente e futuro

As cartas do tarô são simples espelhos de nossas emoções e sentimentos, de nossa alma e de nosso ser. Elas são como reflexos num lago onde as imagens são iguais, mas distorcem-se com a agitação da água causada por energias naturais como o vento. O tarô move-se com você, de maneira que você possa trabalhar com a vida, não contra ela. O tarô nos mostra uma imagem refletida de nós mesmos no momento em que decidimos olhar para nosso reflexo.

A história do tarô

As 78 cartas do baralho do tarô constituem-se dos Arcanos Maiores e dos Arcanos Menores, o que basicamente significa "grandes segredos" e "pequenos segredos", respectivamente. Ninguém sabe ao certo a origem do tarô. Como acontece com muitos mistérios, historiadores, escritores e ocultistas praticantes inventaram várias raízes históricas, modificadas por seus próprios pontos de vista.

Mas é fato conhecido que os baralhos de cartas com números místicos existiram na Índia e no Oriente Médio na antiguidade e provavelmente foram levados para a Europa pelos Cavaleiros Templários, durante e depois das cruzadas à Terra Santa. Também já foi sugerido que os ciganos andarilhos do Oriente Médio levaram o tarô para a Europa durante a Idade Média.

A maioria das fontes revela que os primeiros baralhos de tarô surgiram no início do século XIV. Esses primeiros baralhos parecem ter surgido de uma combinação do antigo jogo italiano de quatro naipes com um jogo de 22 Arcanos Maiores cuja origem permanece envolta em mito e mistério.

Antoine Court de Gébelin, um linguista francês, padre, ocultista e maçom do século XVIII, estava convencido do significado místico do tarô. Ele afirmava que os 22 Arcanos Maiores eram um antigo livro egípcio, ou um conjunto de tabuletas de sabedoria mística, remanescentes talvez do *Livro de Thoth* (deus egípcio dos mistérios e magia). Gébelin acreditava que essas misteriosas tabuletas foram levadas para a Europa por *magi* ou magos viajantes (sacerdotes que seguiam a antiga religião persa de Zoroastro), no começo da Idade Média, e depois perdidas ou ocultadas. Ele desenvolveu seu próprio baralho usando 77 cartas, mais a carta O Louco para totalizar 78. Os Arcanos Maiores continham três vezes sete cartas, mais O Louco, numerado como zero, e cada um dos quatro naipes

John Dee, um mago do século XVI, usava o tarô para falar com os "anjos".

dos Arcanos Menores continha duas vezes sete cartas (dez cartas numéricas e quatro cartas da corte). Seu livro, *O Mundo Primitivo, Analisado e Comparado com o Mundo Moderno* – vol. 8 (1781), continha um capítulo sobre o tarô e era acompanhado de 78 desenhos que se tornaram a base para muitos baralhos tradicionais posteriores.

As imagens do tarô também têm ligações com a "arte da memória", um sistema de memorização inventado pelos gregos para imprimir imagens na mente pela associação simbólica. Os sistemas de memória da Renascença foram posteriormente associados aos talismãs mágicos e às práticas ocultas, como também aos

Thoth era o deus egípcio da magia e das palavras.

magos, como o astrólogo britânico e ocultista do século XVI John Dee, que os levou um passo adiante usando esse tipo de sistema para falar com os "anjos".

Ninguém sabe realmente a origem da palavra "tarô". Algumas fontes sugerem que seja um derivado do nome do deus Thoth, o deus da magia e das palavras. Outros acreditam que tenha origens hebraicas ou que seja uma corruptela da palavra "torá", o livro da lei dos hebreus. Também há quem acredite que seja um anagrama de *rota*, a palavra latina que significa "roda". Pela falta do "t" ou por seu posterior acréscimo, ele não é exatamente um anagrama, porém nos dá mais uma pista para desvendar a charada universal contida em si mesma.

Avanços renascentistas

Além de seu uso como caminho místico, o tarô já foi usado na Idade Média como um jogo, conhecido como *tarocchi* ou *tarocchino* e mais tarde como Trunfo. Ele ainda é usado como jogo na Europa hoje em dia.

As primeiras cartas eram pintadas à mão, e um dos baralhos mais antigos é conhecido como *Tarocchi Visconti Sforza*, criado por volta de 1440 para o Duque de Milão. Dentre baralhos muito antigos feitos de quarenta cartas numeradas e 22 Arcanos Maiores, temos um que pertencia a François Fibba, um príncipe italiano exilado, e o *Mantegna*, desenhado entre 1470 e 1485. Esses lindos baralhos são muito diferentes dos baralhos que usamos agora e encontramos exemplos deles no Museu Britânico.

O tarô de *Mantegna* é dividido em cinco naipes de 10 cartas cada e numerado de 1 a 50. As imagens expressam uma ordem universal desde os mais elevados reinos dos planetas, passando pelas artes e musas, até finalmente as imagens tradicionais similares aos baralhos de tarô mais modernos. Outro baralho muito conhecido é o de Marselha, que apareceu no final do século XV. Mantendo o uso de quatro naipes de 14 cartas, mais os Arcanos Maiores, este baralho continua sendo um dos mais populares e ilustres até os dias de hoje. Suas imagens são intrigantes e poderosas.

O renascimento do século XIX

O século XIX viu o ressurgimento do interesse pelo oculto, pela magia e pelo misticismo esotérico. Durante esse período, o tarô se espalhou desde sua "casa adotiva" na Europa, para a América do Norte e outras partes do mundo. Éliphas Lévi, cabalista e filósofo, acreditava que a fonte do tarô estava enraizada no alfabeto sagrado enochiano dos hebreus. Ele também acreditava que o tarô não necessariamente previa, mas sim revelava poderosos conhecimentos aos sábios. As atitudes sociais do final do século XIX criaram uma distinção tendenciosa entre a divinação séria e a leitura da sorte (a qual continua em alguns círculos sociais).

A divinação era aparentemente para intelectuais sérios e elitistas que possuíam sabedoria, enquanto o entretenimento era considerado uma maneira ordinária de fazer dinheiro para mulheres trapaceiras e para as "classes baixas".

Waite, Crowley e a Aurora Dourada

No fim do século XIX, o dr. Arthur Edward Waite desenvolveu e desenhou seu próprio baralho de tarô, único e radical (mais tarde chamado de Tarô de Rider-Waite), com a ajuda da artista Pamela Coleman Smith. Waite era um iniciado da Ordem Hermética da Aurora Dourada (Golden Dawn), um dos grupos ocultistas mais influentes, fundado em 1888 por William Wynn Westcott, um doutor e mestre maçom, e por Samuel Mathers, um personagem peculiar da sociedade vitoriana britânica. Bebendo de várias crenças esotéricas diferentes, Mathers fundiu

O dr. A. E. Waite mudou radicalmente o conceito de tarô ao desenhar seu próprio baralho.

o sistema mágico egípcio com os textos medievais de magia e as crenças esotéricas orientais para criar um sistema mágico prático que também incorporasse a Cabala. Em 1903, Waite tomou controle da ordem e mudou seu nome para a Ordem Sagrada da Aurora Dourada, na tentativa de enfatizar suas associações mais cristãs.

O Tarô Universal usado neste livro é ainda um dos mais populares hoje em dia e integra as imagens originais dos desenhos de Waite. Em vez de retratar os Arcanos Menores como meros símbolos e números (paus, espadas, ouros e copas), ele desenhou cada carta dos quatro naipes como uma imagem simbólica em si.

Na década de 1940, o ocultista britânico Aleister Crowley desenhou o Tarô de Thoth junto com Lady Frieda Harris. Esse mago controverso, conhecido por suas práticas ocultas e vício em heroína, era também um iniciado da Aurora Dourada, mas não era bem quisto pelos outros membros. Em 1907, ele se apossou das ideias dessa ordem e formou a sua própria, a Silver Star, para incluir magia sexual e erótica. Crowley escreveu muitos livros sobre várias práticas e ideias de ocultismo, e nos anos 60, houve um imenso ressurgimento de seu trabalho. Escritos de maneira inteligente, seus livros formam os primórdios da abordagem psicológica da magia e do ocultismo.

O tarô de Crowley engloba simbolismos egípcios, gregos, cristãos e orientais, assim como muitos elementos de outros caminhos esotéricos. Crowley acreditava que o tarô era uma inteligência, uma força viva, e uma chave para o mundo arquetípico do eu interior.

Desde então, centenas de livros de tarô e baralhos foram escritos e desenhados. O tarô se tornou mais do que um instrumento para se ler a sorte. Ele é uma ampla viagem de autodescoberta, um misterioso e antigo simbolismo de tudo o que somos.

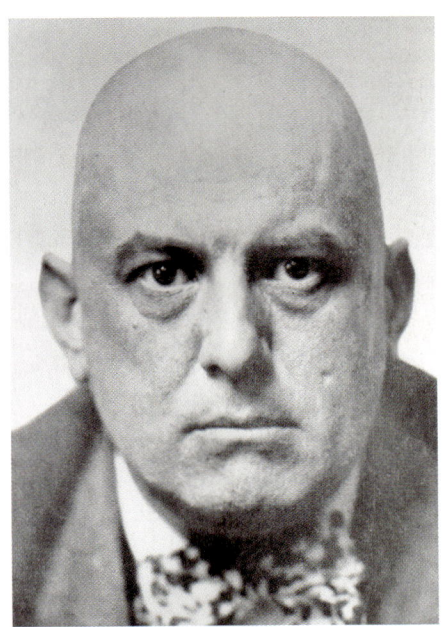

Aleister Crowley, ocultista controverso, desenhou seu próprio tarô nos anos 40.

Por que usar o tarô?

O tarô é uma ferramenta objetiva para a autoanálise. O benefício de valor inestimável desse método para a consciência de si mesmo é que as cartas não mentem. É claro, a imagem do tarô como um instrumento para se ler a sorte ainda existe, e alguns de nós queremos mesmo "saber" o que o destino nos reserva. Contanto que não neguemos a responsabilidade por nossas escolhas futuras, dizendo "as cartas decidiram por mim", o tarô, de algum modo incrível, realmente parece descrever os padrões de nosso comportamento. Nós somos exatamente o que o tarô diz que somos.

O tarô é uma ferramenta de valor inestimável para a autoanálise e pode nos ajudar a lidar com situações difíceis.

Quando começar a praticar com a "carta do dia", você vai ver como essa carta reflete a energia, as experiências e os eventos do seu dia. A ironia, é claro, é que o tarô reflete o estado do consulente e só espelha o que ele já é, tanto consciente quanto inconscientemente.

Muitas pessoas buscam o tarô por seu significado arquetípico e simbólico em suas vidas. Ele dá a você a chance de desenvolver de fato suas próprias escolhas e jornada na vida, e mais consciência do seu senso de propósito, destino ou vocação. O tarô é uma das ferramentas mais poderosas para a autoconsciência. Ele é atemporal. O tarô inspira, cria caminhos, orienta e faz uma grande diferença na maneira como você vê sua própria vida e lida com os desafios. É uma ferramenta maravilhosa para a análise e o autoaperfeiçoamento.

Com seu rico simbolismo e belas imagens, o tarô pode facilmente ser usado para meditação.

O tarô não só oferece um novo ponto de vista para você fazer suas escolhas, e lhe permite desenvolver confiança em seus instintos e intuição, mas também abre novos horizontes em relacionamentos, questões profissionais e realização pessoal. Ao entrar em contato com a energia do momento, você está literalmente entrando em contato com sua própria psique. Isso também levará você a chegar mais perto de sua natureza espiritual e psíquica.

Como ele funciona

A palavra divinação é derivada do latim *divinus*, que significa "ser inspirado pelos deuses". "Adivinhar" é prever ou predizer. Muitas culturas através do mundo e dos tempos já "previram" o futuro usando qualquer coisa, desde galhos, moedas e folhas de chá até figuras em poças d'água depois da chuva. O desejo de saber o que "será" é muito forte na natureza humana.

Moedas usadas para I Ching – outra técnica antiga de divinação.

Mas nós parecemos ter perdido a consciência de que existe "algo mais", uma força conectora que permeia toda a vida e toda a existência. Essa força conectora inclui o embaralhamento "aleatório" e a escolha das cartas de tarô. A crença de que a vida é causal, de que a única conexão válida entre dois eventos é a de causa-efeito, é um ponto de vista da ciência moderna. Por exemplo, "o carro quebrou porque eu não o levei para a oficina quando deveria". Existe, no entanto, uma crença muito mais antiga e universal de que tudo no universo está conectado, e que eventos e padrões no zodíaco ou na xícara de chá, na vida de outra pessoa ou em qualquer lugar na Terra são todos parte de uma força invisível. Em outras palavras, a aleatoriedade da divinação é, ela mesma, parte desse processo.

O grande psicólogo suíço do século XX, Carl Jung, cunhou o termo "sincronicidade" para descrever coincidências significativas. Ele acreditava que a carta de tarô que escolhemos é inspirada por algo interior que precisa ser expresso ou se manifestar no mundo exterior naquele momento.

A escolha aparentemente aleatória de cartas num dado momento é um poderoso indicador do significado daquele momento. É quase como se as cartas escolhessem você, assim como você as escolhe. Todos nós projetamos questões inconscientes sobre objetos no ambiente. Nós percebemos a realidade através das lentes coloridas de nossa própria natureza. Da mesma maneira, projetamos nossas questões interiores em cada carta do tarô. No entanto, existe uma mensagem em cada símbolo e um significado por trás de cada imagem do tarô. Por sua vez, a carta nos desperta para os poderosos padrões na natureza humana que nos dão respostas e soluções que nós já conhecíamos inconscientemente, mas não ousávamos acreditar que era possível.

O tarô funciona porque ele toca as notas que ressoam na sua alma. É a música do seu Eu.

O psicólogo suíço Carl Jung desenvolveu a ideia da sincronicidade.

Uma linguagem simbólica

O tarô é uma linguagem simbólica que lança mão de duas fontes de simbologia: números e imagens. Esses símbolos arquetípicos desencadeiam sentimentos profundos em nós e nos conectam a mitos atemporais e sonhos coletivos. Essas ideias ou emoções enraizadas precisam vir à tona, e, quando isso acontece, trazem com elas muitas camadas de significados para todos nós.

As rosas, por exemplo, sempre foram associadas ao amor; o milho, à fertilidade e as flechas, à vitalidade. Mas as rosas têm espinhos e podem nos machucar no amor. O milho que é colhido fica seco e quebradiço, assim como nossa criatividade fértil pode "secar". Passe algum tempo contemplando as imagens simbólicas de cada carta, e, se quiser descobrir mais sobre o simbolismo dos números, leia as seções sobre numerologia, astrologia e Cabala no fim do livro.

Mas aonde nos leva esse caminho simbólico? É um método de avaliação pessoal ou um método divinatório para se fazer escolhas? A resposta é que o tarô é as duas coisas. Cada carta conta uma história sobre nossa jornada pessoal num dado momento no tempo e nossa interpretação e associação com os símbolos aumentam o conto. Nós lemos o tarô como se estivéssemos lendo um livro, mas, como qualquer linguagem, leva tempo para que a conheçamos bem. Na verdade, não existem significados precisos ou exatos para cada carta ou imagem, porque a linguagem do tarô é maravilhosamente rica e muda com você.

As associações simbólicas

Associação é um tema-chave na jornada do tarô. Nós fazemos isso na linguagem do cotidiano sem pensar a respeito. Você associa imediatamente a palavra "garrafa", por exemplo, a uma garrafa! Mas que tipo de garrafa você mentaliza? Uma garrafa grande, redonda, longa e estreita, baixa, de vidro, cerâmica, latão, colorida, estampada ou muito decorada? Cada um de nós tem uma percepção diferente da palavra "garrafa", apesar de ser uma palavra comum. Depois que você começar a trabalhar com associações de palavras, verá o quanto é importante trabalhar com símbolos dessa maneira também.

Mas e a própria palavra "tarô"? Que associações você faz com ela? Ela faz com que você se sinta curioso, receoso, interessado, fascinado, amedrontado ou bem guarnecido? Reserve um tempo para pensar no que você projeta sobre essa palavra e por que ela lhe inspira várias associações. Faça uma lista e brinque com as ideias para descobrir mais sobre a maneira com que a associação funciona e seus próprios sentimentos sobre o tarô.

Uma rosa é um símbolo universal do amor.

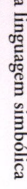

O tarô como um espelho

A analogia do "espelho" é a melhor para entender o que você está realmente fazendo quando lê o tarô. Você está, simplesmente, fazendo uma leitura de si mesmo.

Olhe para o seu reflexo num espelho, na água ou numa vitrine. Obviamente você verá a si mesmo. Mas é dessa maneira que os outros veem você? Sua percepção é influenciada pelo que você quer ver? O tarô, do mesmo modo, é um espelho. E suas projeções sobre o amor e a vida, suas esperanças e medos são lançadas sobre as cartas, assim como no vidro de um espelho. O que você está realmente lendo quando escolhe de modo aparentemente aleatório as cartas são todas essas projeções refletidas de volta para você, numa linguagem secreta que você vai aprender a entender. Quando começar a desenvolver sua capacidade de ler a linguagem das cartas, você também começará a se conectar com os temas e histórias arquetípicas que permeiam sua vida com mais objetividade.

Agora experimente fazer esse exercício. Escolha um espelho. Aquele que você usa toda manhã ou um espelho com uma linda moldura antiga, que acrescenta glamour, mistério e carisma à imagem que reflete – você.

Em primeiro lugar, você verá seu eu físico e as coisas comuns que gosta em si mesmo – seus olhos, seu cabelo, seu nariz perfeito, seu sorriso. Ou você imediatamente nota as coisas de que não gosta, como o cabelo ruim, a pele oleosa, o queixo duplo, as olheiras ou uma mancha? Alguns de nós veem os atributos positivos. Outros veem os negativos, simplesmente porque estamos projetando nossos conceitos de "bom" ou "ruim" sobre o que vemos.

Você pode modificar seu reflexo com fantasias acerca de quem você poderia ser. Ou talvez camufle suas verdadeiras feições com as expectativas de outras pessoas sobre o que está na moda. Mas você também pode ser sortudo o bastante para ser objetivo e ver através da cor de suas lentes pessoais o "verdadeiro" você.

O tarô é um espelho objetivo. É claro que você ainda pode projetar sobre as cartas do tarô suas próprias questões, complexos ou esperanças e medos. Mas a ironia é que agora você pode "ver" o que eles são, revelados através da linguagem simbólica do tarô. É claro, às vezes você pode não gostar do que vê, mas isso é porque o tarô é um espelho objetivo que sempre diz a verdade.

O tarô reflete suas esperanças e medos cada vez que você lê as cartas.

O baralho e sua estrutura

O tarô é composto de 22 cartas chamadas Arcanos Maiores, mais os quatro naipes de 14 cartas chamados Arcanos Menores. Os 22 Arcanos Maiores representam qualidades arquetípicas profundas que permeiam a humanidade, coletivamente e no nível individual. Essas qualidades são representadas por personagens, tais como o Imperador, o Louco ou a Sacerdotisa, por várias forças cósmicas, tais como o Sol e a Lua e por estruturas, tais como a Torre, a Roda da Fortuna e o Carro. As outras cartas são O Mago, A Imperatriz, O Hierofante, Os Enamorados, A Força, O Eremita, A Justiça, O Enforcado, A Morte, A Temperança, O Diabo, A Estrela, O Julgamento e O Mundo.

Os 56 Arcanos Menores representam eventos, pessoas, comportamentos, ideias e atividades que acontecem em nossa vida. Se a maioria das cartas da tira-

Os Arcanos Maiores

O Louco   **O Mago**   **A Sacerdotisa**   **A Imperatriz**   **O Imperador**   **O Hierofante**

Os Enamorados   **O Carro**   **A Força**   **O Eremita**   **A Roda da Fortuna**   **A Justiça**

gem são Arcanos Maiores, é provável que haja um assunto importante que precise de mais atenção na vida do consulente. A questão pode ser inconsciente, mas mesmo assim, precisa de atenção. Se uma carta dos Arcanos Menores é puxada, então é provável que exista uma solução muito simples para o problema, ou que o evento irá ocorrer rapidamente. Nós sabemos o que precisa ser feito, ou os eventos e experiências em nossa vida estão simplesmente nos mostrando outros aspectos do que somos.

Os quatro naipes dos Arcanos Menores são numerados do Ás até o 10 de cada naipe, mais quatro cartas da corte em vez das três associadas ao baralho comum – Rei, Rainha, Cavaleiro e Valete (às vezes chamado de Pajem). Note que alguns tarôs também incluem uma quinta carta da corte, chamada Princesa. Os quatro naipes são associados com os quatro elementos: Espadas, ligado ao ar. Paus, ao fogo. Ouros*, à terra. E Copas, à água. Como no exercício do espelho, pense, sinta, visualize e imagine como essas associações trabalham juntas.

O Enforcado — A Morte — A Temperança — O Diabo — A Torre — A Estrela

A Lua — O Sol — O Julgamento — O Mundo

---

* N.T.: Nos baralhos importados, é comum que o naipe de Ouros seja chamado de Pentáculos.

Os naipes dos Arcanos Menores

NAIPE	ELEMENTO	PALAVRAS-CHAVE
Espadas	Ar	Pensamento, informação, conexão, ideais, autoexpressão

| **Paus** | Fogo | Intuição, visão, progresso, individualidade, sucesso, fracasso |

NAIPE	ELEMENTO	PALAVRAS-CHAVE
Ouros (Pentáculos, Discos)	Terra	Os sentidos, materialismo, realidade externa, o tangível

Copas (Cálices)	Água	Emoções, sentimentos, relacionamentos (amor e sexo)

Diferentes baralhos de tarô

Hoje em dia, você pode achar uma variedade tão grande de tarôs, desde gnomos até dragões, que é difícil saber qual o melhor para usar. Minha sugestão é examinar quantos puder através da Internet e deixar sua intuição decidir quais imagens "falam" mais a você. Abaixo, há uma seleção de tarôs tradicionais e mais modernos que são favoritos há muito tempo e merecem fazer parte de qualquer coleção. Para iniciantes, eu recomendo o tarô universal usado neste livro, assim como o Rider-Waite, no qual o universal se baseia.

O Tarô de Visconti-Sforza

Um dos mais antigos tarôs que tem sua origem no final do século XV, e foi criado para a família Visconti-Sforza da Itália. Mais recentemente, cartas foram adicionadas e pintadas para substituir as originais que foram perdidas. Esse tarô é talvez um dos mais belos e ricos que existem, e foi reconhecido mundialmente como exemplo de arte em miniatura e simbolismo da Renascença. O tarô original incluía cartas para a Fé, Esperança e Caridade, e os Arcanos Menores incluíam um Cavaleiro e um Valete femininos por naipe. No entanto, nenhuma das cartas numéricas possuía imagens.

A Lua do Tarô de Visconti-Sforza.

O Sol do Tarô Minchiate Etruria.

O Tarô Minchiate Etruria

O tarô conhecido em Toscana por *Minchiate* era usado desde a Renascença naquela região da Itália.

O Tarô Minchiate Etruria, produzido em Florença, por volta de 1725, combina mitos pagãos mais incomuns, os elementos, as virtudes e os signos do zodíaco. Ele tem uma estrutura única, mas é fascinante em suas imagens. Apesar de as cartas numéricas não possuírem imagens marcantes, um sátiro, um unicórnio ou um porco-espinho aparecem quando menos se espera.

O tarô é composto de 97 cartas. Existem 41 "Arcanos Maiores", 19 dos quais aparecem em outros tarôs, assim como os 12 signos do zodíaco e quatro virtudes, mais, é claro, as 56 cartas dos naipes.

As primeiras 35 cartas são chamadas *papi*, e numeradas com numerais romanos. Elas não possuem nomes. As cinco cartas seguintes são chamadas *arie* na seguinte ordem: A Estrela, A Lua, O Sol, O Mundo e O Último Julgamento (ou Fama). As cartas da corte também não possuem nomes.

O Tarô Minchiate Etruria é mostrado ao longo deste livro e vale muito a pena adicioná-lo à sua coleção, assim que você entender melhor o tarô. Os elementos extras das qualidades astrológicas e os símbolos podem enriquecer e aprofundar sua leitura de tarô.

O Tarô de Marselha

Existem várias versões modernas para o Tarô de Marselha, mas todas elas têm origem no primeiro tarô popularizado na França no século XVI e desenvolvido por Claude Burdel por volta de 1750. Este é provavelmente o tarô mais famoso de todos, e tem imagens simples e poderosas em cores primárias que evocam verdades extraordinariamente profundas e escondidas. Apesar de rude, ele é impactante e eficaz. O fato de não existirem imagens nas cartas dos Arcanos Menores dificulta a interpretação. Os tarôs mais antigos usavam numerais romanos, e mais tarde, normalmente, traziam um nome nas cartas dos Arcanos Maiores em francês, enquanto continuavam a usar os naipes italianos de Espadas, Ouros, Paus e Copas. É um tarô maravilhoso para se usar quando se tem mais experiência.

O Diabo do Tarô de Marselha.

O Tarô de Rider-Waite

O Dr. Arthur Edward Waite (1857-1942) era um verdadeiro estudioso do ocultismo, e acreditava que "o verdadeiro tarô é simbolismo". Sob sua supervisão estrita, Pamela Colman Smith, outro membro da Ordem da Aurora Dourada, desenhou as 78 cartas. Seu grupo oculto britânico do século XIX, estabelecido por Samuel Mathers, William Woodman e William Winn Westcott, atraíram muitas pessoas influentes da época, incluindo Waite, Edward Munch, August Strindberg, Rider Haggard, Aleister Crowley, William Butler Yeats, Bram Stoker e muitos outros.

Todas as cartas deste tarô são ilustradas, incluindo as cartas numéricas, e essas ilustrações precisas oferecem profundidade e acesso imediato ao significado por trás das cartas. O tarô foi lançado pela primeira vez em 1910, e desde então tem tido várias edições e cópias. O tarô Waite-Smith autêntico é conhecido como Rider-Waite e reproduz as verdadeiras cores e imagens do original. O tarô usado neste livro, o Tarô Universal, atém-se fielmente aos símbolos, imagens e cores do tarô antigo.

O Tarô de Crowley ou Tarô de Thoth

Aleister Crowley, como muitos ocultistas do começo do século XX, adquiriu uma má reputação. Entretanto, esse homem extraordinário e carismático criou um maravilhoso

O Rei de Copas de Frieda Harris do tarô desenvolvido por Aleister Crowley.

Este Rei de Paus em aquarela foi pintado para o tarô de Aleister Crowley.

tarô que foi desenhado e pintado durante a Segunda Guerra, apenas alguns anos antes de sua morte em 1947. As ilustrações refletem a filosofia ocultista eclética de Crowley e, assim como o Tarô de Rider-Waite, incluía tanto o simbolismo astrológico quanto o alquímico. Crowley trabalhou com a artista Frieda Harris para embutir os ensinamentos secretos da Ordem da Aurora Dourada (ver página 21) nas ilustrações do tarô.

O Tarô de Thoth ou de Crowley se tornou um dos mais populares tarôs do século XX. As cores, as ilustrações e o simbolismo geométrico fazem de cada carta uma obra de arte. A profundidade esotérica dessas cartas, no entanto, pode ser mais difícil de interpretar. O tarô de Crowley difere da maioria dos tarôs, pois ele inclui o Cavaleiro, o Príncipe, a Princesa e a Rainha, mas não inclui o Rei. Cada uma das cartas numeradas dos Arcanos Menores recebe uma palavra-chave. Os Arcanos Maiores também são radicalmente diferentes dos tarôs tradicionais com suas 24 cartas que incluem três "Magos".

A Força do Tarô de Cristal.

O Tarô IJJ

A letras "JJ" referem-se a duas cartas, Juno e Júpiter, os deuses romanos que foram renomeados "A Papisa" e "O Papa" em tarôs mais modernos para manter a Igreja moderadamente satisfeita. Este tarô possui ilustrações que datam provavelmente de 1670 e foi um dos tarôs mais populares na Europa e nos Estados Unidos. As ilustrações são muito clássicas, com arte belíssima, mas as cartas numéricas não possuem ilustrações.

O Tarô de Cristal

Este tarô moderno, inspirado pelo artista Gustav Klimt, foi ilustrado por Elisabetta Trevisan para Lo Scarabeo. Klimt foi um dos grandes líderes do Art Nouveau no final do século XIX. Este tarô contém mensagens místicas e é ilustrado com guache e pastel para criar uma delicada mistura de cores e imagens. Muitas das imagens parecem ter sido pintadas em vitrais. O Tarô de Cristal nos convida a entrar num mundo de paz e harmonia e evoca as qualidades e mensagens arquetípicas de cada carta da maneira mais forte e comovente.

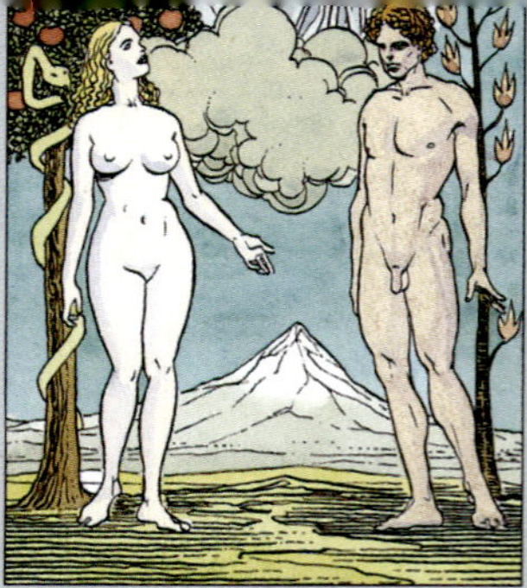
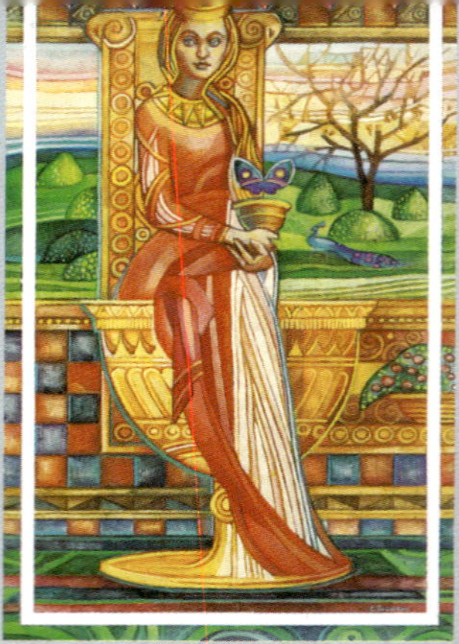
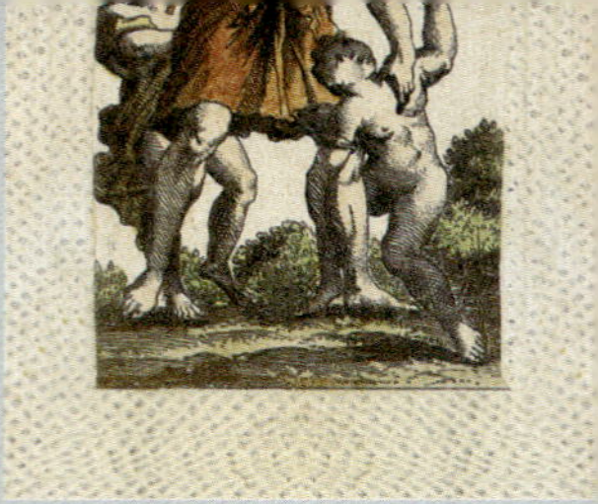
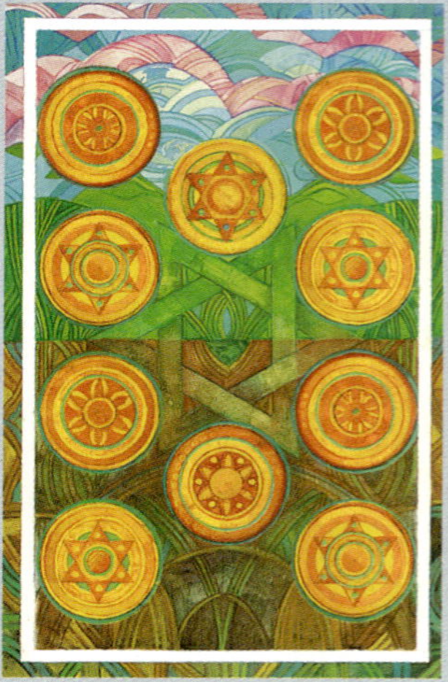
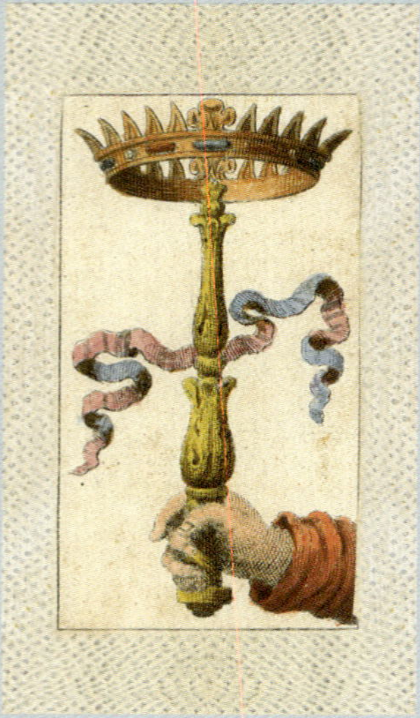
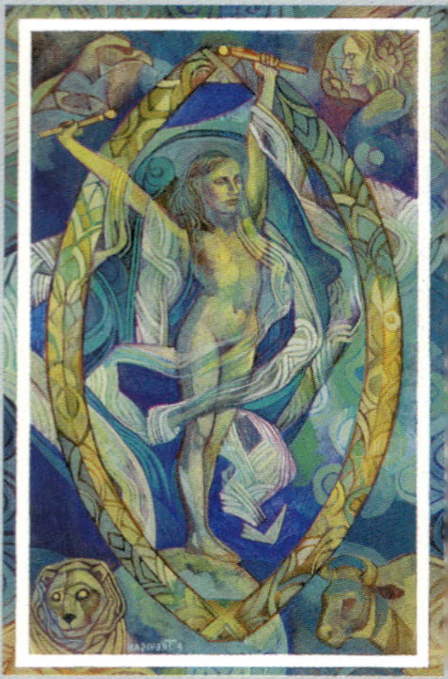
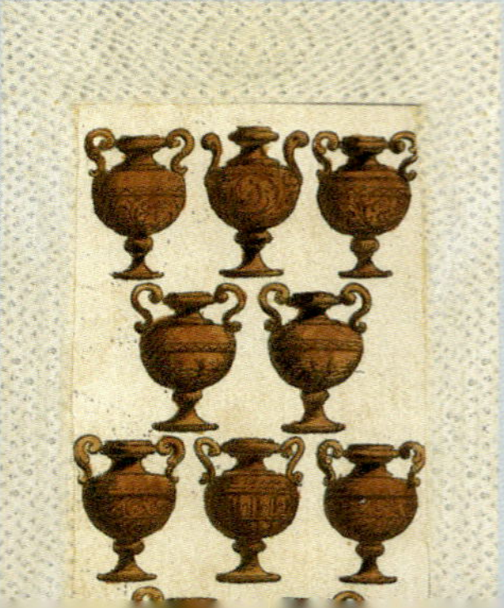
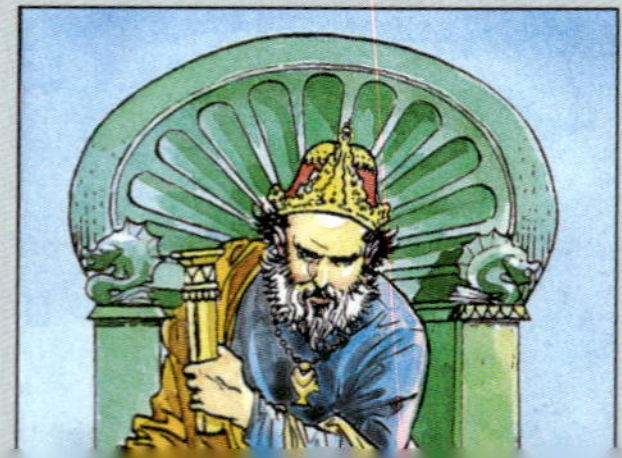
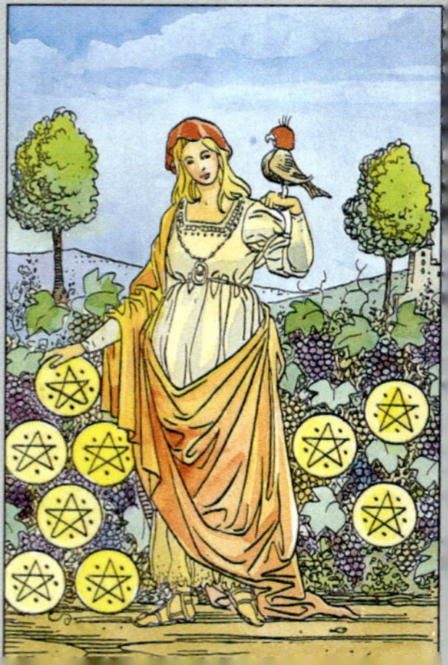

Parte 2
O MANUAL DE
instruções
do tarô

Como usar o manual

O que o tarô tem de bom é que ele já vem mapeado como uma estrada. Os passos ao longo do caminho estão marcados para você. Mas, como qualquer jornada, existem armadilhas escondidas e obstáculos no caminho. Dê um passo de cada vez e, se você é um iniciante, comece com o capítulo intitulado "Primeiros Passos" (página 44 a 79). Pratique os exercícios marcados no capítulo intitulado "Desenvolva Habilidades e o seu Conhecimento" (páginas 348 até 383), mas também contemple as cartas sempre que puder e trabalhe suas próprias ideias também. Se você já conhece o tarô, então pode começar a trabalhar imediatamente com os capítulos dos Arcanos Maiores e Menores e os Capítulos das Ilustrações.

Se você sentir imediatamente curiosidade sobre o significado das cartas, não hesite em procurá-lo, mas tente fazer primeiro os exercícios iniciais. O que vai dar significado e propósito à sua vida é a sua capacidade de dar significado para as cartas e interpretá-las por si mesmo.

Capítulos de Interpretação

Nos capítulos especialmente separados para discutir o significado individual e interpretação de cada carta, você encontrará expressões no texto tais como posições "você agora", "obstáculo" e "futuro". Elas se referem à ordem na qual as cartas são colocadas nas tiragens. Muitas tiragens usam uma dessas posições. "Você agora" é normalmente a primeira carta a ser posta. A carta "obstáculo" ou seus desafios é a carta que cruza ou fica em ângulo reto acima de outra carta. A carta de "futuro" define o próximo passo ou estágio de sua jornada.

No entanto, existem tiragens que não têm essas posições específicas. Nesse caso, trabalhe com cada interpretação em profundidade. Fundamentalmente, depende de você desenvolver sua própria interpretação intuitiva baseada nos símbolos-chave das cartas.

Há palavras-chave, frases-chave e interpretações para cada carta dos Arcanos Maiores.

Há também interpretações para cada carta dos Arcanos Menores.

Instruções fáceis de seguir para tiragens de tarô, mais exemplos de leitura ajudam você a interpretar as cartas.

Como usar o manual

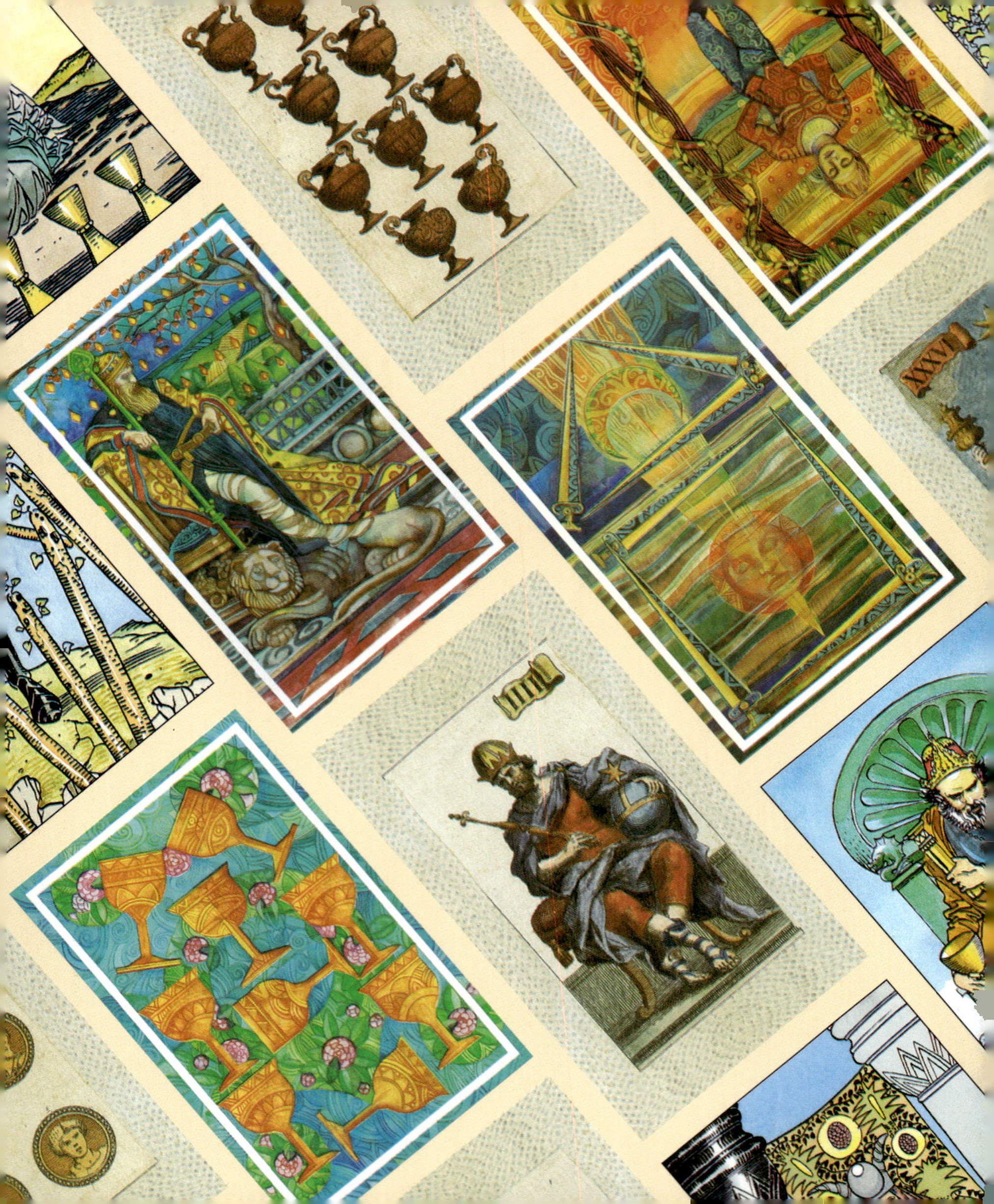
IIII

Primeiros Passos

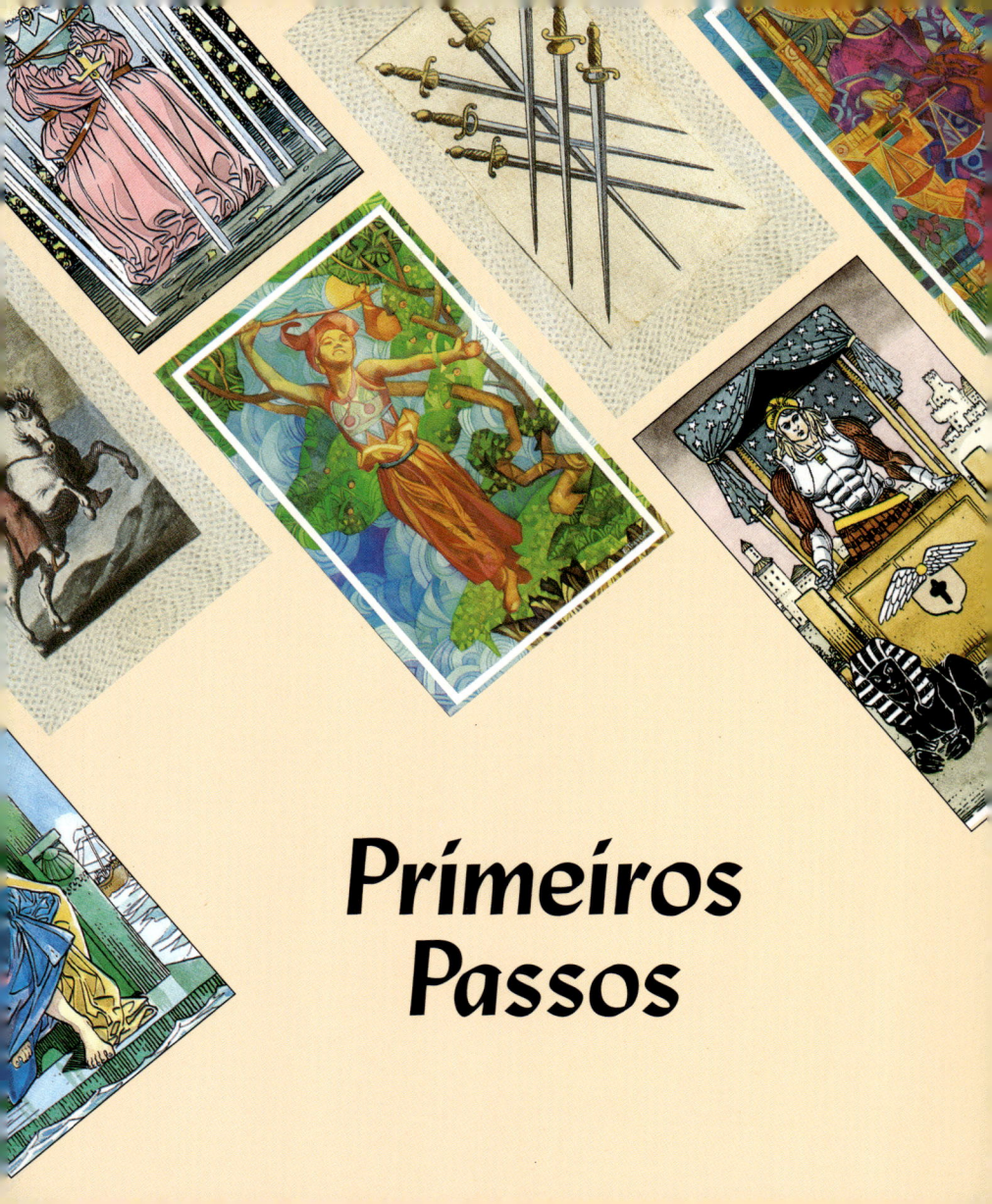

Comece do início

Se esta é a primeira vez que você pensou em usar o tarô, tente questionar quais são os motivos. Por que você escolheu este livro? Você está curioso, amedrontado, preocupado, ansioso? É porque você quer saber mais de si mesmo ou para ter algum controle sobre sua vida? É para estar preparado para o inesperado ou para ajudá-lo a responder uma questão que você já conhece a resposta, mas nunca ousou admitir? Ou é para acessar o seu mundo arquetípico interior e "saber" como seu mundo interior interage com as circunstâncias externas?

Existem tantas motivações para usar o tarô como existem pessoas. Você deve estar consciente de seus objetivos e, então, com clareza e autoconsciência você pode dar o primeiro passo em sua jornada individual pelo tarô.

Armadilhas

Existem algumas ciladas ao embarcar na leitura do tarô:
- **Querer respostas rápidas ou tomar atalhos na vida.** Lembre-se, podem surgir questões que precisam de um trabalho mais profundo com o tarô, e é sempre sábio desenvolver seus talentos do tarô antes de fazer qualquer julgamento ou suposição prematuros.
- **Sempre interpretar cada carta do mesmo jeito.** Este é o hábito mais difícil de largar! É fácil ficar preso numa palavra-chave ou interpretação porque é mais fácil de lembrar. Libere sua imaginação. Sua vida irá fluir melhor também.
- **Ser subjetivo demais.** Você pode estar projetando o que você quer que aconteça sobre as cartas em vez da verdade. Este é o aspecto mais difícil da leitura do tarô para si mesmo, porque você sempre vai influenciar o que você vê com o que você é.

Potenciais
Aqui estão algumas das coisas que o tarô pode fazer por você:
- **Ensinar honestidade emocional.** Você vai aprender que com honestidade emocional você se tornará mais apto a viver a vida e fazer escolhas positivas, em vez de deixá-la passar em brancas nuvens.
- **Desenvolver sua capacidade de se concentrar e sua própria intuição.** Você já tem intuição. Só precisa deixar de lado noções preconcebidas de como deveria pensar e passar a aproveitar a interação entre você e as cartas.
- **Desenvolver sua confiança nas cartas como seus guias pessoais.** Quanto mais você praticar, mais você vai aprender a confiar.
- **Mostrar a você que o tarô é o espelho mais revelador de si mesmo.**
- **Ajudá-lo a descobrir que você é capaz de ter controle sobre sua vida.**

O tarô ensina você a confiar em seus sentidos.

A escolha de um tarô

Hoje em dia, existem centenas de tarôs especializados, associados a qualquer coisa, desde temas de Atlântida até rock'n roll. É tudo questão de gosto pessoal. Mas seja você um iniciante ou um estudioso dedicado de tarô, precisa conhecer os símbolos arquetípicos e a linguagem através da qual o tarô fala. Prefira um dos tarôs tradicionais como o Rider-Waite, o Universal que é usado neste livro, o de Marselha ou os tarôs míticos.

É fácil achar tarôs na Internet hoje em dia, mas para realmente sentir se o tarô é adequado a você ou não ou, talvez mais importante ainda, se você é adequado ao tarô, é melhor encontrar uma loja onde você possa manusear algumas cartas enquanto as examina. Não é só do sexto sentido que você precisa para reconhecer o tarô certo, mas dos outros cinco sentidos também, de maneira que todos os seus sentidos sejam usados naquele momento para aproximá-lo de quem você realmente é.

Imagens do tarô especializado de Atlântida.

Mantenha suas cartas do tarô num lugar especial, tal como uma caixa ou saquinho de tecido.

Cuidados com o seu tarô

Não existem regras, mas trate seu tarô como você trata seus verdadeiros amigos.

- Quando você tirar seu tarô da caixa pela primeira vez, coloque-o numa mesa limpa e deixe que ele "respire" – exalando a energia dele e pegando um pouco da sua.
- Conecte-se com ele. Toque-o, pegue-o e estude-o. Não tenha pressa.
- Cada vez que você usá-lo, coloque-o de volta na caixa ou embrulhe-o num lenço de seda para protegê-lo de energias invasoras ou dos malefícios da luz do sol.
- Se você fizer uma leitura para alguém que tenha energias ou questões negativas, faça um ritual de limpeza depois da leitura.

Com o tempo, suas cartas vão se desgastar, mas será sempre o tarô mais velho e usado que você vai preferir para as leituras pessoais, pois ele vai parecer mais confiável e conter muito mais da sua essência pessoal. Você pode, é claro, preferir investir em mais de um tarô, para que possa usar sempre um novo nas ocasiões especiais ou nas leituras para amigos.

Conheça as cartas

O jeito mais fácil e tradicional de conhecer as cartas é tirar uma por dia e estudá-la. Crie uma história em volta dela, depois de ler sua interpretação, e tente incluir-se na história. No entanto, com 78 cartas, esse método vai se estender por 78 dias. Existe um jeito mais rápido.

Guia passo a passo

Esse tipo de exercício vai ajudar você a se familiarizar com todas as cartas muito rapidamente, dando-lhe uma impressão, em vez de um conhecimento profundo. Mas é uma boa maneira de começar.

1. Separe os Arcanos Maiores dos Menores, e então coloque as cartas dos Arcanos Maiores uma ao lado da outra ou em duas fileiras, e decida se alguma "fala" com você. Alguma carta parece estar de acordo com seu humor? Você sente que ela está tentando dizer alguma coisa a você? Você a odeia, ama ou teme? Ela faz com que você se sinta inspirado, frustrado ou triste?

2. Procure sua interpretação completa para ver se ela é relevante de alguma forma no seu atual momento, ou para esclarecer a razão por que algo está faltando em sua vida.

3. Selecione as cartas que têm esse efeito sobre você e conheça-as primeiro. Alguma delas pode estar ligada ao seu signo zodiacal (ver páginas 356-363), ou pode ser que você simplesmente goste da ilustração sem saber por quê.

4. Verifique os símbolos de cada carta. Anote os que lhe chamam atenção – rosas, leões, águias, serpentes, coroas. Depois, faça uma livre associação, escrevendo o que lhe vier à mente, enquanto fita a imagem ou símbolo.

5\. Mantenha um diário de seu tarô com esses pensamentos e associações, enquanto está aprendendo sobre as cartas.

6\. Depois, trabalhe com as cartas de que você não gosta ou que não entende. Por exemplo, algumas pessoas não conseguem se identificar com o Mago. Tente relacionar a carta com seu momento de vida. Existe um mago em sua vida? Você tem ilusões demais? Ou teme o desconhecido?

7\. Conhecer os Arcanos Menores é um pouco mais difícil. Primeiro, leia sobre o que cada naipe representa e depois aprenda sobre as cartas da corte. Você vai descobrir que as interpretações das cartas numéricas vão ser aprendidas de maneira mais fácil. Decida qual naipe você gosta mais. Por quê?

8\. Escolha uma carta da corte. Ela reflete você ou um amigo? Escolha um número. Ele é significativo para você neste momento? O que a imagem traz à sua mente? Use a imaginação – quem são os Reis e Rainhas da sua vida, quem são os Pajens e os Cavaleiros? Você se identifica com suas qualidades?

Prepare o ambiente

Seja você um iniciante ou um leitor de tarô mais experiente, antes de começar uma leitura, certifique-se de que está num ambiente silencioso e confortável. Isso significa que você será capaz de se concentrar e deixar sua intuição fluir em vez de se distrair com os carros que passam, telefones e conversas alheias. Uma vez que a leitura do tarô começar a vir naturalmente, você irá descobrir que consegue ler o tarô em qualquer lugar. Mas certifique-se de que tem espaço suficiente.

Primeiramente, você precisa de espaço para colocar as cartas – o chão ou uma mesa vazia servem. Não tente fazer leituras de tarô em lugares bagunçados ou entulhados, pois você vai ser distraído pelas coisas à sua volta. Por fim, procure usar o mesmo lugar toda vez que fizer uma leitura, para que ele se torne seu lugar sagrado.

Sente-se de pernas cruzadas no chão. Acenda velas ou incenso e coloque para tocar uma música suave para acalmar os ânimos e ajudar na concentração. Se você está lendo para si mesmo, quanto mais relaxado estiver, melhor. Tente focar a atenção na chama de uma vela e meditar por alguns minutos, depois relaxe sua respiração e tente eliminar todos os pensamentos conscientes.

Rituais

Muitas pessoas gostam de usar rituais de poder específicos antes de começar uma leitura. Eu sempre mantenho minhas cartas de tarô embrulhadas em seda, para protegê-las de energias

O incenso fortalecerá suas leituras de tarô.

psíquicas negativas ou do desgaste natural. Você pode criar um círculo mágico protetor, usar roupas específicas ou colocar objetos, tais como velas e cristais, à sua volta. Tudo isso é útil para conseguir que a energia certa flua entre você e as suas cartas, e também o ajuda a entrar no estado de espírito adequado e interpretar as cartas.

O pêndulo pode repelir energias negativas.

Experimente o seguinte:
- Escolha seu lugar sagrado, desembrulhe as cartas e acenda um incenso. O incenso de sândalo ativa os poderes psíquicos ou de cura, e o de pinho ou alecrim promovem a clareza de pensamento. Desenhe um círculo de fumaça no sentido horário sobre as cartas do tarô, para carregá-las de poder.
- Coloque um cristal em cada direção – norte, sul, leste e oeste –, à sua volta. Escolha seus cristais favoritos, mas procure usar os mesmos todas as vezes. Esse é seu lugar psíquico e a disposição dos quatro elementos vai criar um círculo de proteção. Depois que você terminar sua leitura, desfaça o círculo, removendo os cristais um a um, da mesma maneira que você os colocou – norte, sul, leste e oeste.

Além das cartas, velas, incensos e cristais, você não precisa de outros aparatos. Se estiver fazendo uma leitura para outra pessoa, você pode passar um pêndulo de cristal sobre as cartas para afastar qualquer energia negativa.

É uma boa ideia manter um diário do tarô, pois esse é um jeito excelente de acumular conhecimento. Sua própria intuição e suas interpretações vão dar a resposta-chave para qualquer pergunta, especialmente se você ler suas anotações depois da leitura de tarô, quando você é mais objetivo.

Técnicas de embaralhamento

Embaralhamos as cartas para que a escolha seja a mais aleatória possível. As cartas de tarô são maiores que as cartas de jogo comum e requerem um pouco mais de destreza. Existem poucas regras para embaralhar cartas rapidamente com as mãos, então faça como for mais natural para você. Mas sempre certifique-se de que você embaralhou as cartas com as imagens para baixo.

A seguir, conheça três técnicas diferentes para embaralhar que são simples e eficazes. Antes de começar a embaralhar, no entanto, assegure-se de que todas as cartas estão na posição correta, em outras palavras, que todas as ilustrações estão viradas para a direção certa. Não vire as cartas de ponta-cabeça ao embaralhá-las, se puder evitar.

Técnica 1
Coloque as cartas com a imagem para baixo no chão ou sobre a mesa. Espalhe-as, fazendo uma fileira de cartas sobrepostas, e então puxe algumas da esquerda e coloque sobre as cartas da direita. Puxe algumas do meio e coloque-as sobre a pilha. Então, aos poucos, vá empilhando as cartas aleatoriamente. Faça o procedimento de novo e, finalmente, corte o monte pelo menos três vezes para ter certeza de que elas estão bem embaralhadas.

Técnica 2
Quando as cartas são novas, é difícil embaralhá-las com as mãos, embora geralmente esse seja o modo preferido. Deixe as cartas que estão na sua mão dominante (a mão que escreve) caírem entre as outras cartas, que você segura frouxamente com a outra mão. Apesar de elas serem grandes, não deve ser difícil segurar o baralho inteiro com uma mão. Continue embaralhando até sentir que as cartas estão bem distribuídas. Então corte o monte três ou mais vezes para ter certeza de que elas estão bem embaralhadas.

Técnica 3

Você também pode embaralhar as cartas espalhando-as pelo chão ou pela mesa e simplesmente movimentando-as em círculos como quem bate um bolo. Isso significa, é claro, que algumas provavelmente vão ficar invertidas, mas quando for deitar as cartas na mesa, você pode simplesmente deixá-las na posição certa. Continue girando-as em movimento horário primeiro e depois em movimento anti-horário. Comece a juntá-las até formar um monte. Novamente, corte o monte três vezes.

Este é o melhor método de embaralhar (técnica 2).

Como tirar e escolher as cartas

A melhor maneira de escolher cartas para uma tiragem, ou apenas a carta do dia, é abri-las em leque na mão e correr o dedo pelas costas da carta até que uma pareça "falar" com você. Isso não é tão fácil quanto parece, especialmente se você tem mãos pequenas. Pratique, mas se não conseguir dominar essa técnica, deite o tarô na sua frente, com as imagens para baixo, e depois espalhe-as sobrepostas numa fileira de cartas, até que uma parte da maioria delas esteja visível.

Se você está simplesmente escolhendo a carta do dia, pode terminar de embaralhar normalmente, cortar o monte três vezes e tirar a primeira carta do topo do monte ou cortar o monte aleatoriamente e escolher uma que esteja no meio.

O momento da escolha da carta é aquele em que você e o tarô se fundem numa coisa só. Se você tiver uma pergunta ou um problema, mantenha o foco no assunto ou repita a pergunta para si mesmo enquanto puxa cada carta.

De certa maneira, o tarô escolhe você tanto quanto você escolhe o tarô. Você provavelmente vai descobrir que uma carta está gritando pela sua atenção. Outras vezes você pode duvidar se tirou a carta certa ou se deveria ter tirado a carta ao lado dela. No entanto, lembre-se de que, se hesitou ao tirar a carta e não a escolheu, isso significa que essa não era a carta certa para você nessa ocasião em particular.

Depois que você escolheu uma carta, coloque-a voltada para cima na posição certa dentro da tiragem e continue a escolher as cartas subsequentes da mesma maneira.

Tiragem da cruz celta.

Resista às projeções

Ao puxar cartas e fazer uma tiragem, é importante resistir às suas projeções pessoais o máximo que puder. (A projeção pode ser definida como a atribuição inconsciente de um pensamento, sentimento ou impulso a outra pessoa, especialmente um pensamento ou sentimento considerado indesejável.) Quando, consciente ou inconscientemente, "projetamos" sobre o tarô nossas vontades, desejos e medos, o envolvimento emocional com o assunto pode desvirtuar a resposta verdadeira. Então, seja muito honesto consigo mesmo antes de fazer perguntas.

A carta da Morte representa novos ciclos começando, assim como antigos ciclos terminando.

É compreensível que você espere tirar cartas positivas, que confirmem seus sentimentos ou lhe deem o sinal verde para seguir com seus planos. Todos nós queremos nos sentir fortalecidos e sentir que o futuro é um mar de rosas. É muito difícil olhar para uma carta como a Morte sem sentir que algo ruim vai acontecer. Mas não existe "bom" e "mau" no tarô. Esses são valores que nós projetamos em cada carta. Bom e mau estão entrelaçados. São inseparáveis. As cartas do tarô não são boas nem más. Na verdade, elas descrevem energias arquetípicas, influências e, é claro, você mesmo. Use a informação e tente não separar positivo e negativo quando olhar as imagens.

Aceite a mudança

Apesar de a Morte parecer assustadora, na sua forma mais simples ela representa o fim de um ciclo e o começo de outro, ou a ideia de que a mudança é inevitável. O que você faz com esse conhecimento é escolha sua. Pense sobre os ciclos que podem estar acabando em sua vida agora, apesar de você não ter tirado a carta da Morte. Existe sempre alguma coisa começando ou terminando. Pense sobre o que precisa ser mudado em sua vida para torná-la animada e real.

Tire a carta da Morte do tarô agora e estude-a. Que emoções ela evoca? Você teme a mudança ou dá boas-vindas a ela em sua vida? Se você é alguém que detesta mudança, então talvez ela não seja bem-vida. Nesse caso, talvez seja hora de enfrentar esse medo de mudanças e torná-lo algo positivo e criativo.

Lembre-se de que o resultado da leitura é uma projeção do momento em que você está fazendo essa leitura. Cabe a você fazer as escolhas geradas por essa energia e fazer do futuro o que você quer que ele seja. Às vezes as cartas meramente confirmam nossos sentimentos ou instintos, e isso é informação suficiente para dar a você carta branca para seguir seus desejos. Você sabe consciente ou inconscientemente qual é a sua situação atual. O tarô permite a você reconhecer o que precisa ser feito, dito, não dito ou evitado.

O tarô é um espelho do seu ser, ele reflete a parte mais profunda do seu Eu. Seu lado sombrio é trazido à luz do dia, mas o modo como você interpreta isso é uma mescla de significado tradicional e envolvimento pessoal. A única coisa de que você pode ter certeza é que você pode não ver tudo o que há para ver.

O que perguntar

Às vezes você vai ter uma pergunta específica. Essa é a melhor abordagem para o tarô se você é iniciante, porque você pode geralmente usar uma, duas ou três cartas para conseguir uma resposta. Mas evite fazer perguntas negativas e particularmente aquelas que mostram que você está negando a responsabilidade por suas escolhas. Exemplos de perguntas que evitam responsabilidade:

Você pode melhorar seu relacionamento usando o tarô.

- O meu ex-namorado (ou minha ex-namorada) vai voltar para mim?
- Devo mudar minha carreira?

Refaça essas perguntas da seguinte maneira:
- Eu quero o meu ex de volta, mas como posso melhorar o relacionamento entre nós dois?
- Uma mudança de carreira iria melhorar meu estilo de vida. Pode me ajudar a achar uma maneira de decidir o que seria melhor para mim?

Escreva

Para perguntas específicas, sempre escreva-as antes de começar a embaralhar ou tirar as cartas. É surpreendente como uma pergunta pode ser distorcida quando você apenas a formula na sua cabeça, pois, quando chega a hora de escolher uma carta ou virá-la, você pode facilmente distorcer a pergunta para adaptá-la à carta. Todos nós somos capazes de distorcer a verdade para nosso benefício, porque todos queremos resultados positivos.

Na maioria das vezes, você só quer ter "uma ideia" do que vai acontecer num futuro próximo. Normalmente, existe um contexto para essa "ideia", então tente focar-se em questões e temas que estão acontecendo na sua vida no momento. Existe alguma incerteza ou preocupação sobre a sua situação no momento? É um problema de relacionamento, de carreira ou ele tem a ver com sua insegurança? Mantenha um diário do tarô para esclarecer essas questões.

É possível que você só queira usar o tarô para evolução pessoal ou para descobrir mais sobre si mesmo ou quais temas são relevantes na sua vida agora. Muitas das tiragens sugeridas neste livro oferecem a você uma grande revelação da sua jornada pessoal. Normalmente, não existem perguntas a serem feitas. (Consulte a página 76 para ter mais informações sobre ler para si mesmo.)

Manter um diário com as perguntas feitas e os resultados ajuda bastante.

Intuição e associações

Depois de passar algum tempo praticando a leitura e a interpretação das cartas, você vai começar a "saber" intuitivamente o que uma carta está dizendo. Mas, para começar, você precisa conhecer cada carta intimamente para que todas sejam tão íntimas de você quanto seus melhores amigos. Isso requer tempo, esforço e compromisso da sua parte, mas é uma experiência tão agradável que nem vai parecer um esforço.

Guia passo a passo

Muitos livros de tarô sugerem que o consulente invente uma história sobre os Arcanos Maiores, usando o Louco e sua jornada através de cada uma das outras 21 cartas, de modo a conhecer todas elas. Entretanto, você pode desenvolver sua intuição formando sua própria associação para cada carta. Não se preocupe em fazer interpretações para cada carta ao realizar este exercício simples.

1 Sente-se num lugar tranquilo, sem nada que o distraia. Pegue a carta do Louco. Fite-a enquanto a mantém diante de você e abra sua mente para as imagens que vê. Um jovem vestido em roupas da corte medieval. No topo de uma montanha ou precipício, um cachorro latindo em seus calcanhares, sua cabeça nas nuvens, uma rosa em sua mão, um bastão e uma bolsa. O sol está brilhando, existem montanhas ou nuvens ao fundo.

2 Agora comece sua linha de associações. Use todos os seus sentidos. Conecte cores, cheiros, sons, gostos, qualquer coisa que lhe vier à mente. Por exemplo, a postura do jovem é descuidada, ele não está olhando para onde está indo e está prestes a se arriscar na beira do precipício, ignorando o cachorro a seus pés, que late freneticamente avisando-o. Ele leva uma rosa. O topo do precipício é perigoso.

3 Com o que você associa essa carta? A música poderia ser uma canção como "A Estrada de Tijolos Amarelos", de *O Mágico de Oz*, a cor poderia ser amarelo. A flor poderia ser uma rosa branca ou um amor-perfeito, o Sol está brilhando – uma imagem solar. Brilho, bom humor, amor-perfeito, amarelo, "Eu vou ver o Mágico de Oz".

4 Desenvolva sua própria corrente de raciocínio para cada carta e faça anotações. Depois compare suas ideias com as associações tradicionais para ver o quanto elas combinam. Isso vai ajudá-lo a usar a intuição para ler as cartas e aumentar sua própria confiança com relação a seus significados. Você não precisa aprender sobre todas as cartas de uma vez, mas continue checando as interpretações e as associações tradicionais conforme for lendo as cartas com mais fluência. É como aprender uma língua estrangeira, você tem que praticar para decorar.

Sua primeira leitura

Depois que já estiver razoavelmente familiarizado com o tarô e passou algum tempo conhecendo as cartas, você pode tentar uma primeira leitura.

Guia passo a passo

Use uma das opções do capítulo sobre tiragens diárias (veja páginas 254-275) para esta prática de leitura. Lembre-se de que as ilustrações nas cartas irão inspirar sentimentos específicos em sua personalidade, então, se estiver lendo as cartas para si mesmo, analise cada carta individualmente usando os capítulos sobre os Arcanos Maiores e Menores (páginas 80-253).

1. Prepare seu ambiente, acessórios e rituais. Certifique-se de que não será perturbado durante o tempo que você reservou.

2. Pense sobre sua pergunta (ou tema), anote-a, diga-a em voz alta enquanto embaralha e depois coloque suas cartas na ordem mostrada.

3. Preste atenção numa carta de cada vez e deixe sua intuição guiá-lo. Se você sentir que não consegue compreender o que a carta significa, pense sobre que associação você faz com aquela carta. Se você praticar diariamente, logo vai ter uma ideia dos significados mais básicos. Para começar, não se preocupe se você não conseguir sentir a carta. Simplesmente vá direto para as interpretações dos capítulos sobre Arcanos Maiores e Menores.

4. Procure a interpretação para cada carta. Leia todas as palavras-chave e descrições.

5. Se você ler alguma coisa que pareça realmente se encaixar nessa

situação, confie em sua intuição. Não evite interpretar cartas das quais não gosta ou tem dificuldade de analisar. Elas provavelmente significam mais para você do que você pensa.

6 Se você está lendo para outra pessoa, tenha cuidado para não projetar sua bagagem emocional sobre o consulente. Por exemplo, você pode se sentir imediatamente confortável com o Mundo (carta da plenitude pessoal), associando-a com viagens, seu feriado favorito ou um lugar exótico. Você pode ter vontade de dizer, "Olha, que bom, você vai viajar pelo mundo!". Mas o consulente pode detestar viajar, ter medo de se afastar de casa e sentir mais contentamento com a vida familiar e a vida pacata. Lembre-se ao interpretar para outra pessoa e, não esqueça, ao ler para si mesmo, de continuar checando as interpretações tradicionais enquanto você continua seu aprendizado.

Desenvolva suas habilidades de interpretação

As cartas do tarô simbolizam vários arquétipos e qualidades. Elas não são nem boas nem más. Elas apenas são, e pronto. É importante nos lembrarmos disso quando fazemos uma interpretação, pois é da natureza humana julgar qualidades dependendo do modo como elas nos influenciam. Nós falamos um língua que divide o mundo entre sim e não, bom ou mau, aqui e lá, em cima e embaixo. Mas essa polaridade é, em si mesma, parte do eixo da unidade, um "todo". Ao definir o "aqui", sabemos que o "lá" existe. Ambos fazem parte da mesma polaridade. Nós dizemos que estamos em "polos opostos", mas o que são polos se não os eixos longitudinais do mundo?

Todos nós fazemos julgamentos, na maior parte inconscientemente, do que é "bom" ou "mau". No entanto, é um aforismo válido ter em mente, ao interpretar cartas, que "o prazer de um homem é o veneno de outro".

Por fim, você verá essas qualidades de uma perspectiva diferente dependendo de sua situação atual. Por exemplo, ser "generoso" é positivo ou negativo? Tudo depende de seu ponto de vista no momento. Alguém generoso pode estar tentando comprar seu amor. Ou pode até estar tentando comprar seu tempo.

Guia passo a passo

Não existem regras para a interpretação. Cada pessoa lerá as cartas de uma maneira diferente. É preciso ter prática, cabeça aberta e força de vontade para aprender e desenvolver seus talentos na língua do tarô. Mas aqui está um exercício fácil para ajudá-lo a começar. Logo você será capaz de ler o tarô como se estivesse lendo um livro. A parte difícil é combinar as interpretações das cartas separadamente numa tiragem. É aí que você precisará ser um pouco contador de histórias, e a maneira mais fácil é falar em voz alta.

1 Pratique com tiragens de duas ou três cartas para começar. No exemplo abaixo, a primeira carta que você tira representa sua situação presente, a segunda representa seu passado, a terceira representa um futuro próximo. Coloque-as nesta ordem:

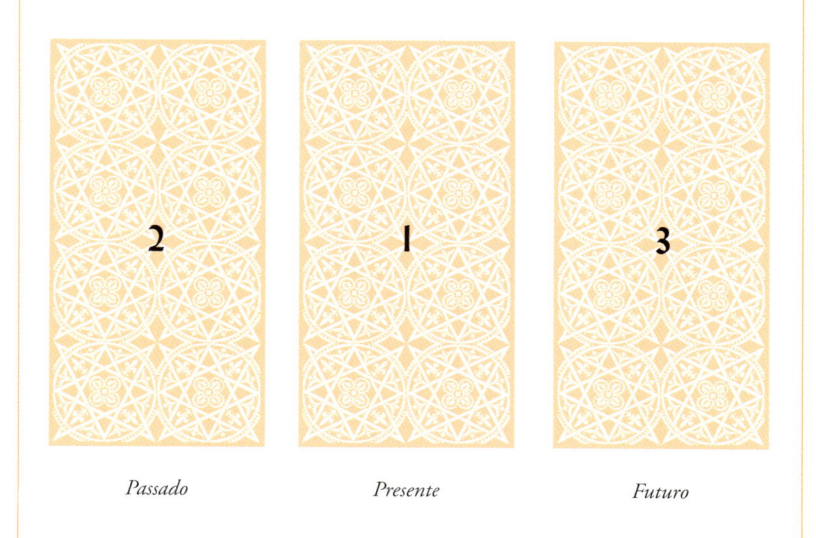

2	1	3
Passado	*Presente*	*Futuro*

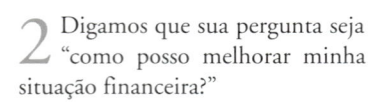

2 Digamos que sua pergunta seja "como posso melhorar minha situação financeira?"

3 Para esse exemplo, vamos presumir que você tenha tirado A Estrela (presente), Quatro de Paus, (passado) e o Hierofante (futuro).

4 Se ler apenas uma das palavras-chave associadas a cada uma dessas cartas, você terá inspiração, liberdade, conhecimento. Agora tente relacionar essas palavras com a sua pergunta.

5 Depois, pense sobre associações pessoais que você tem com essas cartas. Como se sente em relação a essas imagens? As palavras lhe sugerem qualidades "boas" ou "más"? Você pode ser uma pessoa que detesta convenções, e o medo de ter que seguir as regras significa que o Hierofante (cujas palavras-chave incluem conformidade, regras tradicionais, respeito) ameaça mais do que ajuda. Mas é, na verdade, por meio do sistema e das pessoas que o representam que você vai conseguir um resultado positivo.

6 Uma interpretação muito simples para essas cartas seria: "No momento me sinto muito inspirado a fazer algo com respeito às minhas finanças, no passado recente eu gastei com demasiada *liberdade*, mas num futuro próximo precisarei ouvir conselhos financeiros *convencionais* para melhorar minha situação".

Exemplo de leitura

1 A Estrela (palavra-chave: inspiração) Você está inspirado a fazer algo com relação às suas finanças, mas na descrição detalhada sobre A Estrela você percebe que essa não é uma carta prática. Porém, você tem motivação suficiente agora para cuidar melhor das suas finanças.

2 Quatro de paus (palavra-chave: liberdade) Ultimamente você tem gastado dinheiro com liberdade demais, talvez comemorando demais ou simplesmente aproveitando a vida. Ser generoso demais fez com que sua carteira ficasse vazia (neste caso a palavra "generoso" não é exatamente "boa").

3 O Hierofante (palavra-chave: conhecimento convencional) A chave para as boas finanças é ouvir alguém que saiba aconselhá-lo. É com conhecimento, mesmo que convencional, que você vai poder seguir adiante.

Tente esse método com perguntas diferentes e cartas diferentes para praticar usando a princípio apenas as palavras-chave das interpretações.

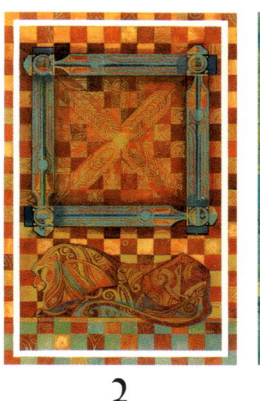

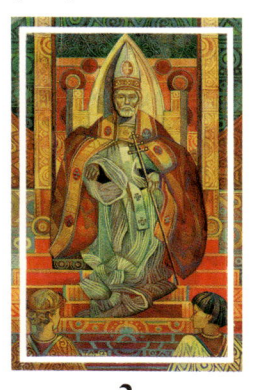

2   1   3

Respostas "sim" ou "não"

De vez em quando você pode querer fazer uma pergunta simples que requeira apenas uma resposta "sim" ou "não" para determinar seu futuro. Mas lembre-se de que a maioria das cartas carrega associações positivas e negativas, então tente analisar quais são os motivos subliminares da sua pergunta antes de interpretar uma carta para uma pergunta sim/não.

No entanto, existem algumas cartas que parecem ser particularmente positivas e outras particularmente negativas. O Diabo poderia facilmente significar um "não", e o Mundo, um "sim". Tudo depende da pergunta, já que até respostas "não" podem ser positivas. Você pode estar esperando ardentemente por uma resposta "sim" quando faz perguntas como "ele/ela vai se casar comigo?", "vou conseguir o emprego?". Você pode estar fazendo uma pergunta para determinar os sentimentos de alguém: "meu parceiro me ama?", "meu colega é um rival?". A resposta "não" para a última pergunta seria uma resposta positiva porque isso mostra que o seu medo é infundado.

Mas lembre-se de que respostas "sim" ou "não" são muito reveladoras. Qualquer pergunta envolve muitas opções. Mesmo que você queira simplesmente saber se o seu parceiro ama você, será mais revelador para você descobrir mais sobre seus sentimentos por meio de uma tiragem profunda de relacionamentos.

O truque das três cartas sim/não

Você pode usar as posições invertidas ou corretas das três cartas para determinar uma pergunta "sim" ou "não". Para isso você vai precisar embaralhar as cartas e se certificar de que algumas delas virem de cabeça para baixo enquanto embaralha. Depois, escolha três cartas aleatoriamente e deite-as com a face para cima em fila. Cartas na posição correta contam como um "sim" e cartas invertidas contam como um "não". Obviamente, se você tiver duas cartas "sim" e uma carta "não", então a resposta é "sim" para a sua pergunta.

sim *não* *sim*

Duas cartas na posição correta e uma invertida significa "sim".

Tirando uma carta diária

Um outro bom método para desenvolver seus talentos de interpretação é tirar uma carta do dia. Se você é um completo iniciante, então trabalhe com os Arcanos Maiores a princípio, para começar a sentir seus símbolos arquetípicos. Ao longo do dia, você deve pensar sobre a carta, associar ideias livremente, checar suas várias interpretações e ver como ela funciona para você durante o dia. A carta correspondeu à energia do dia, às pessoas que você encontrou, seus sentimentos ou suas ações? Escreva quaisquer eventos, encontros, ideias ou experiências relacionadas à carta que você escolheu.

Guia passo a passo
Faça de sua carta do dia um ritual diário, igual a qualquer outro – escovar os dentes, fazer chá ou café, vestir-se. Tudo o que você precisa são uns dois minutos e estará preparado para uma visão renovada do seu dia.

1 Encontre um momento tranquilo, talvez ao acordar. Embaralhe o tarô, corte quantas vezes quiser e esvazie a mente de todos os pensamentos. Você não deve ter uma pergunta em mente, já que está tirando uma carta aleatória como seu conselho para o dia.

2 Abra as cartas em leque numa mão, de face voltada para baixo, e escolha uma carta, ou, como alternativa, pegue uma carta do meio, de baixo ou de cima do monte de cartas.

3 Se a ilustração ficar de cabeça para baixo, não interprete dessa forma, mas simplesmente coloque-a na posição correta.

4 Antes de procurar as palavras-chave e interpretações da carta, espere um pouco para desenvolver seus próprios pensamentos e senti-

mentos sobre o que ela significa para você. Você já tem uma ideia na sua mente do que ela simboliza? Por exemplo, você pega o Eremita, a carta da introspecção. Você pode imaginar que vai se sentir sozinho o dia inteiro. Isso pode de fato acontecer, mas o Eremita também indica que você precisa olhar para trás. Talvez você precise encontrar alguém do seu passado que diga algo significativo para você. Você deve pedir conselho a alguém em quem confia ou começar uma jornada pessoal.

5 Deixe que a interpretação guie você, mas normalmente uma revelação repentina, um encontro ou uma experiência vai permitir que veja o que a carta significa para você e a relevância da carta na sua vida durante aquele dia.

Cartas invertidas

Existem opiniões diferentes e um debate bastante antigo dentro dos círculos de tarô sobre o significado, a relevância ou o que quer que seja sobre as cartas invertidas. É tudo uma questão de escolha pessoal, se você presta atenção nelas ou não. Ao fazer uma leitura, se você preferir não usar cartas invertidas, simplesmente embaralhe-as de uma maneira que elas fiquem sempre na posição certa. Ou, ao colocar as cartas numa tiragem, vire-as para a posição correta para você. É simplesmente uma questão de escolha pessoal.

As cartas do tarô simbolizam uma energia arquetípica e, quando faz uma leitura, você estabelece um relacionamento com essa energia. Suas ações, sentimentos e intenções estão sincronizados com esse momento. O tarô revela a energia arquetípica que no momento reflete a sua situação.

Mas o que as cartas invertidas significam? Tradicionalmente, pensava-se que elas simplesmente representavam o oposto da carta na posição certa e recebiam conotações negativas. Mas isso gera confusão, porque o simbolismo da carta pela posição certa traz a mensagem tanto negativa quanto positiva.

Outros dizem que a carta invertida revela que a energia está lá, mas não se desenvolveu ainda. O potencial foi semeado, mas a energia a ser expressa ainda está dormente, ou pode estar se afastando de você, ou simplesmente estar indisponível no momento.

Como usar cartas invertidas

Se você quiser usar cartas invertidas, a maneira mais simples de interpretá-las é considerar que essa qualidade está de algum modo em falta na sua vida no momento, ou que você precisa se tornar consciente das qualidades que a carta representa. Talvez você precise prestar mais atenção naquela carta e no seu significado completo.

Eu, pessoalmente, sempre deixo todas as cartas na posição correta, porque o rico simbolismo das cartas na posição correta irá dizer a você o que está faltando, o que é necessário, qual energia é passiva, qual é dormente ou ativa em qualquer momento da sua vida.

Vejamos a Lua, por exemplo. A posição correta da Lua representa confusão, ilusão e enganar a si mesmo. Ela também representa imaginação, intuição e mo-

Seja na posição correta ou invertida, a Lua tem significados semelhantes.

mento de descobrir o seu verdadeiro caminho para seguir adiante. Se ela estiver invertida, isso iria de fato mudar alguma coisa, já que a Lua incorpora qualidades "negativas" e "positivas"? Talvez o único benefício de usar a posição invertida seja a possibilidade de saber que você precisa estar mais atento para o fato de enganar a si mesmo ou prestar mais atenção à sua intuição. Mas existe a mesma possibilidade se a carta sair na posição correta, numa posição-chave num dos muitos exemplos de tiragem.

Leitura para si mesmo

Há momentos em que você pode usar o tarô para o autodesenvolvimento, para se abrir para questões psicológicas ou espirituais ou para buscar questões relacionadas à sua alma que podem estar trancadas em seu inconsciente. Você também pode usar esse método quando sentir que o futuro é um grande mistério e você

O tarô é um guia positivo para mudar sua vida para melhor.

precisa de uma direção. Ler para si mesmo é útil se você está prestes a iniciar um novo relacionamento, uma nova carreira ou uma grande mudança na sua vida e precisa ter uma noção do quadro geral e das energias que estão operando em sua vida. Nesse caso você não precisa fazer nenhuma pergunta, mas simplesmente confiar no que o tarô vai revelar a você.

Guia passo a passo

Em vez de tirar uma carta do dia, este tipo de leitura não requer um cuidado especial com as perguntas. Você não precisa escrever nada e nem falar nada em voz alta. De algum modo, as implicações mais profundas do efeito espelho do tarô virão à baila para mostrar a você o quadro maior e os temas importantes em ação.

1 Esvazie a mente de pensamentos mundanos, relaxe e comece a embaralhar as cartas. Ao fazer isso, não se concentre em nada, apenas deixe seus pensamentos fluírem em vez de se apegar a algo específico.

2 Use uma das tiragens descritas nas páginas 254-347 para guiá-lo. Assim que você estiver mais familiarizado com o tarô, poderá criar suas próprias tiragens para esse tipo de trabalho interior.

3 Olhe para os temas que as cartas combinadas evocam, mas não tente analisá-las todas em detalhes. Deixe que o seu inconsciente interaja diretamente com a energia e, ao contemplar as cartas, você começará a entender os temas ou questões importantes para seu futuro no momento presente.

Leitura para os outros

Apesar de este livro ser direcionado para as leituras pessoais do tarô, haverá ocasiões em que você irá querer ler cartas para outras pessoas. Isso requer um pouco mais de cuidado e consciência psicológica.

Nós todos projetamos nossas ideias, sentimentos e questões sobre as qualidades representadas pelas cartas do tarô. O que é "ótimo" para você pode ser "chato" ou "impensável" para outra pessoa. Você pode achar que a Torre é empolgante e dinâmica, porque ela sugere mudanças repentinas ou surpresas e você pessoalmente cresce muito com esse tipo de espontaneidade. No entanto, outra pessoa irá preferir estar sempre no controle e achará a ideia ameaçadora em vez de libertadora.

Tente ser muito objetivo ao ler o tarô para amigos.

Quando você começar a ler para outras pessoas, sempre faça disso uma experiência divertida, e aceite que irá provavelmente aprender mais sobre si mesmo lendo o tarô de um ponto de vista mais objetivo.

Mas tenha cuidado com seus amigos. Antes de começar pergunte a si mesmo se você está emocionalmente envolvido, se tem interesse que a situação deles tome determinado rumo ou se quer que algo bom lhes aconteça. O segredo é lembrar que você está vendo a situação do seu ponto de vista, então tente ser o mais objetivo possível. Além disso, interprete as cartas sem cair na armadilha de distorcer os fatos porque seu amigo quer ouvir isto ou aquilo, em vez da verdade.

Leitura para amigos ausentes

Você pode deitar as cartas e fazer uma pergunta a respeito de alguém que não esteja presente. Essa pode ser uma leitura divertida ou cheia de projeções. Novamente, ler para outra pessoa ou ler sobre uma situação mundana requer total honestidade. Pessoalmente, acho divertido fazer perguntas como "o que o meu namorado está pensando sobre mim agora mesmo?" ou "quando eu encontrar a minha tia-avó semana que vem para tomar chá, qual é a melhor maneira de lidar com ela?" ou "se o partido tal ganhar a eleição, como isso vai afetar a minha família?".

Fuja de perguntas como "por que A odeia B?", ou "Jane vai romper com o namorado dela?" visto que esses assuntos não são da conta de ninguém além das pessoas envolvidas.

Você pode ler o tarô com seu parceiro por diversão ou para conhecer o futuro.

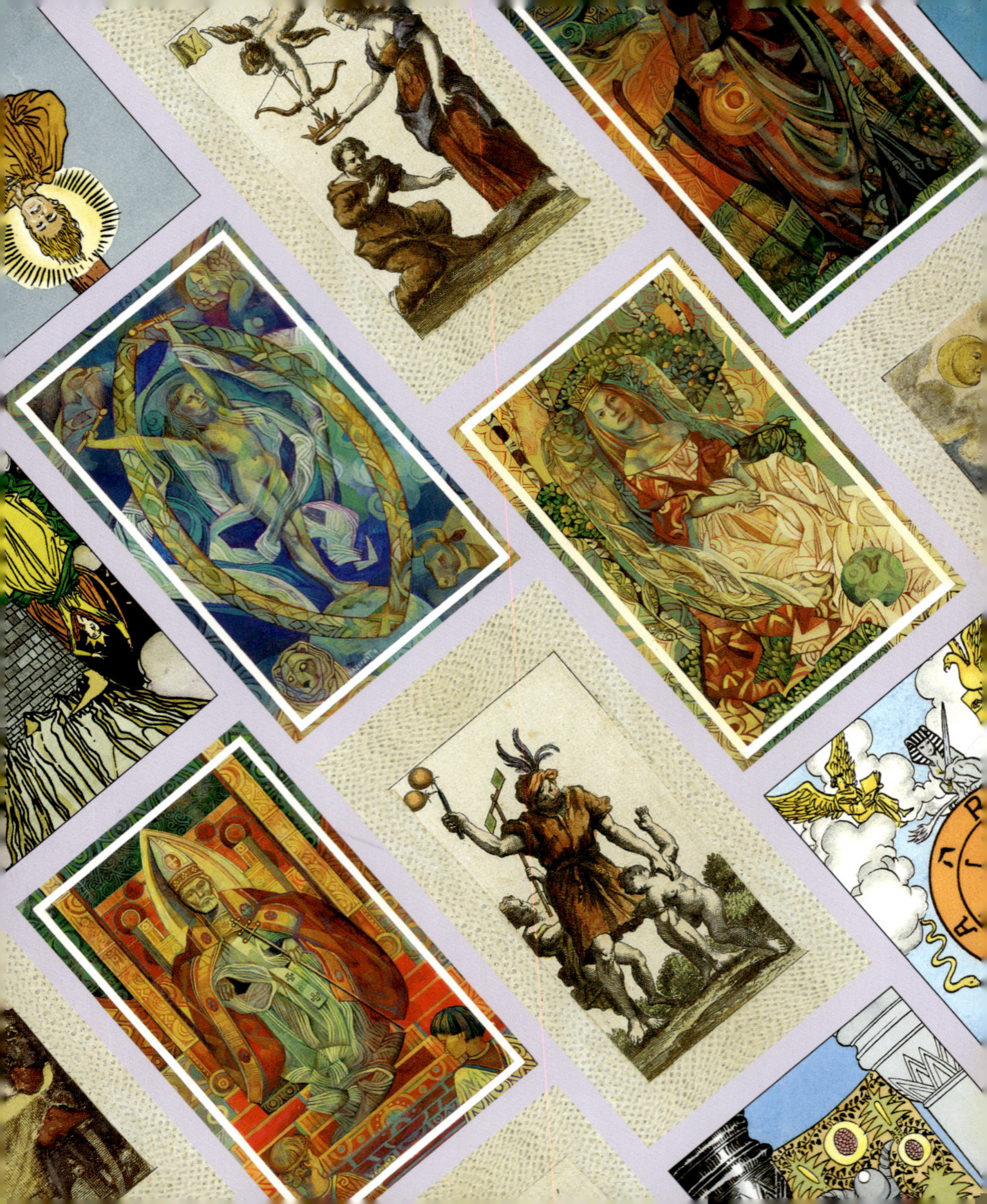

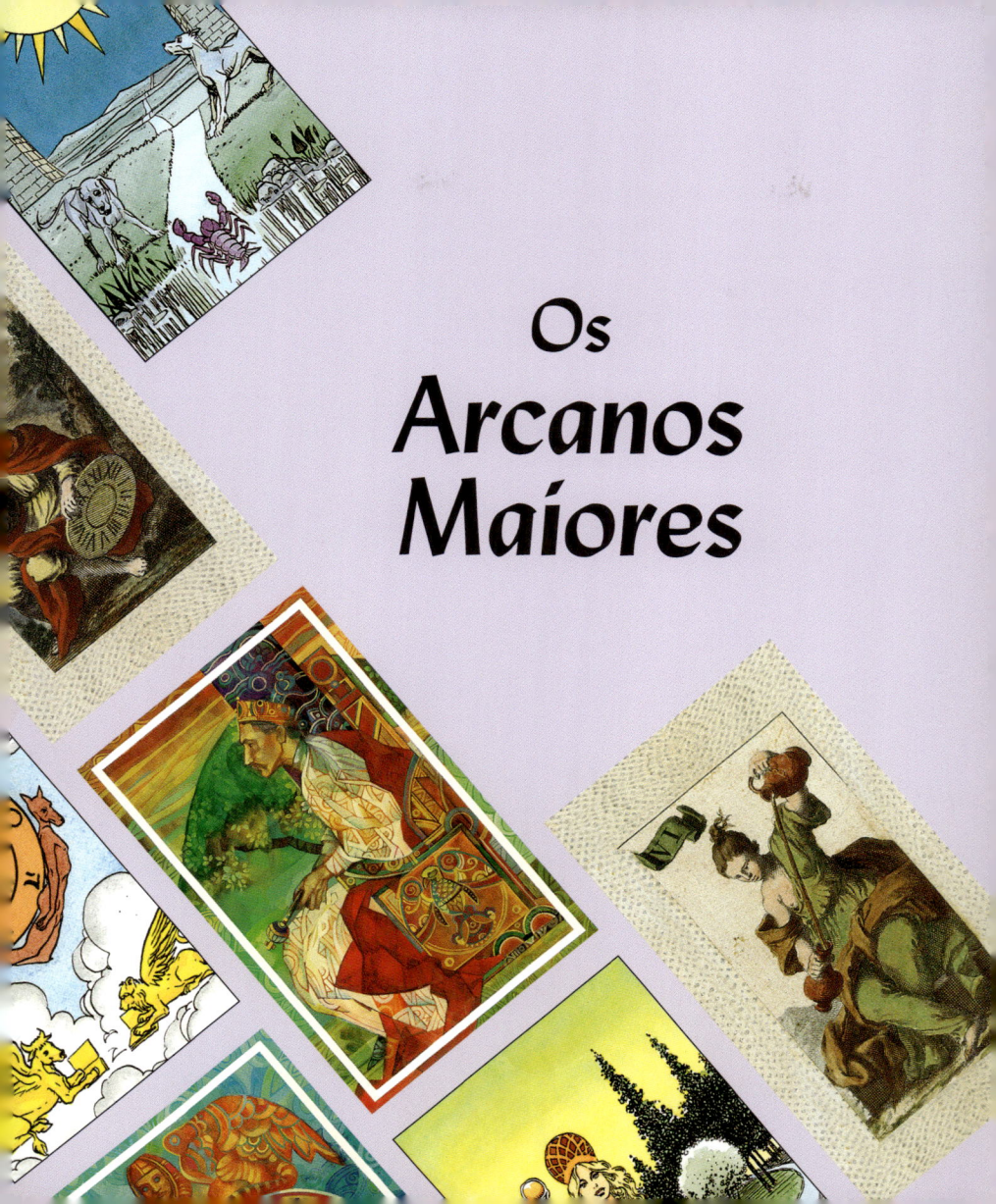

Os Arcanos Maiores

Entenda os Arcanos Maiores

Os Arcanos Maiores, que significam "grandes segredos", representam as energias mais fundamentais da vida. As cartas simbolizam nossas questões mais básicas, nosso mundo interior e motivações subliminares. Essas são as 22 qualidades ou arquétipos que permeiam toda a humanidade, e elas provocam reações profundas e complexas em todos nós. Pense se você se assusta com "A Morte", se é seduzido por "Os Enamorados", sente-se indiferente à "Temperança", fica enraivecido com "O Diabo". Todos nós carregamos esses arquétipos dentro de nós. Se você evitar projetar valores positivos ou negativos sobre as cartas, o rico simbolismo que lhes pertence vai proporcionar muito mais conhecimento sobre si mesmo e conselhos melhores sobre como assumir responsabilidade por seu próprio destino. Essas cartas representam você.

Checagem

Os 22 Arcanos Maiores representam influências arquetípicas e qualidades que agem tanto no indivíduo quanto na sociedade, mas as cartas também expressam aspectos psicológicos conscientes e inconscientes em nós mesmos. Para cada carta neste capítulo você encontrará as seguintes informações:

- Cada carta tem um nome. Alguns são simplesmente ideias ou temas tais como A Temperança, O Julgamento, A Força, enquanto outros são indivíduos que personificam uma qualidade tal como O Hierofante ou O Mago. A Lua, O Sol e A Estrela representam forças mais profundas, esotéricas e inconscientes.
- Cada carta tem um número conhecido como Arcano. Os Arcanos Maiores são numerados de 1 até 21, mais O Louco, que não possui um número, mas algumas vezes é considerado o 0.
- Cada interpretação dos Arcanos Maiores é acompanhada por uma correspondência astrológica e numérica.
- Cada carta possui palavras-chave e frases que ajudam a identificar o tema principal ou o "sentimento" da carta. Essas frases breves descrevem como a energia da carta é manifestada. Por exemplo, as palavras-chave do Louco sugerem "partir numa busca pessoal, seguir impulsivamente rumo ao desconhecido".
- Cada carta tem uma interpretação principal, que descreve a carta em detalhes e dá mais informações sobre outras possíveis interpretações quando elas estão em posições-chave nas tiragens (ver páginas 254-347 para exemplos de tiragens).

Posições-chave nas tiragens

- A posição "você agora" descreve a situação presente.
- A posição "futuro" descreve uma situação futura.
- A posição "passado" descreve as influências mais recentes sobre a questão.
- A posição "obstáculo" descreve um impedimento atual.

O Louco

ARCANO 0
AFINIDADE ZODIACAL Urano

PALAVRAS-CHAVE
Impulso, fascínio, cegueira à verdade, infantilidade, puro e não corrompido

FRASES-CHAVE
- *O eterno otimista*
- *Pronto para se jogar de cabeça*
- *Aceitar cada aventura que aparece*
- *Espontâneo e despreocupado*
- *Partir numa busca pessoal*
- *Seguir impulsivamente rumo ao desconhecido*

Interpretação

O Louco normalmente sugere novos começos e um entusiasmo infantil pela vida. Esta carta representa a parte de você mesmo que se apresenta quando você precisa de aventura, quando se apaixona ou quando está procurando por respostas rápidas. A criança interior ou o tolo que age sem pensar, sem medo do desconhecido e pronto para pular num precipício.

O Louco sempre significa o imprevisível, que a vida é cheia de surpresas e tudo é válido. Ele pode indicar que é hora de deixar preocupações e dúvidas sobre si mesmo para trás, de dar um salto de fé em vez de ter medo de fazer uma escolha.

Num relacionamento, tome cuidado para não se apaixonar pelo amor e deixar de ver aonde o relacionamento o está levando. Esta carta também sugere que você tem uma atitude imatura em relação a relacionamentos ou em relação à sua capacidade profissional. Talvez esteja evitando responsabilidades.

O Louco pode significar que você não escuta conselhos de ninguém e que não está levando a sério promessas e sentimentos. Você pode estar cego para futuras mágoas ou se precipitando em novas aventuras sem pensar direito. O principal sentimento desta carta é adverti-lo para olhar antes de pular, mas, se você teme tomar uma decisão, o Louco sugere que é hora de acreditar em si mesmo e confiar em seu coração. Às vezes, a resistência é menos sábia do que assumir riscos.

Se o Louco aparece na posição "futuro", então pode ser sinal de um começo ou mudança de direção. Talvez um namorado, amigo ou estranho irresponsável, extravagante e desinibido venha a se tornar importante em sua vida. Numa questão relacionada à intimidade sexual, o Louco representa vitalidade erótica, vontade de viver, mas também uma relutância em assumir compromissos.

O Mago

ARCANO I
AFINIDADE ZODIACAL Mercúrio

PALAVRAS-CHAVE
Iniciativa, persuasão, consciência, ação

FRASES-CHAVE
- *Capacidade de manifestação*
- *Consciência de seu potencial*
- *O conhecimento é a chave do sucesso, mas não se iluda de que sabe todas as respostas*
- *Foco no objetivo*

Interpretação

O Mago é o empreendedor arquetípico. Ele se utiliza de todas as forças universais para conseguir bons resultados.

O Mago simboliza a ponte entre o seu eu interior e o seu exterior, a maneira como seus desejos inconscientes são filtrados pelo seu consciente e fazem as coisas acontecerem. Quando você puxa esta carta é importante ser flexível, comunicativo e ouvir sua voz interior. Você pode também guiar um amigo ou parceiro em direção à escolha certa para ele. A persuasão é sua aliada, então acerte o ritmo e inspire outros com suas ideias. É uma carta de "vá e faça acontecer".

O Mago também representa a sua capacidade de fazer escolhas e de usar com confiança seus talentos e conhecimentos, mas sem pensar que tem resposta para tudo. É uma carta extremamente criativa em tiragens sobre relacionamento, e pode significar energia sexual masculina. Em questões de negócios, ela pode indicar que você é um excelente empreendedor, que tem talento para produzir resultados que parecem mágicos ou para resolver situações que outros não souberam resolver.

Se esta carta aparece na posição "você agora", então é hora de adaptar-se às circunstâncias que estão mudando, colocar as ideias em ordem e achar o caminho certo a seguir.

Como carta de "futuro", ela revela que você logo vai ter que provar que pode se comunicar com eficácia.

Na posição "obstáculo", esta carta normalmente indica que você está tão focado em si mesmo que está ignorando seus valores e necessidades mais profundas. Talvez você tenha que reconhecer suas verdadeiras intenções ou praticar o que prega.

A Sacerdotisa

ARCANO 2
AFINIDADE ZODIACAL Lua

PALAVRAS-CHAVE
Segredos, sentimentos ocultos, intuição, aquela que cura, poder feminino, potencial silencioso, o inconsciente, motivação oculta, influências misteriosas, talentos em desenvolvimento

FRASES-CHAVE
- *Um segredo que precisa ser revelado*
- *Confiar em sua intuição*
- *Ver além do óbvio*
- *Lembrar algo significativo*

Interpretação

A Sacerdotisa é o símbolo arquetípico de tudo o que é desconhecido. Ela é onisciente, mas não revela nada e guarda os segredos do inconsciente. Ela representa o limite entre o mundo real aparente e todos os outros reinos. Se você puxar esta carta, está na hora de levantar o véu da ilusão sobre a vida, olhar além do óbvio ou do simples fato, e aceitar que existe mistério na vida também.

Na posição "você agora", a Sacerdotisa indica que você precisa desbloquear a sua memória, desenvolver o seu potencial oculto ou deixar sua intuição guiá-lo. Esta carta representa o poder feminino, mas, diferente da Imperatriz, que representa o mundano, a Sacerdotisa simboliza o fator esotérico desconhecido, o instinto feminino que tem fascinado a humanidade há milhares de anos.

Na posição "obstáculo", esta carta revela que você teme descobrir como realmente se sente em relação a alguém, mas que também é hora de desenvolver sua consciência e usar sua intuição para o que você realmente quer e para onde você está indo. Existem muitos segredos em seu coração e se você olhar para dentro dele descobrirá a verdade. Talvez você esteja tendo dificuldade para comunicar seus sentimentos para alguém.

Como uma carta "futuro", você logo terá um problema esclarecido ou um segredo será revelado. Como uma carta "passado", pense no que alguém disse a você alguns dias atrás. Pode ser algo revelador ou que o leve à resposta que tem procurado. Lembrar de uma conversa pode lhe trazer sucesso.

A Imperatriz

ARCANO 3
AFINIDADE ZODIACAL Vênus

PALAVRAS-CHAVE
Ação, desenvolvimento, vitalidade feminina, prazer sensual, abundância, compaixão, criatividade, nutrir, sentir-se bem com a vida

FRASES-CHAVE
- *Foco na beleza e na arte*
- *Harmonia com o mundo natural*
- *Extravagância*
- *Viver com luxúria*
- *Consciência sensual*

Interpretação

A Imperatriz representa o aspecto criativo, nutriz do feminino. É um arquétipo de abundância, fertilidade e criatividade. Esta carta se relaciona à natureza, às artes, à graça, à beleza e, em seu pior sentido, à ganância, à possessividade e à indulgência exagerada.

Se você puxar esta carta numa posição "você agora", isso pode indicar que o seu instinto maternal é poderoso e talvez você precise ter que se concentrar em harmonizar seus relacionamentos. Por outro lado, talvez você tenha que nutrir seu próprio coração ou entrar em contato com suas necessidades sexuais.

Esta carta pode indicar que você está desempenhando o papel de mãe, mimando alguém ou está prestes a se tornar mãe. Também pode sugerir uma figura maternal que será uma influência importante em sua vida.

Se você puxar esta carta numa posição "futuro", pode ter certeza de obter progresso em qualquer objetivo, por mais improvável que seja.

Se você fez uma pergunta sobre relacionamentos, a Imperatriz indica que você pode precisar motivar o seu par ou mimá-lo. Ela também pode sugerir que existe uma influência feminina destruidora em sua vida, especialmente se ela aparecer na posição "obstáculo". Pode ser alguém do seu trabalho ou sua mãe.

Na posição "futuro", a riqueza material ou prosperidade será importante para você, mas também significa que é hora de ser criativo na vida em vez de presumir que as coisas vão simplesmente vir de bandeja. A Imperatriz revela que você deve estar atento à sua natureza instintiva, assim como sua natureza racional.

O Imperador

ARCANO 4
AFINIDADE ZODIACAL Áries

PALAVRAS-CHAVE
Poder, autoridade, figura paternal, liderança, o poder da razão

FRASES-CHAVE
- *Insensibilidade com outros, com seus sentimentos e paixões*
- *Pensamento dogmático assertivo*
- *Caos ordenado*
- *Estabelecer leis ou valores familiares*
- *Assumir o controle de uma situação*
- *Pensamento estruturado*
- *Ater-se às regras*

Interpretação

Essa carta representa o princípio masculino, o arquétipo da autoridade, paternidade e liderança. Quando seu Imperador interior é ativado, você fica ambicioso e pode gerenciar seus problemas com eficácia. Quando você puxa esta carta em uma posição "você agora", você tem autoridade e sabe o que quer, mas talvez você esteja sendo muito contundente e teimoso, sempre querendo tudo do seu jeito.

Numa pergunta a respeito de parceria, a carta significa que você terá vontade e necessidade de assumir o controle no relacionamento. Mas é hora de manter os sentimentos pessoais fora da linha de fogo e basear suas decisões em fatos. Como uma carta "obstáculo", o Imperador revela que alguma autoridade o está impedindo de evoluir, ou que um namorado ou figura paterna não irá escutar o que você tem a dizer.

Se você está fazendo uma pergunta relacionada ao amor, e ela aparece na posição "futuro", o Imperador quer dizer que você se sentirá atraído por uma pessoa forte, dominadora ou por um empreendedor de sucesso. Ela pode significar pessoas viciadas em poder e amantes de coração frio – eles podem ser confiáveis na cama ou no escritório, mas você nunca vai saber suas verdadeiras intenções. Se você está tentando descobrir uma vocação, esta carta indica que você irá alcançar suas ambições ou objetivos através de disciplina e determinação.

O Imperador lembra você de que a estrutura, a organização e as regras trarão os melhores resultados.

O Hierofante

ARCANO 5
AFINIDADE ZODIACAL Touro

PALAVRAS-CHAVE

Conformidade, conter-se, respeito, ensinamento, regras tradicionais e cerimônia

FRASES-CHAVE

- *Adaptar-se ao status quo*
- *Aceitar disciplina*
- *Pressão dos seus iguais*
- *Estudar valores mais elevados*
- *Compartilhar uma crença*
- *Saber agir da maneira apropriada*
- *Discernir pelo conhecimento*

Interpretação

O arquétipo do Hierofante representa conhecimento e educação em sua forma mais aceita. Quando você puxa esta carta, ela indica que os valores tradicionais são apropriados para qualquer ação, mas também que sua alma precisa de expressão. Se você está fazendo uma pergunta sobre relacionamentos, o Hierofante indica que alguém está agindo de uma forma convencional, ou que você deve buscar a orientação de alguém que aja como um guru ou mediador. Também pode indicar que você deverá se conformar com certas regras se quiser ir adiante com seus planos.

Se a carta do Hierofante está na posição "você agora", você pode estar preso a seus hábitos e pouco disposto a se adaptar a outros. O apego ao passado significa que você não pode seguir adiante e aceitar as mudanças necessárias que irão melhorar sua vida.

Na posição "futuro", o Hierofante normalmente representa uma pessoa específica que você irá conhecer – um guru, um conselheiro espiritual ou professor que tem bons conselhos ou merece sua confiança. Ela também significa que você irá encontrar alguém que lhe transmite a sensação de que já conhece e por quem sente uma afinidade imediata.

A lição mais importante que o Hierofante ensina é a de que, embora você confie ou cultive suas próprias crenças, os outros têm as delas também. Você pode estar lutando contra restrições impostas por outros ou contra as circunstâncias, ou um grupo de pessoas ortodoxas está limitando o lado independente de sua natureza de espírito livre.

Os Enamorados

ARCANO 6
AFINIDADE ZODIACAL Gêmeos

PALAVRAS-CHAVE
Amor, plenitude, escolha, tentação, compromisso

FRASES-CHAVE
- *O poder do amor e como lidar com ele*
- *O que você quer dizer quando diz "amor"?*
- *Buscar a plenitude*
- *Manter-se fiel aos seus valores*
- *Harmonia sexual*
- *Relacionamento "escrito nas estrelas"*
- *Desejo romântico*
- *Sentir-se atraído por outro*
- *Fazer uma escolha*
- *Saber o que é certo e o que é errado para você*
- *Desejar união*

Interpretação

Os Enamorados é uma carta que todos desejam tirar, mas ela tem um significado muito mais complexo do que um novo amor em sua vida ou harmonia e felicidade. A imagem revela que todos nós somos indivíduos separados, por mais próximos que nos sintamos do outro sexual ou emocionalmente, e que devemos reconhecer os valores e necessidades pessoais de cada um.

Se você puxar esta carta na posição "você agora", seu coração guia a sua cabeça, ou você quer se apaixonar e fugir das dúvidas, medos e inibições do mundo à sua volta. Se você puxar esta carta na posição "futuro", um novo romance pode chegar na sua vida, mesmo que você não esteja procurando por ele.

Esta carta também indica que é o momento de fazer uma escolha sobre seu relacionamento. Você quer esse compromisso? Seu parceiro quer? Vocês seguem seus próprios caminhos? Conflitos podem ser resolvidos se esta carta estiver na posição "futuro", mas ela também pode indicar que a tentação vai testar a força do seu relacionamento atual. Se esta carta aparece na posição "futuro", ela também pode significar triângulos amorosos. Você pode ter que escolher entre duas pessoas ou pode até se sentir tentado a se envolver com alguém que já esteja num relacionamento de longa data.

O arquétipo dos Enamorados também pede que você pense sobre o que você, pessoalmente, quer dizer com amar e assumir responsabilidades por suas escolhas. Nós todos usamos a palavra "amor" muito facilmente, mas o amor significa coisas diferentes para cada pessoa. Você pode querer amor incondicional, enquanto outra pessoa pode querer amor condicional, aprovação ou pode estar buscando manipular os outros para se sentir amada. Esta carta pede a você para ser mais consciente de quem você é e quais valores coloca em relacionamentos de amor.

O Carro

ARCANO 7
AFINIDADE ZODIACAL Câncer

PALAVRAS-CHAVE
Diligência, força de vontade, honestidade, perseverança

FRASES-CHAVE
- *Controle sobre os sentimentos e pensamentos*
- *Ser puxado em duas direções*
- *Aprender a manter-se no caminho certo*
- *Vaidade sexual*
- *Sucesso*
- *Determinação de vencer a todo custo*
- *Desejo de vitória*
- *Aventura e correr riscos*
- *Estar no comando*
- *Viagens mentais e físicas*

Interpretação

O Carro revela que uma forte motivação e vontade são as chaves para o progresso, especialmente se estiver na posição "você agora". Esta carta tem tudo a ver com confiança, um ego saudável e acreditar em si mesmo. Ou você tem a confiança e o espírito para conseguir o que quer ou vai encontrar alguém que representa a força desse arquétipo em sua vida. Essa pessoa pode não ser muito agradável, mas ela gera resultados. Ela fala sério.

Por outro lado, o Carro pode significar que podem existir influências conflitantes em sua vida. Você chegou a um ponto em que pode fazer valer suas crenças e tomar decisões baseadas no que você quer em vez de tomá-las com base no que os outros acham que é certo para você.

Você conseguirá sucesso em qualquer empreendimento e irá transpor todos os obstáculos em seu caminho. Como uma carta de "futuro", senso de oportunidade e controle são essenciais para conseguir o que você deseja, então não deixe escapar as rédeas. Mantenha-se firme. Talvez seu relacionamento precise ser reavaliado. Qualquer que seja sua missão, só você poderá realizá-la. É hora de usar sua autoridade para conseguir o que quer.

O Carro também pode querer dizer que o autocontrole ou uma força controladora exterior irão ajudá-lo a atingir seus objetivos. Existe também uma necessidade de competitividade quando esta carta aparece na posição "futuro". Cabe a você tomar o controle de sua vida e derrotar os rivais em seu campo. Você pode controlar suas emoções, concentrar sua energia e fazer as coisas do seu jeito, então confie em sua integridade e você irá progredir.

Na posição "obstáculo", o Carro sugere que você está sendo controlador demais ou que está sendo tolhido por alguém que só pensa em si mesmo e não vai deixar você tomar as rédeas.

A Força

ARCANO 8
AFINIDADE ZODIACAL Leão

PALAVRAS-CHAVE
Força, coragem, autoconsciência, compaixão

FRASES-CHAVE
- *Encarar a realidade*
- *Tomar o controle de sua vida*
- *Aprender a assumir responsabilidade por suas ações*
- *Capacidade de perdoar imperfeições*
- *Ser tolerante com os defeitos dos outros*
- *Força interior*
- *Consciência de suas respostas instintivas*

Interpretação

Se esta carta aparecer no "você agora", você precisará da força e da coragem de suas convicções. Esteja preparado para encarar qualquer ameaça com determinação. É hora de forçar o problema para atingir resultados. No entanto, não é a força física que é necessária aqui, mas a força mental e a emocional expressas por meio da compaixão e não da energia "Olhem para mim!" expressada pelo Carro.

Se você puxar esta carta, também deve estar preparado para esquecer e perdoar ou aceitar que alguém precisa de mais espaço, ou que você nem sempre tem a faca e o queijo na mão. É o momento de tomar atitudes calmas em relação à raiva dos outros ou a sua própria. Você está se sentindo frustrado? Sente-se "fora de controle" numa situação e por isso acaba se sentindo vulnerável?

Se você está fazendo uma pergunta sobre amor ou romance, pense se não está dando demais de si mesmo ou se não está recebendo nada de volta do parceiro. Na posição "futuro", o autoconhecimento e a tolerância com os defeitos dos outros lhe trarão sucesso. Você logo terá força interior e resistência para superar qualquer obstáculo. Se outras pessoas o estão tirando do sério, não esqueça de que é a sua compaixão, a sua capacidade de ver os dois lados da questão, que lhe trará resultados. Para resolver um problema de amor talvez seja necessário pedir uma orientação, mas acima de tudo você precisará entender seus motivos ocultos e respostas emocionais para superar as dificuldades atuais.

O Eremita

ARCANO 9
AFINIDADE ZODIACAL Virgem

PALAVRAS-CHAVE
Discernimento, critério, desapego, recolhimento

FRASES-CHAVE
- *Buscar a sabedoria interior*
- *Conhecimento é um fardo*
- *Medo de revelar um segredo*
- *Necessidade da verdade a todo custo*
- *Querer ficar só*
- *Perguntas sobre a sua alma*
- *Buscar uma direção ou conselho*
- *Romper um relacionamento*

Interpretação

O Eremita representa a parte mais secreta de nós mesmos. Quando você puxa O Eremita na posição "você agora", ela reflete sua necessidade de procurar respostas interiores, de fazer uma busca em sua alma ou de dar um tempo na competição rotineira, nas opiniões alheias e formar as suas próprias. Esta carta também significa que é hora de refletir com cuidado antes de tomar uma decisão ou de evitar apressar planos que podem forçar outros a fazer algo contra seus princípios.

Se você está procurando conselhos para uma questão sobre relacionamentos, pense muito antes de se comprometer com planos de longo prazo. Dê um passo para trás, olhe para seus padrões de comportamento, de emoções e de sentimentos em relacionamentos passados para ter uma visão mais ampla e ver se está tomando o caminho certo.

Como uma carta na posição "passado", você escolheu esquecer alguns fatos ou está se recusando a aceitar a verdade. Como carta na posição "futuro", você precisará dar um tempo em seus planos até poder discernir o que é certo para você e o que não é. Como carta "desafio", é o seu próprio sentimento de solidão ou isolamento que o está detendo.

O Eremita também significa que uma cura interior pode ser necessária para possibilitar uma maneira mais equilibrada de olhar a vida. Busque seu guia interior, seja uma crença espiritual, divindade ou simplesmente um anjo da guarda – no que quer que você deposita a sua confiança e fé, isso irá guiá-lo da escuridão para a luz. O Eremita representa quietude, para acalmar, para guiar, e você pode procurar conselhos com um amigo mais velho, membro da família ou mentor sábio.

A Roda da Fortuna

ARCANO 10
AFINIDADE ZODIACAL Júpiter

PALAVRAS-CHAVE
Inevitabilidade, sorte, senso de oportunidade, reviravolta, destino

FRASES-CHAVE
- *Na vida nada é certo, a não ser o fato de tudo ser incerto*
- *Cada momento é um novo começo*
- *A única constância é a própria mudança*
- *Sincronicidade e coincidência*
- *Ver padrões e ciclos se repetindo na vida*
- *Sentir que você está sendo levado pela maré*
- *Tirar vantagem da sorte*
- *A oportunidade bate, abra a porta*
- *Eventos imprevisíveis*

Interpretação

A Roda da Fortuna fala sobre sorte e probabilidade, mas você pode ter boa ou má sorte – cabe a você fazer escolhas que melhorem seu bem-estar e estilo de vida. Quando você puxa esta carta, a Roda significa que, apesar de você ser parte de um ciclo maior ou energias universais ou coletivas, o destino implica assumir responsabilidade por suas ações, em vez de colocar a culpa dessas ações no "destino".

Se a Roda da Fortuna for uma carta de "obstáculo", você pode achar que sua vida está "predestinada" e que você não tem controle sobre seus sentimentos, experiências, vida amorosa ou vocação. Mas é justamente o fato de evitar assumir responsabilidade por quem você é que causa o problema. A Roda diz: "Não sinta que o mundo está contra você, junte-se à dança cósmica e faça parte do espetáculo, seja seu próprio coreógrafo".

Quando estiver na posição "você agora", a Roda da Fortuna significa que você está pronto para um novo começo, para virar uma página, ou prepare-se para uma grande aventura. O que quer que esteja acontecendo, uma nova fase em sua vida está começando agora, queira você ou não. Não tema a mudança, em vez disso, aceite-a e tome uma atitude para ser feliz no futuro.

A Roda pode significar paixão passageira ou um novo romance, fuga de um relacionamento difícil ou melhoria de um relacionamento já existente. É o momento de aproveitar as oportunidades que estão surgindo no seu caminho. Eventos inesperados vão dar a você a motivação para mudar sua vida para melhor.

Justiça

ARCANO 11
AFINIDADE ZODIACAL Libra

PALAVRAS-CHAVE
Justiça, harmonia, igualdade, causa e efeito

FRASES-CHAVE
- *Pensamento objetivo restaura o equilíbrio*
- *Interação e comunicação são essenciais*
- *Aceitar a verdade*
- *Assumir a responsabilidade pelas suas escolhas*
- *Tomar decisões*
- *Olhar os dois lados de uma discussão*
- *Igualdade sexual*

Interpretação

O que é justo para uma pessoa pode não ser justo para outra, mas esta carta é um lembrete para que você tenha uma visão muito racional da situação ou questão em jogo. Até que ponto você está envolvido emocionalmente? Consegue ver a floresta em vez das árvores ou acredita que alguém está sendo injusto ou fazendo julgamentos? A Justiça pede que olhemos lógica e objetivamente para nós mesmos, para descobrir a verdade e nada mais do que a verdade, mesmo que isso signifique reconhecer que cometemos erros e devemos nos corrigir. O que ela também diz é que você não pode fazer julgamentos sobre suas ações ou intenções nem sobre as dos outros.

Você pode puxar esta carta quando há uma decisão a ser tomada e, se estiver na posição "você agora", você será capaz de tomá-la de modo mais racional do que imagina.

Na posição "passado", ela sugere que você recebeu o que merecia, aceitou que a situação está como está por causa do que você disse, fez ou deixou de fazer no passado, e agora as coisas estão melhorando. Quaisquer que sejam os resultados da série de eventos, as coisas vão começar a melhorar para você se for verdadeiramente honesto e assumir responsabilidade pelas suas escolhas.

Na posição "futuro", esta carta frequentemente significa questões legais, acordos judiciais, pagamento de dívidas, advogados e outros sistemas oficiais, indicando sucesso. Se você está procurando um novo romance, esta carta indica que você terá o que verdadeiramente merece, ou que um admirador charmoso e diplomático logo surgirá na sua vida.

O Enforcado

ARCANO 12
AFINIDADE ZODIACAL Netuno

PALAVRAS-CHAVE
Transição, readaptação, limbo, paradoxo

FRASES-CHAVE
- *Sacrifícios podem ser necessários*
- *Tédio com a vida, expectativa de progresso*
- *Relacionamento estagnado*
- *Ver a vida de um ângulo diferente*
- *Mudar prioridades*
- *Abrir mão do controle*
- *Dar um passo atrás para poder avançar*

Interpretação

Uma das cartas mais misteriosas do tarô, o Enforcado é paradoxal, misterioso e imbuído da frustração de tentar resolver uma charada difícil. As interpretações mais simples são dadas primeiro, seguidas pelos paradoxos mais instigantes, porém enriquecedores desta carta enigmática.

Numa posição "você agora", esta carta significa que você está numa encruzilhada e pode ter que dar um passo atrás e olhar cuidadosamente todas as questões envolvidas, ou ela pode significar que você simplesmente vai sair de uma rotina. Você está no limbo com relação ao que quer fazer a seguir, ou está passando por um cessar-fogo num relacionamento. O Enforcado também avisa que você está prestes a decidir se vai fazer sacrifícios ou não. Tudo bem se está pronto para desistir de uma influência ruim em sua vida, mas pense claramente – os outros realmente manipularam você ou você preferiu ser a vítima?

Se esta carta aparece na posição "futuro", você vai passar por uma mudança de opinião, e terá que reajustar seus sentimentos para prosseguir com seus planos.

A complexidade do Enforcado convida você a fazer exatamente o oposto do que acha certo, e dessa maneira conseguir resultados. Por exemplo, você pode estar morrendo de vontade de ligar para aquela pessoa fascinante e chamá-la para sair, mas morre de medo que ela não aceite. Se você puxar O Enforcado, é mais provável que você vá conseguir o encontro se não ligar. Quanto mais quiser fazer alguma coisa, mais terá que desistir do seu desejo para ele se realizar. O paradoxo é que, ao tomar essas atitudes contraditórias, você irá descobrir o que está buscando realmente.

Por fim, o Enforcado diz que é hora de abandonar a bagagem emocional, e que logo você se libertará de qualquer dor ou ferida emocional, porque está abrindo sua mente para viver o momento, não o passado.

Morte

ARCANO 13
AFINIDADE ZODIACAL Escorpião

PALAVRAS-CHAVE
Mudança, novos começos, finais, transformação

FRASES-CHAVE
- O fim de um velho ciclo e o começo de outro
- Deixar o passado para trás, não temer ser fiel a si mesmo
- Uma porta se fecha e outra é aberta
- Separação de caminhos
- Aceitação do inevitável
- Chegar ao âmago da questão
- Aceitar os ciclos de mudança

Interpretação

Esta carta normalmente preocupa as pessoas. Por favor, não a entenda literalmente. Esta é carta do tarô na qual projetamos nossos maiores medos. Mas A Morte é uma carta positiva em todas as posições e, lembre-se, é uma energia arquetípica, referente a transições de um estado para outro. Algo termina, algo começa, e lhe dá a chance de aceitar a mudança em vez de temê-la.

Quando a Morte aparece numa tiragem, isso simplesmente significa que algo chegou ao fim de um ciclo. Pode ser um caso de amor, uma profissão ou uma crença que agora precisa passar por alguma transformação.

Quando está na posição "você agora", a Morte pode sugerir que você está no processo de mudar a sua vida, mas talvez esteja preocupado com as consequências. Você pode secretamente querer terminar um relacionamento amoroso, mas não suportar a ideia de magoar alguém, ou precisa mudar algo na vida para liberar seu verdadeiro potencial.

Na posição "obstáculo", você teme tanto a mudança que se sente paralisado por esse medo. A Morte aqui pode significar que mudanças estão bloqueando sua visão pessoal, e que você está confuso a respeito da próxima etapa de sua jornada. Sempre relacione esta carta diretamente à sua pergunta, assunto ou missão de desenvolvimento pessoal, porque então ficará mais óbvio o que precisa ser mudado. Na posição "futuro", aceite as mudanças que estão chegando para você.

A Temperança

ARCANO 14
AFINIDADE ZODIACAL Sagitário

PALAVRAS-CHAVE
Autocontrole, compromisso, moderação, virtude

FRASES-CHAVE
- *Combinação de ideias*
- *Harmonia e compreensão*
- *Moderação é a chave do sucesso*
- *Processo alquímico*
- *Reconhecer cooperação*
- *Energia de cura*

Interpretação

Esta carta sempre indica que seu relacionamento ou mundo pessoal está sendo bem administrado. Apesar de, superficialmente, esta carta sugerir estagnação e pouca inspiração, sua mensagem é que, encontrando o meio-termo, você atingirá seus objetivos. Existe harmonia entre os seus desejos e as suas necessidades e você está mental e emocionalmente equilibrado.

Esta carta normalmente sugere que, se você moderar seus excessos, sejam físicos, emocionais ou espirituais, encontrará o equilíbrio.

Se está tentando tomar uma decisão, você irá achar uma solução, e será muito mais fácil ver o ponto de vista de outras pessoas. Como uma carta "você agora", seu autocontrole e boa vontade em se comprometer são uma boa influência para os outros.

Como carta "obstáculo", ela pode significar que você tem boa vontade demais. A raiz da sua questão atual ou da sua preocupação é tentar agradar todo mundo, exceto a si mesmo. Além disso, ela pode indicar que alguém que você conhece está sendo bom demais para ser verdade, e que ele pode não entender que você precisa da diferença de opinião tanto quanto de cooperação.

Como carta "futuro", você terá que moderar os seus desejos e tentar ver os dois lados de uma questão. Mas a clareza sobre os seus objetivos verdadeiros ou ambições está se evidenciando. Logo haverá clareza, harmonia e respeito mútuo, e a sua busca pelo meio-termo criará energia de cura para qualquer ferida emocional ou confusões.

O Diabo

ARCANO 15
AFINIDADE ZODIACAL Capricórnio

PALAVRAS-CHAVE
Submissão, escravidão, materialismo, viver uma mentira, tentação

FRASES-CHAVE
- *Ignorância em um relacionamento*
- *Sede de dinheiro ou poder*
- *Reações inconscientes, reações infantis*
- *Escravidão autoimposta*
- *Obsessão*
- *Abrir mão do controle*
- *Preso a padrões de comportamento viciosos*
- *Manipulação por outros*
- *Pensamento negativo*
- *Percepção limitada, generalização*

Interpretação

O arquétipo do Diabo é tudo o que é aparentemente "mau" num mundo onde estamos constantemente buscando o bem. A palavra "diabo" deriva da palavra grega *diablos*, que simplesmente quer dizer "adversário". Na verdade, é o nosso próprio demônio interior que geralmente causa a maior parte de nossos problemas, causados por nossa falta de consciência, ignorância ou ilusões. O Diabo aparece quando estamos literalmente "no escuro".

O aspecto positivo do Diabo é que ele nos pede para aceitar nossas limitações, desenvolver a consciência de nós mesmos e dos outros, e entender que podemos estar literalmente ligados e presos a uma visão limitada ou viver sob as expectativas de outras pessoas. Quantas vezes você escuta "ele é igual ao pai", "mulher é tudo igual", "eu não consigo fazer isso", "poder e dinheiro irão me fazer feliz"? Este é o verdadeiro Diabo falando em nós.

Geralmente numa tiragem, esta carta revela que você está preso aos seus medos, crenças ou a uma situação que não é saudável. Você pode estar ignorando a verdade ou pode estar cego de ilusão. Certifique-se de que não está traindo seus valores. Se você puxar esta carta, é hora de questionar suas crenças, ponto de vista e objetivos. De quem eles são afinal? Seus ou suposições de outra pessoa?

Quando esta carta está na posição "você agora", pode significar simplesmente que você está se sentindo atraído por alguém por luxúria ou dinheiro. Ou está se envolvendo num relacionamento e confundindo desejo sexual com amor.

Como carta "obstáculo", o Diabo sugere que você está vivendo uma mentira com relação à situação atual. Como carta "futuro", você vai ter que lutar contra as tentações do materialismo, do poder ou de enganar a si mesmo. Tenha cuidado para não ser desviado por alguém que quer tomar o controle sobre você ou fazer valer o poder dele. Às vezes, esta carta revela que você está agindo sem consciência das suas ações ou das consequências das suas ações.

A Torre

ARCANO 16
AFINIDADE ZODIACAL Marte

PALAVRAS-CHAVE
Ruptura externa, eventos inesperados, revelação

FRASES-CHAVE
- *Colapso do velho para anunciar o novo*
- *Aceitação de que nenhuma defesa é totalmente segura*
- *Aprender a se adaptar e se ajustar rapidamente*
- *Ver a verdade sobre uma questão de maneira repentina*
- *Agitação dramática*
- *Passar por um revés*
- *Desafios inesperados*
- *Caos ao seu redor*

Interpretação

Quando esta carta aparece na tiragem, há ou haverá uma mudança inesperada e externa. Essa mudança surge como um catalisador externo e sentimos que não somos responsáveis pela ruptura. Mas essa ruptura é normalmente libertadora e pode nos livrar de restrições e abrir novos pontos de vista para nós. De certo modo, esse é o catalisador necessário para nos livrar da escravidão autoimposta da carta anterior, o Diabo.

O que quer que venha a acontecer pode parecer obra do destino e que você não é responsável. Mas a Torre representa a estrutura que você construiu à sua volta com segurança, é seu sistema de defesa, o aviso de perigo de um velho farol desmoronando. Muitas vezes existem coisas trancadas nos muitos cômodos de seu farol ou torre que precisam ser jogadas fora, uma confusão de emoções e sentimentos que não servem mais ao seu propósito atual.

O raio atingindo a Torre está ali para nos lembrar de que algo precisa mudar. O mundo interior é tão inseguro quanto o exterior e este é o momento de ser catapultado para a consciência e abandonar tudo o que está velho e desgastado.

A Torre revela que normalmente chega em sua vida um catalisador ou uma influência externa para instigar essas mudanças. Pode ser uma pessoa ou um conjunto de circunstâncias às quais você teme não estar no controle. Pode ser algo liberador ou desconfortável, mas agora você vai ter a força necessária para se adaptar e seguir em frente.

Esta carta pede a você que dê as boas-vindas aos novos desafios em vez de evitá-los. Reconstrua com força renovada e atinja um novo nível de compreensão sobre si mesmo e sua situação.

Na posição "você agora", o caos parece estar à sua volta. Como carta de "obstáculo", a Torre significa a sua recusa em ver a verdade.

A Estrela

ARCANO 17
AFINIDADE ZODIACAL Aquário

PALAVRAS-CHAVE
Inspiração, amor ideal, verdade revelada

FRASES-CHAVE
- *Realização de um sonho*
- *Conhecimento e crença em si mesmo são essenciais para a felicidade*
- *Ver a luz no fim do túnel*
- *Saber que vai ser bem-sucedido*
- *Se entregar ao amor*
- *Idealização de uma pessoa ou objetivo*
- *Progresso visionário*
- *Confiança renovada em um relacionamento*

Interpretação

A Estrela representa todos os corpos celestes que nos guiam por terras e mares. Os antigos usavam as estrelas para navegar por águas desconhecidas e o arquétipo da Estrela nos dá uma luz própria que nos permite navegar com sucesso pela vida.

Quando você tira esta carta, sua capacidade de expressão está no auge. Você se sente em contato com a energia universal e existe esperança e crença no futuro.

Na posição "você agora", esta carta tem tudo a ver com ter uma atitude otimista. Se realmente acredita e confia em si mesmo, você conseguirá criar suas próprias oportunidades. Esta carta é benéfica em qualquer tiragem e indica sucesso no amor, trabalho e aspirações financeiras.

Como carta "futuro", ela prediz que uma revelação chegará a você da maneira mais agradável possível. Você irá recuperar sua motivação, ter paz de espírito e aproveitar melhor a sensação de saber quem é e para onde está indo.

A Estrela dá permissão para navegar para onde quiser ir. Apenas lembre-se de que esta é uma carta de inspiração, ela não traz soluções práticas, por isso você deve ver as outras cartas da tiragem para que elas deem mais instruções. A única desvantagem desta carta é quando ela aparece numa posição "obstáculo"; nesse caso ela indica que seus ideais e expectativas estão tão altas que ninguém, nem você mesmo, pode corresponder a eles.

A Lua

ARCANO 18
AFINIDADE ZODIACAL Peixes

PALAVRAS-CHAVE
Intuição, medo, enganar a si mesmo, ilusão

FRASES-CHAVE
- *Caso de amor complicado*
- *Cegueira à verdade, sonhos impossíveis*
- *Sentimento de confusão*
- *Preocupação e apreensão*
- *Confiar em sua intuição*
- *Perder o contato com a realidade*

Interpretação

Carta complexa por sua natureza enganosa, A Lua mostra uma preocupação muito grande com nosso senso de pertencimento ou segurança. Quando você está em um ambiente conhecido ou com pessoas que já conhece, você se sente seguro. Mas existem momentos em que enfrentamos o lado mais escuro de nossa própria natureza, as partes sombrias e desconhecidas que tentam ver a luz do dia. Isso pode fazer com que nos sintamos desorientados, amedrontados, vulneráveis e ansiosos.

A Lua precisa de expressão e quando isso acontece numa tiragem o aspecto positivo da Lua é confiar nesses reinos mais profundos, e lembrar-se de que o mistério permeia a vida em todos os momentos, apesar da nossa frequente recusa em reconhecer isso. A ilusão da Lua é simplesmente essa; e o conselho é não permitir que a ilusão e distorção da realidade causem um desvio ou afastamento com relação aos seus objetivos. Você tem um propósito, então mantenha-se fiel a ele.

Na posição "você agora", você pode sentir confusão ou insegurança sobre o que vai fazer a seguir. A Lua lhe diz para achar seu próprio caminho, por mais difícil que isso seja, ou identificar seus medos. Confie em seus instintos.

Interprete esta carta como um aviso de que as coisas podem não ser o que parecem. Talvez você esteja errado, seu julgamento pode ser incorreto ou alguém pode estar tirando vantagem de você. Para reconhecer isso, tente ouvir a intuição em vez de usar a imaginação, porque são coisas muito diferentes.

Como uma carta "obstáculo", a Lua sugere que suas inseguranças estão causando impedimentos, que você não acha que pertence a nada nem a ninguém, talvez nem a você mesmo. Como uma carta "futuro", alguém será desonesto, podendo ser você mesmo, um parceiro ou amigo. A Lua também indica que você está tão envolvido em suas emoções e sensações que não tem uma visão racional de um problema.

O Sol

ARCANO 19
AFINIDADE ZODIACAL Sol

PALAVRAS-CHAVE
Comunicação, compartilhar, felicidade, alegria, energia positiva, criatividade, crescimento

FRASES-CHAVE
- *Resultados favoráveis no amor*
- *Novas amizades*
- *Sentir-se iluminado*
- *Realização positiva*
- *Acreditar em si mesmo*
- *Confiança em si mesmo*
- *Ser o centro das atenções*
- *Brilhar sob os holofotes*

Interpretação

Como uma carta "você agora", o Sol sugere que é hora de comunicar seus sentimentos e expressar seus sonhos. Esta é uma carta positiva e sempre significa sucesso e felicidade. Enquanto A Estrela nos dá inspiração e direção, O Sol nos ilumina com pensamentos positivos sobre como podemos manifestar nossos objetivos e sonhos.

O Sol é a fonte de toda a vida na Terra. Sem ele não estaríamos aqui. O arquétipo do Sol representa coragem, energia, visão e chegar ao cerne da questão. Com esta carta podemos iluminar nossa vida com clareza e verdade, em vez de nos escondermos nas sombras escuras da Lua. O Sol nos encoraja a seguir adiante e deixar essas sombras para trás. Na verdade, sua sombra sempre será você mesmo, mas, assim como quando estamos sob o sol do meio-dia, mal percebemos que a sombra está lá. Nós nos sentimos vivos, desinibidos, em destaque, majestosos.

Se você tem uma pergunta sobre relacionamentos, na posição "você agora" O Sol significa que você pode aceitar seu parceiro ou amigo como ele é, em vez de tentar mudá-lo (ou vice-versa).

Como carta "futuro", você pode esperar ser mais feliz, despreocupado e libertar-se de dúvidas e medos do passado. Possivelmente um novo relacionamento enriquecedor irá começar, não necessariamente um relacionamento íntimo, mas que terá um efeito positivo em sua vida. Com carta "obstáculo", você pode estar exagerando sobre o quanto você é feliz, olhando somente a superfície de um relacionamento, ou pode estar tão absorto em sua glória pessoal que não percebe as necessidades de outras pessoas.

O Julgamento

ARCANO 20
AFINIDADE ZODIACAL Plutão

PALAVRAS-CHAVE
Libertação, julgamento, chamado interior, transformação

FRASES-CHAVE
- *Dar conta de ações do passado*
- *Reavaliação e renovação*
- *Abrir mão de velhos valores, abraçar novos valores*
- *Aceitar as coisas como são*
- *Não culpar a ninguém, nem a si mesmo*

Interpretação

Existem dois tipos de julgamento: um no qual julgamos os outros de maneira grosseira ou injusta, dizendo coisas como "você não presta" ou "não concordo com suas atitudes", e outro tipo no qual não há condenação, mas tentativas de avaliar o problema e descobrir a verdade. Quando puxamos a carta O Julgamento numa tiragem, ela significa esse último – que devemos fazer escolhas sem culpar a nós mesmos nem os outros.

O Julgamento sugere que você pode se libertar de velhas atitudes, seja em relação ao parceiro, sua família ou padrões de comportamento que não têm sido benéficos para você. Você está tendo uma nova visão sobre com lidar com esses relacionamentos. É muito fácil dar de ombros e perguntar "para que isso tudo?", mas esta é sua chance de um novo começo, de deixar o passado para trás e parar de se sentir culpado por suas ações.

Como carta "obstáculo", é possível que você se sinta culpado por algo ou que se sinta julgado pelos outros. Talvez seja hora de pensar se você está mesmo errado ou se está assumindo responsabilidade demais pela felicidade de outra pessoa.

Como carta "futuro" você terá que tomar decisões ao encarar os fatos em vez de evitá-los. Com O Julgamento, você pode finalmente descer do muro, fazer escolhas e acordar para novas possibilidades. Existe um sentimento de peso tirado de seus ombros e a capacidade de perdoar a si mesmo ou outra pessoa por erros do passado.

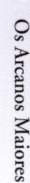

O Mundo

ARCANO 21
AFINIDADE ZODIACAL Saturno

PALAVRAS-CHAVE
Finalização, satisfação, liberdade, amor cósmico, liberdade do medo

FRASES-CHAVE
- *Recompensa pelo trabalho e esforço árduo*
- *Tempo para celebrar a si mesmo e aos outros*
- *Sentir que o mundo pertence a você*
- *Viagem física ou mental*
- *Realização do que você está tentando alcançar*
- *Descobrir uma solução*
- *Sentir-se bem consigo mesmo e com o universo*

Interpretação

O Mundo é uma carta positiva em qualquer tiragem. Ela significa que você está ficando mais consciente de quem você é, de suas limitações e de suas escolhas e está sendo mais responsável.

Na posição "você agora", ela significa que você está chegando a um acordo consigo mesmo, com seu senso de valor individual e com o modo como você se relaciona com os outros. O Mundo também pode significar que você encontrou o melhor dos parceiros, conseguiu as férias perfeitas e não há caminho de volta. Qualquer que seja o custo envolvido, você sabe que tem que continuar indo em frente, abrir mão de outros caminhos e seguir os sinais.

Como carta "obstáculo", você pode estar convencido demais de que tudo está dando certo ou você está simplesmente sendo indulgente demais consigo mesmo, achando que tudo vai ser como você quer. Talvez você precise perguntar coisas como "qual é meu verdadeiro potencial? Quem sou eu? Para o que eu preciso acordar?". Você pode estar vendo somente o que quer ver ou pode estar vivendo com base na expectativa dos outros sobre como você deve se comportar. Talvez seja hora de ter um olhar mais objetivo em relação a si mesmo e a seus objetivos.

Como carta "futuro", você pode esperar sucesso em relacionamentos e todas as atividades criativas. Muitas vezes esta carta é interpretada como "o mundo é seu". Você pode estar prestes a embarcar na viagem de sua vida, seja literalmente ao redor do mundo ou rumo a um novo objetivo. Você está expandindo seus horizontes de todas as maneiras, tanto emocional quanto fisicamente, e sabe que se seguir o caminho correto a sua felicidade está garantida.

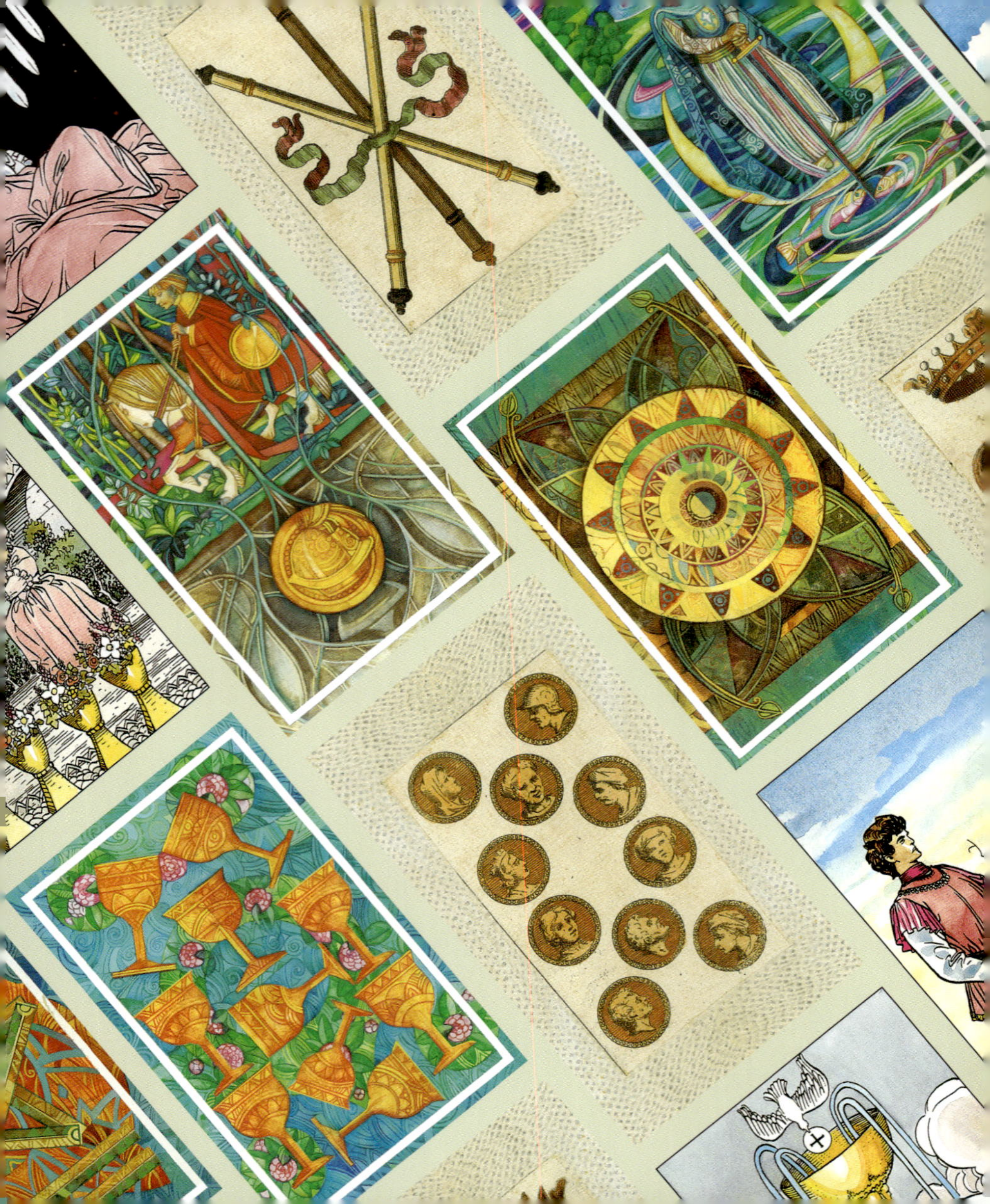

Os Arcanos Menores

Compreendendo os Arcanos Menores

Os Arcanos Menores consistem em 56 cartas divididas em quatro naipes – Espadas, Paus, Ouros e Copas. Cada naipe tem 14 cartas: do Ás (um) a dez, e quatro cartas da corte, que são o Valete, o Cavaleiro, o Rei, a Rainha. Lembre-se dessas associações da introdução:

As cartas da corte

Cada carta da corte é uma personificação do símbolo daquele naipe, em outras palavras, tipos de personalidade ou personagens que dizem mais a você sobre sua jornada de um ponto de vista externo. Elas podem representar pessoas que você encontra na sua vida cotidiana que são sinais na sua jornada. Podem ser pessoas que você já conhece e diferentes facetas da sua própria personalidade que você projeta nos outros.

As cartas da corte também lhe dirão o tipo de energia que está sendo expressa, seja por você ou por uma pessoa importante na sua vida.

Reis

Sempre dinâmicos, os Reis representam poder e carisma. Eles revelam que a ação ou energia extrovertida deve ser expressa, ou que alguém que você conhece ou encontra no seu dia a dia será uma força dinâmica para mudanças ou escolhas a serem feitas. Reis também representam maturidade ou figuras masculinas de autoridade.

Rainhas

Passivas, mas criativas, as Rainhas representam o poder do feminino, as qualidades da compreensão, proteção, nutrição e receptividade, seja num homem ou numa mulher. Rainhas também representam mães cuidadosas, mulheres que desejam estar num trono ou uma figura de autoridade feminina que você conhece.

Cavaleiros

Agressivos e extremos, os Cavaleiros expressam a qualidade do naipe em seu melhor e pior lado. Estas cartas sugerem atitudes de um adulto imaturo. Elas refletem os extremos da energia do naipe. Por exemplo, o Cavaleiro de Ouros sugere alguém que será muito astuto em assuntos de dinheiro, mas que também raramente correrá riscos financeiros por "medo de fazer a coisa errada". Cavaleiros também podem representar amigos imaturos, família ou amantes, homens abaixo dos 30 anos ou os que são livres de responsabilidade.

Valetes

A energia representada pelos Valetes é de bom humor, ingenuidade e inconstância. Os Valetes podem também se referir a adolescentes muito jovens, crianças ou um adulto muito imaturo. Eles também representam um espírito brincalhão, o oportunista, a necessidade de agarrar alguma coisa que está sendo oferecida.

Exercício das cartas da corte

Antes de passar para cada interpretação individual das cartas da corte, experimente fazer este exercício simples.

1 Faça uma lista das pessoas que você conhece que possam ser representadas pelas Rainhas, Reis, Valetes e Cavaleiros.

2 Liste as características "positivas" e as "negativas" das cartas da corte. Cavaleiros, por exemplo, são óbvios. Eles representam comportamentos extremos. Rainhas, entretanto, parecem ser todas bondade e luz. Pense sobre qualquer pessoa parecida com a Rainha que você conheça. Elas estão realmente exercendo o poder sendo ternas e gentis? Elas estão verdadeiramente no "trono" porque querem estar lá ou porque querem ser o centro das atenções de todo mundo?

3 Agora, direcione as mesmas ideias para você mesmo. Quais são as energias do seu Rei, Rainha, Valete e Cavaleiro? Até que ponto o Rei dentro de você é bem desenvolvido? Você é dominante demais ou passivo em excesso? Você é um Cavaleiro que ganha uma discussão sendo teimoso e rigoroso (Ouros)? Você está em contato com seu Valete interior? Em que estado está sua criança interior? É brincalhona, aventureira e gaiata, ou perdida num mundo de convenções e responsabilidade adulta?

As cartas numeradas

Estas cartas representam acontecimentos, áreas da vida nas quais você vai viver experiências, descobrir e vivenciar a si mesmo, e as arenas, lugares e temas nos quais descobrirá mais sobre quem você é. Elas incluem casos, atividades e preocupações que você encontra no dia a dia.

O Tarô Universal usado neste livro tem ilustrações muito claras em cada carta numerada, então é muito fácil interpretar a carta simplesmente pelas imagens. Entretanto, muitos tarôs, como o de Marselha e o antigo Minchiate, usam apenas os números e os símbolos dos naipes.

Cada número tem uma forte afinidade tanto com a numerologia quanto com a astrologia (ver páginas 352-363), mas abaixo temos uma breve tabela de significados para cada uma das cartas numeradas.

Palavras-chave para as cartas numeradas

NÚMERO	SIGNIFICADO
Ás	Começos, vitalidade, novas oportunidades
Dois	Eventos equilibrados, dualidade, força dobrada ou poder dividido
Três	Criatividade, resultados, conquista
Quatro	Limitações, dúvidas, hesitações
Cinco	Versatilidade, comunicação, aberturas
Seis	Harmonia, idealismo, paz interior
Sete	Sonhos, ilusões, magia
Oito	Superação de obstáculos, afrouxar restrições
Nove	Ação, coragem, autoconfiança
Dez	Fins e começos, novos destinos, plenitude

Naipe de Paus

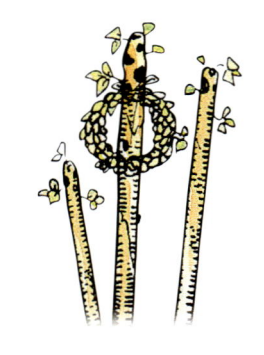

Paus (também conhecido como Cetros, Varas, Clavas e Bastões) são tradicionalmente ligados ao elemento fogo. Eles são frequentemente representados como tochas, longos cajados, varas, ou galhos de árvores com novos ramos saindo pelos lados, como no Tarô Universal. Isso representa um sinal de novo crescimento, literalmente uma centelha de vida.

Este naipe fala sobre criatividade, paixão, empreendimento e iniciativa. Se você tem a maior parte dos Paus numa tiragem, isso indica que está pronto para a ação, para a aventura, e que está impaciente ou tão impetuoso que não tem tempo para se sentar e pensar nas coisas direito. Ação impulsiva, invenção e percepção clara também são qualidades do fogo. E, como os signos do fogo, Áries, Leão e Sagitário, Paus significa visão, intenção e uma visão externa do futuro para a vida. Entretanto, uma predominância de Paus na tiragem também pode significar que você está assumindo mais do que consegue administrar.

PALAVRAS-CHAVE

Características positivas:
Iniciativa, automotivação, vontade, visão, energia, desejo, competição, ousadia, desafio, charme

Características negativas:
Ansiedade, promessas vazias, egoísmo, orgulho, grosseria, temperamento agressivo

Exercício do Naipe de Paus

Antes de passar para cada interpretação do naipe de Paus, experimente fazer este exercício, para ajudar você a conhecer melhor as cartas.

1. Coloque as cartas da corte com a imagem voltada para cima, na ordem crescente – Valete, Cavaleiro, Rainha, Rei.

2. Pense em pessoas que você conhece que são pessoas de fogo, animadas, e que você pode identificar com cada um dos personagens.

3. A seguir, pense em si mesmo. Você é fogoso? Você se associa facilmente com essa qualidade? Isso deixa você zangado, feliz, indiferente ou tranquilo? Pense sobre sua reação a essa energia e se você está gostando dela, negando-a ou representando sua presença em sua própria psique.

4. Olhe para as diferentes imagens das cartas numeradas. Você não precisa se lembrar do que cada número significa para compreender o significado dessas cartas tão vívidas. A maioria das cartas numeradas são pessoas procurando, fazendo algo, agindo de algum modo. Essas são cartas energéticas, então sempre as interprete como uma ação, mais do que uma não ação.

Ás de Paus

PALAVRAS-CHAVE
Novos começos, originalidade, visão criativa, recomeço, aventura

FRASES-CHAVE
- *Confiar nas próprias capacidades*
- *Conhecer o caminho certo à frente*
- *Encarar os fatos*
- *Necessidade de se ter iniciativa sexual*
- *Colocar em prática ideias inspiradoras*
- *Encontrar uma solução para um problema*
- *Sentimento de empolgação*
- *Ter paixão pela vida*

Interpretação

Como todos os ases, o Ás de Paus sugere o início de uma nova aventura ou uma sensação de encantamento e novidade que acompanha o início de algo novo. Mas, visto que o naipe Paus representa energia e ação, esta carta significa fazer alguma coisa lá fora, no mundo externo, para obter resultados. Não basta apenas ter pensamentos inspirados, é preciso colocá-los em prática.

Quando na posição "você agora", o Ás de Paus sugere que o espírito desbravador agora é seu para usar como quiser. Seja uma ideia criativa à espreita no fundo de sua mente ou um súbito afã de otimismo e coragem, é tempo de agir e aproveitar esse sentimento de entusiasmo.

Por outro lado, na posição "futuro", ele indica que grandes oportunidades ou eventos empolgantes estão por vir. Está em suas mãos insistir no que você quer, assumir a liderança e mostrar que você está falando sério. Esta carta também sugere originalidade e criatividade, e que é tempo de confiar em seus instintos e segui-los.

Em uma questão sobre relacionamento, esta carta diz "vá em frente", viva sua vida amorosa de maneira mais vibrante e criativa e não a deixe estagnar.

Na posição "obstáculo", o Ás de Paus indica que você está sendo muito insistente ou está seguro demais, e seus desejos individuais estão impedindo você de fazer progresso com os outros. Você pode estar pronto para dominar o mundo, mas precisa também olhar com cuidado as suas limitações.

Dois de Paus

PALAVRAS-CHAVE

Conquista, coragem, desejos mundanos, poder pessoal

FRASES-CHAVE
- *Sentir que tem o mundo nas mãos*
- *Persuadir outros de seus talentos*
- *Ter coragem para defender sua opinião*
- *Deixar sua marca no mundo*
- *Mostrar que está falando sério*
- *Ser inventivo e diferente*
- *Aceitar bem novas ideias*
- *Ampliar suas perspectivas*
- *Sentir que você é onipotente*

Interpretação

O dois é o número da força dobrada ou do poder dividido. O Dois de Paus enfatiza nossa necessidade de nos afirmar e encontrar um novo nível de poder pessoal. Se esta carta aparecer na posição "você agora", você se sentirá como se tivesse recebido carta branca para exercer seu poder ou tivesse bebido o néctar dos deuses. Em alguns casos, é como se você tomasse algumas taças de champanha e se acreditasse capaz de dizer e fazer tudo aquilo que não tinha coragem antes.

O Dois de Paus faz você se sentir em contato com uma força divina, o que naturalmente pode levar à insolência e arrogância. Mesmo que se sinta poderoso e cheio de vigor agora, tenha cuidado se tirar esta carta na posição "obstáculo"; não deixe essa sensação de onipotência cegá-lo para suas verdadeiras necessidades e intenções. Numa tiragem sobre relacionamentos, o Dois de Paus também pode indicar que alguém está tentando exercer poder sobre você.

Como uma carta de "futuro", é o momento certo para a iniciativa e a invenção. É hora de pegar o touro pelos chifres e mostrar que você é uma força a ser levada a sério. Novamente, lembre-se de que o poder está sendo canalizado através de você e o dois significa que algumas vezes, em vez de meramente dobrar sua sensação de poder, você pode ter que dividir o poder com outra pessoa para que seus planos tenham sucesso. Talvez você deva se tornar o poder por trás do trono, em vez de simplesmente ocupá-lo.

Três de Paus

PALAVRAS-CHAVE
Precaução, expansão, exploração, contemplação

FRASES-CHAVE
- *Procurar novas aventuras*
- *Seguir novas pistas*
- *Ver a melhor maneira de agir*
- *Saber o que vai acontecer em seguida*
- *Ter uma perspectiva aberta*
- *Começar uma nova jornada*
- *Consciência de suas intenções*
- *Conhecimento como poder*
- *Percepção da vocação*

Interpretação

Uma carta extremamente criativa, o Três de Paus indica que é tempo de explorar futuras possibilidades com planejamento e senso de aventura. Como na figura da carta, você está de pé no topo de uma colina, olhando para as terras diante de você. Consciente do limite, você tem a chance de olhar à frente antes de tomar um novo caminho.

É tempo de refletir sobre o que você sabe que é certo para você e o que a vida tem a oferecer. Essa não é uma carta sobre assumir riscos – pelo contrário, como qualquer explorador, você separa provisões, um mapa, planos e conhecimento do território. Será uma paisagem desértica ou tem algo específico chamando por você?

Se você tira esta carta na posição "você agora", é hora de seguir seus planos, pôr seu conhecimento em prática e começar a mostrar aos outros que você sabe o caminho a seguir. Como Prometeu no mito grego (cujo nome, coincidentemente, significa prudência), você está prestes a embarcar numa grande aventura, mas lembre-se de dar algo em troca ao mundo em vez de fazer tudo somente em benefício próprio. Prometeu roubou o fogo dos deuses e o deu à humanidade, sendo por isso severamente punido por Zeus, que o acorrentou a uma pedra.

Esse não é o seu futuro, mas você deve estar preparado para pagar o preço pela sua busca, antecipando os obstáculos no caminho. Você deve seguir corajosamente adiante, mas com a precaução como a sua maior dádiva neste momento. Entretanto, se tirar esta carta na posição "obstáculo", você está tão obcecado para ver o que vai acontecer em seguida que não consegue ver onde você está agora.

Quatro de Paus

PALAVRAS-CHAVE
Celebração, alegria, espontaneidade, liberdade

FRASES-CHAVE
- *Exuberância na vida e no amor*
- *Aproveitar um evento feliz*
- *Harmonia doméstica*
- *Celebração mútua*
- *Orgulho das próprias conquistas*
- *Libertar-se das correntes da responsabilidade*
- *Sentir-se mais livre que um pássaro*
- *Descartar bagagem emocional*
- *Libertar-se das expectativas alheias*

Interpretação

Parabéns! Esta carta é uma bênção em qualquer tiragem já que prevê um tempo de alegria e celebração. Ela também pode indicar que você está avançando rumo à harmonia e dias melhores virão. Na posição "você agora", ela diz que você tem confiança plena em suas intenções e está finalmente em um ponto onde se sente orgulhoso de tudo o que conquistou.

Há também um sentimento de animada expectativa quando você tira o Quatro de Paus. A sua criança interior está sendo convidada a abandonar o disfarce de adulto e se divertir. Ria um pouco, tenha mais interações sociais, espalhe o seu bom humor à sua volta. Na posição de "obstáculo", esta carta significa que você pode estar exagerando na brincadeira em detrimento de algo mais importante, ou negando os aspectos sérios da vida em favor de possibilidades mais irreverentes. Por ter medo de seguir em frente, fazer mudanças ou encarar a verdade de quem você realmente é, você compensa com ávidas congratulações a si mesmo e socialização ininterrupta.

Na posição "futuro", o Quatro de Paus pode representar eventos e pessoas que surgirão no seu mundo para alegrar a sua vida. A empolgação se fará presente, e festas e celebrações bem planejadas estão favorecidas.

O Quatro de Paus também indica que você pode se libertar agora de qualquer circunstância que não se adapte a você. Seja um relacionamento, um trabalho, dúvida com relação a si mesmo ou medo, você pode se libertar e abrir-se para novas possibilidades, ou cortar amarras que você mesmo se impôs. Está na hora de você passar para a próxima fase de crescimento pessoal e deixar o passado para trás.

Cinco de Paus

PALAVRAS-CHAVE

Competição, rivalidade, dificuldades menores, discórdia

FRASES-CHAVE
- *Briga por nada*
- *Sensação de não saber onde está*
- *Competir por simples capricho*
- *Sentir-se desafiado ou perseguido*
- *Tentar se defender sem conseguir*
- *Circunstâncias frustrantes*
- *Aborrecer-se com opiniões dos outros*
- *Contratempos irritantes*

Interpretação

O Cinco de Paus indica um embate de algum tipo, embora seja difícil saber quem será o vencedor. Quando tira o Cinco de Paus, você pode sentir como se tivesse que provocar um confronto, talvez com você mesmo, ou desafiar alguém no mundo exterior.

Na posição "você agora", esta carta indica que você sente que o mundo está contra você agora. Que tudo o que você faz não é bem aceito ou dá errado. Você liga para uma amiga e ela viajou sem o celular. A pasta de dente empedrou, a torrada cai com a manteiga para baixo, a chave não encaixa na fechadura. Esta carta representa esses pequenos contratempos irritantes da vida, mas ela pode representar um desafio poderoso. É como se alguém ou alguma coisa estivesse agindo diretamente contra seus propósitos.

Esta carta também pode significar que você está em desacordo consigo mesmo. Que o que você pensa querer ou precisar não está de acordo com o que você realmente precisa ou deseja. É hora de parar de brigar consigo mesmo e estabelecer suas verdadeiras prioridades.

Em outro nível, esta carta significa competição pura. Você realmente tem rivais lá fora, então para que negar isso? Talvez eles queiram o mesmo emprego, o seu amor ou simplesmente o primeiro lugar na linha de chegada. A pista para trabalhar com esta carta é começar a cooperar. Comece a fazer um acordo entre você e os outros ou entre você e você mesmo, e aprenda a cultivar a harmonia em sua vida.

Como uma carta de "obstáculo", o Cinco de Paus indica que você está se esforçando demais para vencer a competição, o que inevitavelmente o levará ao último lugar, ou que você se sente tão perseguido, que seu hábito de culpar os outros o está impedindo de se envolver num relacionamento de verdade.

Seis de Paus

PALAVRAS-CHAVE
Orgulho, vitória, recompensa, conquista

FRASES-CHAVE
- *Receber reconhecimento pelos seus atos*
- *Ser o centro das atenções*
- *Sentir-se realizado*
- *Buscar o primeiro lugar*
- *Conseguir tudo sem dificuldade*
- *Ter uma atitude arrogante*
- *Orgulho demais para admitir a verdade*
- *Sentir-se superior*

Interpretação

O Seis de Paus representa triunfo no seu sentido mais puro e literal. O problema é que, quando sentimos que já ganhamos, que chegamos ao topo ou simplesmente que somos os melhores em alguma coisa, podemos ser arrastados para longe por uma onda de vaidade e convencimento. Se você tirar esta carta na posição "você agora", tenha muito cuidado para seu egocentrismo não o impedir de descer do seu pedestal e reconhecer que você não é melhor do que ninguém.

Quando esta carta é tirada, humildade é necessária, mas isso não significa que você não possa se dar uns tapinhas nas costas. Há momentos em que todos precisamos nos sentir vitoriosos, mas não deixe que sua empolgação o faça se esquecer dos sentimentos dos outros. Se você tirar esta carta como "obstáculo", então um ego inflado está impedindo você de seguir seu verdadeiro caminho.

Como uma carta de "futuro", sucesso ou recompensas estão a caminho, ou alguém de talento entrará no seu mundo para mudá-lo para melhor. Lembre-se também de que "quanto maior a altura maior o tombo". Se você não tirar os pés do chão, então tudo bem; busque o triunfo, mas nunca se esqueça de que ninguém está a salvo da desgraça. Essa desgraça é fruto da crença de que você é o único que tem direito ao sucesso.

Por outro lado, na posição "futuro", você em breve descobrirá as vantagens de buscar o primeiro lugar ou de provar que você tem o direito de ganhar, triunfar ou reclamar o que é seu por direito. Uma frase que resume esta carta é "Se encontrando a desgraça e o triunfo conseguires tratar do mesmo modo esses dois impostores ..."

Sete de Paus

PALAVRAS-CHAVE

Desafio, propósito, obter vantagens

FRASES-CHAVE
- *Recusar-se a ceder desde o princípio*
- *Defender suas convicções*
- *Apostar tudo*
- *Defender-se*
- *Confiança para dizer "não"*
- *Ser resoluto*
- *Força contra os adversários*
- *Travar uma batalha sem sentido*
- *Interação agressiva*
- *Luta contra a oposição*

Interpretação

Quando você tira o Sete de Paus, a atitude de oposição e a fé em si mesmo são enfatizados. Você pode estar agora em condições de bater o pé e exigir seus direitos e necessidades. Essa não é uma carta passiva, pois ela indica que você precisa enfrentar críticas ou se defender contra algum tipo de oposição.

Na posição "você agora", é hora de dizer "não", em vez de ceder para evitar polêmicas. A imagem do Sete de Paus é a de um guerreiro que encontra resistência de origens desconhecidas. E, muitas vezes, essas origens desconhecidas estão dentro de nós mesmos, são nossos próprios demônios interiores, que nos impedem de seguir nossas verdadeiras convicções e crenças. Esses demônios interiores são padrões inconscientes de comportamento que afloram quando nos sentimos ameaçados pela mudança ou diante de uma decisão crucial. Eles são simplesmente nossos medos e dúvidas mais profundos, que assumem o controle e nos deixam fracos e vulneráveis.

O Sete de Paus sugere que você resista a esses medos, sendo honesto sobre o que você quer e agindo de acordo.

Na posição "obstáculo", esta carta indica que você está travando uma batalha com sua consciência, ou que está achando difícil manter sua posição ou resistir às crenças e exigências de outros.

Na posição "futuro", você terá muito em breve que investir tempo e energia confrontando oposições aos seus planos. Mas, como em qualquer contestação, você também deve decidir se vale a pena lutar por isso. Até que ponto sua escolha ou decisão é importante? Ela serve aos seus valores ou aos de outra pessoa, e você tem causas justas para suas ações? Esta carta o convida a ter confiança em suas convicções, mas você precisa ter certeza de que sabe quais são elas.

Oito de Paus

PALAVRAS-CHAVE

Apressar-se, ação, novidades, opções

FRASES-CHAVE
- *Estabelecer prioridades*
- *Deixar claras suas intenções*
- *Agir de maneira sutil e rápida*
- *Receber uma mensagem importante*
- *Descobrir o elo que faltava*
- *Desenvolvimentos rápidos*
- *Reavaliar decisões*
- *Tudo está no ar*
- *Fazer um balanço da situação*

Interpretação

O Oito de Paus é ilustrado por um conjunto de varas ou estacas se deslocando pelo ar. Esta carta traz uma sensação de movimento, mas essa sensação não está bem fundamentada nem finalizada. Ela é rápida e furiosa, mais ideológica e especulativa do que real e sólida. O Oito de Paus representa ideias e ações dentro de você que são intuitivas, geradas por iluminações súbitas, pensamentos ou reações a eventos, e não são estáticas.

A carta significa que agora é o momento exato ou de avaliar suas prioridades, porque as coisas estão no ar, ou deixar claras suas intenções.

Ela também indica que você está simplesmente se apressando com seus planos, ou que agir rapidamente é essencial. O que você aprende com esta carta é que, se agir agora e não hesitar, as coisas vão funcionar como você deseja.

Como uma carta de "obstáculo", o Oito de Paus significa que tudo ainda está muito no ar, você não tem certeza de qual será sua próxima ação, e mudar constantemente de objetivo não o levará a lugar nenhum. Você precisa pôr os pés no chão e concretizar essas ideias.

Numa posição "futuro" ou "resultado", esteja preparado para novidades e informações novas que você pode não reconhecer devido à maneira pela qual as receberá. Mantenha seus olhos e mente abertos para qualquer possibilidade que possa levá-lo à verdade de um determinado assunto. Deve haver tantas ideias flutuando ao seu redor ao mesmo tempo que você se sente sobrecarregado com as muitas opções, mas considere-as como recursos para ajudar você a tomar uma decisão.

Nove de Paus

PALAVRAS-CHAVE
Prontidão, estar pronto, defesa, força, atenção

FRASES-CHAVE
- *Sentir-se vulnerável e cauteloso*
- *Defender-se por precaução*
- *Lembrar-se de mágoas do passado*
- *Sentir-se preocupado com o futuro*
- *Desenvolver força através da autoconsciência*
- *Estar preparado para qualquer coisa*
- *Persistência e perseverança*
- *Suspeitar dos outros*

Interpretação

Seja o que for que você tenha passado, uma dor emocional ou um relacionamento ruim, esta carta indica que você está preparado neste momento para seguir em frente. Ao desenvolver sua força, você ganhou sabedoria e consciência de si mesmo, mas ainda está com receio de se deparar com as mesmas experiências. Na vida, sofremos muitas dores. Todos nós passamos por tempos difíceis. Como mostra a figura, o Nove de Paus não é tanto sobre se arrepender do passado, ficar ressentido ou lamber suas feridas com desejo de vingança. É mais sobre saber que cometemos erros, fracassamos e aprendemos com as lições da vida.

Fique atento, ciente da sua vulnerabilidade, mas não fique muito amargo ou na defensiva, do contrário pode se perder. O Nove de Paus indica a habilidade de "ver" seus pontos fortes e fracos, conhecer suas armadilhas e potenciais, ficar alerta a esses fatos e perseverar a qualquer custo, não importa o desafio.

Numa posição de "obstáculo", você deve estar tão na defensiva que ninguém consegue chegar perto de você, ou um relacionamento atual está sendo prejudicado, porque você ainda está preso à sua bagagem emocional. Na posição "futuro", não aceite um "não" como resposta, persista, seja engenhoso e, acima de tudo, "conheça-te a ti mesmo", como aconselha o oráculo do Templo de Apolo.

Dez de Paus

PALAVRAS-CHAVE

Fardo pesado, sobrecarregado, esforço para subir a montanha

FRASES-CHAVE

- *Assumir responsabilidades demais*
- *Fazer tudo para agradar*
- *Exceder os seus limites*
- *Só trabalho e nenhuma diversão*
- *Sentir-se culpado por tudo*
- *Acreditar que há sempre um preço a pagar*
- *Resignar-se a ser um burro de carga*
- *Sentir-se responsabilizado*
- *Lutar contra sua carga de trabalho*
- *Bloqueio mental*

Interpretação

Sempre que esta carta surge num jogo, ela indica que você está carregando algum tipo de fardo. Antes que você aponte o dedo para o culpado – trabalho demais, obrigações demais, qualquer coisa demais – reflita se não está precisando renovar o jeito como vê a vida. É possível que esteja tão envolvido com os "fardos" normais da vida que esteja sem rumo, sem objetivo, ou simplesmente não consiga ver para onde você está indo?

Esta carta significa que está na hora de aliviar a sobrecarga. Abra mão de algumas tarefas, delegue, faça cortes e reserve algum tempo para o prazer e a diversão. Nós muitas vezes ficamos dependentes das pessoas em nossos relacionamentos. Investimos demais para um relacionamento dar certo por puro medo de rejeição; esforçamo-nos para agradar como estratégia para controlar o relacionamento. Esta carta pede que expanda seu modo de ver as coisas e perceba o valor de outros pontos de vista ou que deixar de lado o fardo enorme que você mesmo criou não significa que tenha desistido de si mesmo.

Talvez você precise de mais tempo para dedicar a você e à sua jornada pessoal. E um parceiro, namorado ou parente não vai deixar de amá-lo só porque você dedicou um pouco de tempo à sua diversão em vez de tentar agradá-lo.

Na posição "futuro", talvez você precise passar pelo esforço de subir uma montanha, então alivie o fardo e deixe que outros o ajudem em vez de pensar nobremente que pode fazer tudo sozinho. Você pode se culpar pelo curso dos acontecimentos, mas lembre-se de que não há ninguém para culpar na vida. O Dez de Paus manda você parar de se sentir culpado, responsável ou comprometido demais e dar mais tempo aos aspectos mais leves da vida. Eles também não são valiosos?

O nível mais profundo da interpretação desta carta é que nossos fardos são justamente o que nos forçam a seguir em frente e vencer a qualquer preço.

Valete de Paus

PALAVRAS-CHAVE

Um mensageiro, nova revelação, novas ideias, confiança

FRASES-CHAVE
- *Disposição para seguir novos rumos*
- *Mostrar que você tem entusiasmo*
- *Ser criativo*
- *Um admirador charmoso*
- *Arriscar-se*
- *Exuberância juvenil*
- *Atitude otimista*

Interpretação

Se tirar o Valete de Paus, você está recebendo uma mensagem de que é hora de um novo começo, de olhar as opções a sua volta e se inspirar pelo que vê a sua frente. Você terá chances para novas oportunidades no amor, talvez um admirador mais jovem, um charmoso sedutor ou simplesmente diversão leve e jogos românticos.

Se estiver concentrado numa questão amorosa, você terá uma revelação sobre como manter um relacionamento vivo e excitante. Você pode, entretanto, distrair-se dos projetos atuais por causa de alguém novo ou uma oferta tentadora surgirá em sua vida nesse momento. Na posição "obstáculo", você pode estar tão envolvido com ideias ou pessoas originais que você está tentado a abandonar todo mundo em quem acreditou antes. Tenha certeza de finalizar todos os projetos que começou quando esta carta aparecer, de outro modo haverá muitas pontas soltas para amarrar quando essa energia tiver passado.

Algumas vezes, o Valete de Paus na posição "você agora" sugere que você está tão tomado por uma exuberância infantil que não há maneira de se comprometer agora com qualquer projeto de longo prazo. Como uma carta de "futuro", você está prestes a entrar numa fase de otimismo renovado e diversão apaixonada. Apenas saia e se divirta. Quanto mais confiante e inspirado você estiver, mais sucesso terá.

O Valete de Paus é sempre o primeiro a estender a mão, a mostrar boa vontade, a se atirar de cabeça, mas, ao contrário do Louco, que realmente não se importa com o que o aguarda na próxima esquina e é cego para as consequências de suas escolhas, o Valete de Paus acredita em si mesmo e tem confiança para enfocar o que é vantajoso para ele a longo prazo.

Lembre-se, todas as cartas da corte representam facetas de sua própria personalidade que você pode projetar nos outros. Então, se a imagem de um "Peter Pan" bem-humorado surgir em sua vida, ele estará lá para lembrá-lo de que você possui um lado de um charme travesso que precisa se expressar também.

Cavaleiro de Paus

PALAVRAS-CHAVE

Impetuosidade, ousadia, impaciência, paixão

FRASES-CHAVE

- *Dom da oratória, mas gosta de se gabar*
- *Seguro, mas presunçoso*
- *Encantador, mas insensível*
- *Sedutor, mas lascivo*
- *Entusiasmado, mas faz promessas vazias*
- *Talentoso, mas exagera a verdade*
- *Ama ser amado, mas odeia ser possuído*
- *Gosta de partir, mas não de chegar*
- *Aventureiro e ousado, mas irrequieto e não confiável*

Interpretação

Como você pode ver pelas palavras e frases-chave, o Cavaleiro de Paus representa energias extremas. Esses traços podem ser considerados tanto positivos quanto negativos, dependendo da situação. Por exemplo, tendemos a admirar alguém que é talentoso, mas desprezamos quem exagera a verdade ou conta mentirinhas inocentes. Ainda assim, algumas vezes, a verdade precisa ser exagerada ou uma pequena mentira precisa ser contada para ajudar no desenvolvimento de um processo ou para atender às necessidades de uma pessoa sem magoá-la. Tudo é uma questão da nossa percepção pessoal das circunstâncias e de como nós a vivenciamos.

Lembre-se, o Cavaleiro de Paus tem a ver com vivacidade, aventura e ação. Se esta carta surgir na posição "você agora", é hora de se tornar um pouco irreverente, ter paixão pela vida, não temer sua inquietude, fazer alguma coisa com ela. Expresse seu espírito aventureiro e tente algo diferente.

Ela também pode se referir a um "cavaleiro da armadura brilhante", que entra cavalgando em sua vida sem se importar com quem você é, mas que está ali para se exibir, gabar-se ou seduzi-la. Nas posições "presente" ou "futuro", esta carta é sempre sinal de uma forte atração física por alguém do sexo oposto.

Na posição "obstáculo", esta carta pode significar também que você está totalmente encantado com alguém que arrasa corações e não irá assumir compromisso, ou que está envolvido num relacionamento puramente sexual que pode acabar tão rápido quanto começou. Do mesmo modo, sua avidez por uma conquista romântica ou sexual está atraindo os tipos errados.

Em qualquer assunto ou pergunta que não se refira a relacionamentos, esta carta indica que você não está refletindo, que é impulsivo demais ou insensível ao cerne da questão. Como carta de "futuro", esteja preparado para alguma empolgação no futuro – viagem, aventuras ou indivíduos rebeldes e despreocupados chegarão para dar um ânimo em sua vida. Prepare-se para ambos os extremos de energia que o Cavaleiro de Paus representa, e simplesmente aproveite.

Rainha de Paus

PALAVRAS-CHAVE

Magnetismo, poder de atração, liderança feminina, fertilidade, otimismo, confiança em si mesmo e positivismo

FRASES-CHAVE

- *Dedicar-se a uma tarefa*
- *Amigável e de fácil trato*
- *Envolver-se de corpo e alma*
- *Carisma e criatividade*
- *Mulher que sabe aonde quer chegar*
- *Sexualmente talentosa*
- *Sem medo de desafios*
- *Iluminar o ambiente*
- *Jamais se deixe incomodar*

Interpretação

A Rainha de Paus sabe o que ela quer e aonde quer chegar. O gato preto aos seus pés indica que ela está em contato com todos os aspectos do feminino e pode se expressar livremente e com confiança, sem se preocupar com o que os outros vão pensar.

Esta carta indica pessoas ardentes e carismáticas, especialmente mulheres leoninas. Na posição "você agora", você está passando por uma fase de positivismo, energia magnética que precisa ser expressada. Não negue a si mesmo o direito de ser uma pessoa realizada e atraente como você deseja. Faça um novo corte de cabelo, mude seu guarda-roupa, maximize suas chances de sucesso financeiro e nos negócios. Saiba aonde quer chegar e use sua intuição para seguir em frente.

Na posição "presente", esta carta indica que você está se dedicando a uma causa, está otimista e entusiasmado com qualquer mudança ou desenvolvimento em sua vida. Pergunte-se agora mesmo se você é tão confiante quanto poderia ser. Você se acha atraente? Se não acha, por que não faz algo a respeito? Você irradia uma aura vibrante e espirituosa, então aproveite seu atual bem-estar.

Como uma carta de "obstáculo", pode haver uma mulher em seu círculo social ou ambiente de trabalho que está impedindo você de descobrir sua própria popularidade. Por outro lado, você é tão confiante e dedicado que pode ter esquecido que tem um lado vulnerável.

Como uma carta de "futuro", você logo será capaz de causar uma impressão poderosa onde realmente importa. Algumas vezes, a Rainha representa um homem ou mulher que entra na sua vida exalando sensualidade e lembrando-o das suas próprias conquistas sexuais.

Rei de Paus

PALAVRAS-CHAVE
Poder, ousadia, inspiração, vitalidade, dramaticidade

FRASES-CHAVE
- *Dominar uma arte*
- *Dar o exemplo*
- *Um líder poderoso*
- *Figura de autoridade inspiradora*
- *Teatral e carismático*
- *Modelo de como agir*
- *Disposição para correr riscos com base na intuição*
- *Gostar de ser o centro das atenções*
- *Nunca ser modesto ou tímido*
- *Confiança extrema*

Interpretação

Quando você tira o Rei de Paus, a energia é vibrante e vital, e há uma sensação de drama e ação, não importa o que você faça. Esse rei ardente é muitas vezes representado literalmente por figuras de autoridade masculina com carisma e talento.

Como uma carta "você agora", ela significa que você aprendeu com seus erros, avaliou as suas limitações e adquiriu novas habilidades. Você agora é capaz de usar essas descobertas para avançar rumo ao futuro sem arrogância ou vaidade. Você pode se ver de uma perspectiva mais ampla, embora não totalmente objetiva, visto que você tem uma atitude absolutamente exagerada em relação ao mundo e às pessoas. Agora é hora de correr alguns riscos baseado na intuição, no conhecimento e na autoconfiança.

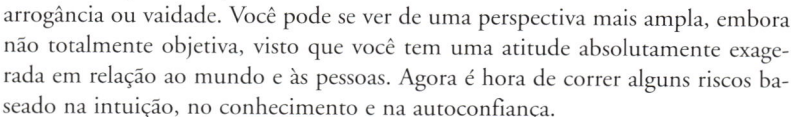

A energia inspiradora do Rei de Paus diz "mostre agora o que sabe fazer", seja ousado e valente e mostre a que veio, esta é sua chance. Na posição "obstáculo", o Rei de Paus significa que alguém com poder está detendo você ou que você tem assuntos sobre poder que precisam ser resolvidos para que você consiga alcançar seus atuais objetivos. Como uma carta de "futuro", o Rei indica que em breve você será capaz de elaborar seus projetos ou objetivos, que seu poder de individualidade dará resultados ou que suas ideias inovadoras logo lhe trarão êxito.

Naipe de Copas

Copas (também conhecida como Cálices) representam os sentimentos e emoções humanas, o poder do amor e a ausência dele. As Copas nos dizem como nos relacionamos uns com os outros e o mundo externo, que está além de nosso mundinho particular.
Nós percebemos este mundo através de lentes coloridas pela nossa própria personalidade, psique ou experiências, e as Copas nos fazem lembrar como nos relacionamos com o mundo exterior, e interior, no dia a dia. Os benefícios deste naipe são dar a você indicações claras sobre amor, romance, sensualidade, expressão criativa e as escolhas ou assuntos que podem surgir nessas áreas da sua vida.

PALAVRAS-CHAVE

Emoção humana, amor, amizade, prazer sensual, conexão, intuição

Exercício do Naipe de Copas

Antes de passar para cada interpretação do naipe de Copas, experimente fazer este exercício, para conhecer melhor as cartas.

1. Coloque as cartas com a imagem voltada para cima, em ordem crescente – Valete, Cavaleiro, Rainha, Rei –, como você fez com o naipe de Paus.

2. Pense sobre pessoas que você conhece que são emotivas, sensíveis, e que você pode identificar com cada um dos personagens.

3. A seguir, pense em si mesmo. Você é emotivo? Você se liga facilmente aos seus sentimentos? Falar sobre sentimentos deixa você irritado, feliz, indiferente, sereno ou aparentando frieza? Pense sobre sua reação a essa energia e se você gosta dela, a nega ou reprime o valor dela em sua própria psique.

4. Olhe para as diferentes imagens nas cartas numeradas. Você não precisa se lembrar do que cada número significa para compreender o significado dessas cartas tão vívidas. A maioria das cartas numeradas são pessoas *se relacionando* com o mundo, que estão envolvidas em seus sentimentos e reações ao que está acontecendo em volta delas. Sempre pense nelas como cartas de relacionamento.

Ás de Copas

PALAVRAS-CHAVE

Amor, sentimento profundo, novo romance, intimidade

FRASES-CHAVE

- *Começo de um novo amor ou consciência*
- *Expressar seus sentimentos*
- *Estar em contato com suas emoções*
- *Fascinação por alguém ou alguma coisa*
- *Criar novos elos*
- *Sentimentos evoluindo*
- *Desejo de uma conexão mais profunda*

Interpretação

O Ás de Copas indica os primeiros estágios de um amor ou romance. Você pode achar que seus sentimentos estão intensificados, ou que você está loucamente apaixonado por alguém ou alguma coisa. Nós podemos facilmente ficar fascinados por uma ideia assim como ficamos por um amante. Se você já está comprometido, pode haver um elo mais forte crescendo entre vocês, ou é preciso expressar necessidades emocionais.

Se você tirar esta carta, olhe para os aspectos da sua vida em que falta amor ou ele está trabalhando a seu favor. Você está realmente em contato com seus sentimentos? É hora de se abrir, mostrar compreensão, aproximar-se de um amigo, amante ou membro da família? Você está dando espaço demais?

Se esta carta cair na posição de "obstáculo", você está deixando suas emoções afastarem-no da realidade de uma situação. Como uma carta do "você agora", o Ás de Copas também sugere que é hora de entrar em contato com aspectos mais espirituais de seu relacionamento. Há uma afinidade mística forte nas imagens da carta, o que nos lembra de deixar a energia divina criativa entrar em nossas vidas, em vez de simplesmente buscar os desejos do nosso ego. Olhe para a carta e veja o que é oferecido, porque esta carta também indica que um presente, encontro ou oportunidade está ali para você pegar, mas você precisa estar aberto para as possibilidades.

Em uma posição "futuro", você deve meramente abrir os olhos para ver a verdade e reconhecer o que poderia ser seu. Seja ter acesso à intimidade mais profunda, explorar sua própria consciência ou desenvolver sua orientação espiritual, nunca rejeite o que o Ás de Copas tem a oferecer. Um outro presente que pode estar batendo à sua porta é uma enriquecedora afinidade sexual com alguém, ou o conselho para que você confie em sua intuição e sentimentos mais profundos para ajudá-lo a fazer uma escolha.

Dois de Copas

PALAVRAS-CHAVE

Relacionamento, conexão, parceria, atração

FRASES-CHAVE

- *Mover-se em direção ao outro*
- *União alquímica*
- *Atração sexual*
- *Amor romântico*
- *Estabelecer uma ligação*
- *Compreensão mútua*
- *Harmonia e cooperação*
- *Reconciliação e perdão*

Interpretação

O Dois de Copas é muito parecido com os Enamorados nos Arcanos Maiores, embora ela não tenha um simbolismo arquetípico tão profundo. Quando você tira o Dois de Copas, relacionamentos são muito evidenciados. Olhe para a imagem: dois amantes estão olhando um para o outro, oferecendo suas taças, dividindo seus sentimentos, aproximando-se para formar um elo.

Se você está procurando um amor ou acabou de encontrar alguém, essa é a carta que você vai gostar de tirar na posição "futuro" para gerar aquela atração magnética. Se você já está num relacionamento amoroso, então esta carta indica que você está agora num estado de harmonia, ou estará se tirá-la como uma carta de "futuro". Mas, para alcançar a harmonia, você deve aprender a respeitar e aceitar suas diferenças. Nem tente impor suas expectativas ao outro.

O Dois de Copas pode sugerir um casamento, ou afinidade de ideias, ou a energia alquímica de fundir e mesclar para transformar chumbo em ouro. Mas você só pode fazer isso se não tentar dominar o outro.

Com esta carta na posição "você agora", é hora de unir forças com alguém para vivenciar mutuamente uma experiência de cura e cuidado com o outro. Na posição "obstáculo", esta carta pode indicar que você está tão envolvido na energia de "casal" que não é capaz de ficar sozinho ou ser criativo com suas próprias necessidades ou valores individuais. Ela também significa que seu acordo de exclusividade está impedindo vocês dois de evoluírem como indivíduos. Essa energia de par é muito poderosa, mas pode significar que você está perdendo contato com outros tipos de amor, porque está enviando sinais de "não se aproxime" para todo mundo a sua volta.

Mas esta carta é predominantemente benéfica e, como uma carta de "futuro", ela antecipa forte atração mútua com alguém, ou uma sensação de união dos opostos, tanto sexual quando emocionalmente. Apenas tome cuidado para não se apaixonar simplesmente pelo amor ou pela ideia do romance sem fim.

Três de Copas

PALAVRAS-CHAVE
Amizade, celebração, espírito de equipe, exuberância

FRASES-CHAVE
- *Abundância e cura*
- *Aproveitar sua rede social*
- *Fazer amigos*
- *Ser parte de um grupo*
- *Compartilhar sentimentos felizes*
- *Espírito de comunidade*
- *Ter confiança nos outros*
- *Rituais de celebração*

Interpretação

Depois do Dois, vem o Três. Nós agora temos que dividir nossos sentimentos com mais de uma pessoa. Esta carta representa a capacidade de expandir nossos sentimentos, de dar nossa alegria e felicidade para mais do que uma pessoa, e começar a interagir com pequenos grupos que irão impulsionar nosso sentimento de felicidade e espiritualidade.

Esta carta fala sobre o espírito de comunidade ou de se unir à dança. Se você precisa fazer novos amigos ou se tornar membro de uma equipe, esta carta diz para celebrar sua entrada com compreensão, desejo de consolidação e compaixão humana.

Todos nós precisamos de amigos e, se tirar esta carta na posição "você agora", ela indica que você encontrará um forte sentimento de segurança e felicidade através de contatos sociais e de trabalho.

Em uma questão sobre relacionamento, o Três de Copas também significa que é hora de aproveitar seu crescimento pessoal, fazer novos planos e criar um meio de compartilhar sua abundância e harmonia. Seja mais descontraído, aproveite a companhia de amigos ou simplesmente dance do seu jeito pela noite adentro. Celebrações não precisam acontecer depois do evento. Elas também podem ser um meio de gerar criatividade e ideias novas quando unidas ao espírito do grupo.

Esta carta também representa todas as formas de apoio de grupos e contatos sociais. Confira seus relacionamentos com grupos de pessoas. Você se sente confortável com apenas uma pessoa, inseguro com três ou quatro, vulnerável numa multidão? Você gosta de ficar longe da multidão, organizar eventos e assistir de camarote, ou misturar-se ao tumulto da festa? Esta carta pede que descubra como você se relaciona com um grupo, e o quanto se sente conectado com as pessoas no nível coletivo.

Como uma carta de "obstáculo", você está passando tanto tempo em festas ou futilidades sociais que não está dando a si mesmo tempo suficiente para ficar sozinho e definir suas prioridades.

Quatro de Copas

PALAVRAS-CHAVE
Dúvida, hesitação, introspecção

FRASES-CHAVE
- *Falta de relacionamento consigo mesmo*
- *Levar as coisas para o lado pessoal*
- *Retrair-se e duvidar de si próprio*
- *Preocupar-se apenas consigo mesmo*
- *Contemplação com propósitos de cura*
- *Autoquestionamento*
- *Dar pouco de si*
- *Não ver o que está sendo oferecido*
- *Sentir-se magoado e na defensiva*
- *Falta de iniciativa*
- *Apatia e passividade*

Interpretação

O senso de companheirismo, acolhida e amizade do Três de Copas se tornou insípido, superficial e tedioso. Na imagem, o quarto cálice está sendo oferecido à figura embaixo da árvore, mas ela não o vê. É em momentos como esse que nós nos fechamos em nós mesmos, erguemos barreiras, fechamos as cortinas, nos isolamos do mundo e fugimos dos sentimentos, e até dos nossos pensamentos.

É nesses momentos que estamos mais introspectivos e que podemos, ironicamente, ser incrivelmente criativos, se estivermos conscientes de nossas motivações. O problema é, a menos que vejamos isso como uma oportunidade de iluminação, revelação psicológica ou cura de nós mesmos, muitas vezes deixamos de ver o mais importante e pensamos apenas em nossas perdas, em nossas tristezas, e então perdemos qualquer chance de nos relacionarmos com nós mesmos.

Quando você tirar esta carta, não leve tudo para o lado pessoal. Não se sinta como o único que sofre, o único culpado, o único que não é amado. Sua vida pode parecer chata e desinteressante. Você pode se sentir como um náufrago, sem conseguir se esforçar para fazer alguma coisa, sentir alguma coisa ou se importar com outra pessoa. Essa apatia indica que você está emocionalmente estagnado, que neste exato momento você precisa abrir os olhos e ver o que lhe está sendo oferecido. Em breve você será capaz de se concentrar em seus objetivos e os bons sentimentos irão retornar, se você fizer um esforço.

Mas ninguém pode fazer isso por você. Reserve um tempo para refletir, mas faça isso de uma maneira positiva. Saber o que você quer é o primeiro passo para ter sucesso, então examine, avalie e não tenha medo de ampliar sua visão. Como uma carta de "obstáculo", ela significa que você está tão na defensiva e absorto em si mesmo neste momento que não consegue considerar a oferta ou proposta de alguém. Como uma carta de "futuro", saiba que você vai precisar de uma séria reflexão sobre si mesmo, mas, com honestidade e um foco positivo, você pode restaurar o equilíbrio.

Cinco de Copas

PALAVRAS-CHAVE
Perda, desapontamento, confusão emocional, remorso

FRASES-CHAVE
- *Sentir-se privado de amor*
- *Ter algo tirado de você*
- *Sentir-se triste e em sofrimento*
- *Remorso por oportunidades perdidas*
- *Mudança de prioridades*
- *Aceitação*
- *Resistência emocional à mudança*
- *Desejo de poder mudar o passado*
- *Desequilíbrio emocional*

Interpretação

A perda é algo que não aceitamos muito facilmente. Esta carta parece negativa em suas associações, mas há uma interpretação positiva para a perda, também. Mais uma vez, é a projeção de nossos medos e dúvidas que nos faz dar a esta carta um sentido negativo quando ela aparece na leitura.

Parecida com a "Morte", esta carta sugere que é hora de deixar suas amarras para trás e não temer a perda de algo que será em breve substituído. Ela convida você a abraçar a mudança e seguir o fluxo. A perda atual pode ser algo tão trivial quanto perder a chave ou, mais significativa, talvez simbolize a perda de um sonho, oportunidade ou relacionamento.

As emoções que acompanham a perda são a tristeza, a negação e o controle. Se tirar esta carta na posição "você agora", você provavelmente saberá imediatamente do que se arrepende, o que perdeu ou está prestes a perder. Você deseja voltar os ponteiros do relógio, sonha com o que poderia ter sido ou pensa ter feito a escolha errada? Olhe para a figura na carta. Ele está tão concentrado nos três cálices virados, representando a ideia da perda, que nem notou os dois cálices ainda de pé, representando as novas oportunidades e revelações.

Como uma carta de "obstáculo", ela pode indicar que você está tão obcecado com sua perda que não consegue ver o que está para receber. Lembre-se, nós vivemos num mundo de dualidades e, para cada qualidade aparentemente negativa, há uma polaridade positiva. Tente ver através do fenômeno "bom" e "mau" de nossa percepção e perceba que perder é ganhar. Como o yin e yang, perda e ganho são, na verdade, uma coisa só.

Como uma carta de "futuro", você deve reconhecer seus erros ou se permitir sofrer, e perceber que você em breve voltará ao fluxo da corrente de sua própria vida.

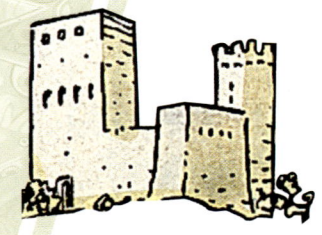

Seis de Copas

PALAVRAS-CHAVE
Inocência, nostalgia, alegria, infância

FRASES-CHAVE
- *Conhecer sua criança interior*
- *Boa vontade com todos*
- *Nostalgia*
- *Lembranças sentimentais*
- *Relacionamento divertido*
- *Ingenuidade e inocência*
- *Compartilhar e reconciliar*

Interpretação

Duas crianças estão alegremente envolvidas em dar e receber um cálice cheio de flores. Esta carta indica que a sua criança interior está agora em ação e precisa se expressar. Talvez seja hora de voltar às boas memórias de infância, lembrar-se de como era brincar sem todos os medos, dúvidas e ilusões que agora você tem como adulto.

Esse estado de inocência é, naturalmente, matizado por diferentes significados. Mas tirar esta carta sugere momentos de nostalgia, lembranças agradáveis, um sentimento de alegria que muitas vezes se perde na estrada para a maturidade.

Entretanto, se tira o Seis de Copas como uma carta de "obstáculo", você está vivendo demais no passado, provavelmente acreditando ingenuamente que não tem que assumir responsabilidade por suas escolhas e que tudo ficará bem. Como uma carta de "futuro", você estará usufruindo da boa vontade de outras pessoas, e também de suas boas intenções.

O espírito desta carta é de doçura e leveza, e, apesar de cinicamente nós nos lembrarmos de que há ódio, raiva e violência neste mundo, generosidade e perdão também têm o seu lugar. O Seis de Copas sugere que, se você demonstrar sua bondade a sua volta, ela lhe será retribuída.

Aproveite para se sentir alegre e espirituoso, e deixe que esta carta lembre você de relacionamentos que enriqueceram sua vida, assim como aqueles que foram dolorosos. Se você tem assuntos inacabados do passado, agora é a hora de colocá-los de lado e dar as boas-vindas ao contentamento e às verdadeiras manifestações de amor em sua vida.

Sete de Copas

PALAVRAS-CHAVE

Falta de realismo, condescendência consigo mesmo, escolhas demais

FRASES-CHAVE
- *Sentir-se desorganizado*
- *Fantasiar sobre o que pode conquistar*
- *Altas expectativas*
- *Preguiça diante da vida*
- *Adiar o inevitável*
- *Acreditar que você pode se sair bem em qualquer coisa*
- *Fazer sua cama e deitar-se nela*
- *Ilusões sobre o amor*
- *Um leque de opções se abre para você*

Interpretação

Esta carta tem três significados muito diferentes. O primeiro é que você tem tantas opções que não consegue se organizar o bastante para fazer a escolha certa. O segundo é que você está vivendo sob algum tipo de ilusão sobre o que pode conquistar. O terceiro é que está simplesmente sendo indulgente em todos os tipos de excessos, ou escolhendo ser preguiçoso, com um estilo de vida bastante descuidado.

Se você tirar esta carta na posição "você agora", pense honestamente nesses diferentes significados. Você pode estar sobrecarregado de pensamentos e escolhas e não saber para onde ir. Pode estar, literalmente, fantasiando sobre suas capacidades ou ter grandes ilusões sobre o amor. Pode ser que tanta idealização signifique que você simplesmente desistiu de si mesmo. Se, no entanto, você é trabalhador, totalmente disciplinado e a eficiência em pessoa, então talvez seja hora de afrouxar um pouco. Seja indulgente com você mesmo, abra mão da ordem e escolha uma vida mais descontraída.

Como uma carta "de obstáculo", tanto suas ilusões como suas fantasias o estão impedindo de seguir em frente ou as possibilidades diante de você parecem tão infinitas que você não ousa tomar uma decisão.

Como uma carta de "futuro", cuidado para não cair em nenhuma das armadilhas acima. Numa observação positiva, no entanto, em breve você terá que encarar essas opções, fazer sua escolha e se comprometer com esses planos, em vez de evitar o desafio. Tudo isso tem a ver com fazer sua cama e, então, deitar-se nela. Numa questão de relacionamento, tome cuidado para não superestimar o que alguém tem a lhe oferecer.

Oito de Copas

PALAVRAS-CHAVE
Mudar de direção, seguir em frente

FRASES-CHAVE
- *Comprometer-se com novos valores*
- *Explorar um estilo de vida diferente*
- *Deixar para trás uma situação difícil*
- *Deixar o passado para trás*
- *Uma jornada de autodescoberta*
- *Procurar pela verdade espiritual ou emocional*
- *Perceber que é tempo de um novo começo*
- *Avançar rumo a coisas melhores*

Interpretação

O Oito de Copas significa um momento de transição. Esse é um período ou ciclo em sua vida que significa que você deve seguir em frente, ir embora, seguir uma nova direção ou reavaliar suas prioridades na vida.

Na posição "você agora", esta carta sugere que há um desequilíbrio em sua vida. Olhe para os cálices na imagem. Oito são facilmente divididos em dois grupos de quatro, para criar equilíbrio, mas os cálices estão separados em pilhas de três e cinco. Isso sugere que, mesmo que acreditemos que estamos numa situação, trabalho, relacionamento ou lugar harmonioso, há alguma coisa que não está no lugar certo. Se olharmos adiante, para mais além, e explorarmos outras opções, podemos restaurar o equilíbrio na capacidade expressa pelo número oito, ou seja, nossa capacidade de superar obstáculos.

Não há nada permanente na vida, exceto a mudança propriamente dita, e esta carta lembra a você que tudo evolui ou acaba. Pessoas nos deixam, nós deixamos pessoas, uma posição de poder é tomada de você, você toma a posição de poder de alguém. Tudo é transitório e esta carta significa que você chegou a uma transição na sua vida. A placa de sinalização pode não estar muito clara, mas, se você explorar o significado mais profundo por trás de eventos, sentimentos ou medos atuais, será capaz de encontrar uma perspectiva mais equilibrada de sua própria verdade pessoal.

Determine uma nova rota, pegue uma curva diferente e aceite que mudar é uma coisa boa. A maioria de nós não gosta de mudança, ela provoca enorme ansiedade, porque nós nos sentimos seguros com o que conhecemos e confiamos. Esta carta sempre levanta uma questão sobre abandonar um relacionamento, sair de uma rotina ou simplesmente seguir em frente porque esse relacionamento é destrutivo ou infrutífero para você neste momento.

Na posição de "obstáculo", é o seu medo de avançar que está criando circunstâncias difíceis para você. Na posição "futuro", você em breve terá que focar sua direção na vida, seja encontrar novos valores emocionais ou espirituais, seja deixar o passado para trás.

Nove de Copas

PALAVRAS-CHAVE
Desejo de plenitude, satisfação emocional, sensualidade, prazer

FRASES-CHAVE
- *Desejos tornam-se realidade*
- *Satisfação sexual*
- *Aproveitar os prazeres simples da vida*
- *Satisfação com o que conquistou*
- *Felicidade presunçosa*
- *Estar saciado emocionalmente*
- *Indulgência consigo mesmo*
- *Contar suas bênçãos*

Interpretação

Esta carta é conhecida tradicionalmente como a "carta do desejo". Seu desejo vai se tornar realidade! Mas esteja pronto para assumir a responsabilidade que esse desejo vai lhe trazer e saiba o que você realmente quer. Nós muitas vezes pensamos que queremos alguma coisa ou alguém, e então vivemos para nos arrepender depois.

Mas, geralmente, esta carta é muito positiva, dando a você a chance de se orgulhar de suas conquistas, de se sentir feliz com o que está fazendo ou envaidecer-se um pouquinho por ter conseguido sua última vitória. O homem na imagem está contente. Ele está quase dizendo "Ei, olhe para todos os meus cálices. Aposto que você não conseguiu tantos assim!" É preciso cautela para não se gabar demais do próprio sucesso, a ponto de se fechar para os outros ou provocar a inveja alheia. Lembre-se, a inveja leva a ressentimento, amor distorcido e manipulação emocional.

Na posição "obstáculo", seu ego está tão inflado e vaidoso de suas conquistas que não vê o ponto de vista de mais ninguém. Por outro lado, é esse excesso de condescendência consigo mesmo que está impedindo você de tornar seu desejo realidade.

Como uma carta de "futuro", você pode esperar prazer, satisfação sexual, e sentir-se como o gato que pegou o filé. De fato, as chances estão ao seu favor e seu sonho atual vai se tornar realidade. Mas, como diz o ditado, "não conte com os pintinhos antes de os ovos chocarem".

Dez de Copas

PALAVRAS-CHAVE

Felicidade familiar, alegria, paz, harmonia, promessa de alegrias futuras, abrigo seguro

FRASES-CHAVE

- *Sentir-se em paz com o mundo*
- *Ver a luz*
- *Plenitude emocional*
- *Conclusão de um ciclo*
- *Compromissos sexuais*
- *Ideais amorosos possíveis*
- *Restauração do* status quo

Interpretação

O Dez de Copas indica que a alegria que você procura está agora ao seu alcance. Seja algo relacionado aos valores familiares, uma sensação de estar em paz com o mundo ou sentir-se completo emocionalmente num relacionamento, esta é a hora de agradecer suas bênçãos e se preparar para os bons tempos. Apenas não se torne complacente.

A imagem sentimental da família admirando fascinada o arco-íris de cálices fala aos nossos mais elevados ideais. Nós buscamos felicidade, e tiramos cartas de tarô para que elas nos revelem o significado do que está acontecendo em nossas vidas neste momento e o que está por vir.

Quando você tira esta carta na posição "você agora", o fluxo de energia é positivo, então tire proveito dela. Trabalhe bastante pela paz e comprometimento, ame quem está ao seu lado e corte qualquer aresta. Há um senso de harmonia dentro de você, assim como há noção da inveja que você causa naqueles ao redor. A chave para a porta da felicidade pode estar bem diante dos seus olhos; ou as pessoas mais próximas e queridas, o ser amado, família e amigos estão todos lá para apoiar você.

Como uma carta de "obstáculo", você pode estar tão concentrado em encontrar amor e harmonia apenas pelos valores familiares que está ignorando seu próprio caminho pessoal. Por outro lado, a atitude de dar as costas ao mundo e idealizar um futuro de "viveram felizes para sempre" está impedindo você de seguir adiante. Numa posição "futuro", você logo verá a luz, se sentirá completo emocionalmente e restaurará o equilíbrio em sua vida.

Valete de Copas

PALAVRAS-CHAVE
Sensibilidade, intimidade, sentimentos românticos

FRASES-CHAVE
- *Mostrar seus sentimentos*
- *Oferta de romance ou amor*
- *Confiar em sua intuição*
- *Um amor mais jovem e criativo*
- *Ideias criativas*
- *Flerte de um admirador divertido*
- *Dias de sonho*
- *Começo de um caso de amor*
- *Procurar algo em seu coração para perdoar*

Interpretação

Como todos os Pajens, o Valete de Copas indica uma energia jovial, aquela do amor em sua faceta mais romântica ou idealizada. Esta carta pode significar um novo amor chegando em sua vida, jovem, criativo, talvez um pouco ingênuo, mas muito sensível. A sensibilidade, no entanto, pode ser destrutiva. A pessoa pode ser sensível apenas com seus próprios desejos e necessidades, esquecendo aqueles que a amam ou gostam dela. Então, tenha cuidado.

Apesar de esse Valete parecer representar o encontro bem-humorado e romântico que procuramos em nosso dia a dia, a ideia desse refinado amor cortês tem um preço. Depois que os ideais dos primeiros dias de romance desaparecem, que você vê além da imagem do amor perfeito que projetou sobre alguém, a desilusão pode causar sofrimento.

Mas entenda esta carta como um sinal do começo de uma sensibilidade emocional mais positiva. A interação nesse tipo de relacionamento é de altos e baixos, obsessão, humores, confusão emocional e intimidade sexual. Se você já está envolvido num relacionamento, então esta carta indica que é hora de ser mais sensível para as necessidades, tanto suas quanto de seu parceiro, e para ser mais criativo com o relacionamento.

Como uma carta de "obstáculo", pense sobre o que você tem a oferecer num relacionamento atual. O que seu amor tem a oferecer? E talvez um de vocês dois seja tão sensível com relação aos próprios sentimentos que perceba os sentimentos do outro.

Como uma carta de "futuro", espere encontrar romance, novas conquistas ou intimidade cheia de alegria. Você recebeu sinal verde para flertar e se deixar levar pelo romantismo, desde que você não caia nas armadilhas mencionadas antes.

Cavaleiro de Copas

PALAVRAS-CHAVE
Idealização, sensibilidade emocional, apaixonado pelo amor, convite para o amor, onda de romantismo, temperamental

FRASES-CHAVE
- *Cavaleiro da armadura brilhante*
- *Resgate emocional*
- *Partir às pressas para resgatar alguém*
- *Sentimento exagerado*
- *Melancolia seguida de estagnação*
- *Amor à beleza, mas ódio à imperfeição*
- *Imaginativo, mas não realista*
- *Sentimentos exasperados, intenções suspeitas*

Interpretação

Seja você o "cavaleiro da armadura brilhante" ou a vítima que precisa ser salva, você deveria conferir se suas intenções, bem-intencionadas ou bem-vindas, não são uma ilusão. Esta carta sempre surge quando não estamos sendo honestos sobre nossos sentimentos. Então pense sobre qual o seu papel num relacionamento. É você ou o objeto de seu desejo quem deseja ser resgatado?

Um autoquestionamento verdadeiro é sempre necessário com todas as cartas de Cavaleiro, porque elas representam os extremos da energia de seus naipes. Em seu aspecto positivo, quando você tira esta carta na posição "você agora" ou "futuro", ela representa alguém que é um grande amor, está cheio de emoções, charme e desejo de agradar o outro.

No aspecto negativo, o Cavaleiro de Copas sugere alguém que é ainda mais sensível ao ambiente e às opiniões dos outros que o Valete. Essa pessoa "leva as coisas para o lado pessoal", mas não se importa com os sentimentos dos outros; é sensível, petulante, irritante e melodramática.

Na posição "obstáculo", esta carta pode representar um aspecto seu. Aprenda a reconhecer se a energia está ajudando você ou travando-o de alguma maneira. Faça a si mesmo as seguintes perguntas. Você está apaixonado pelo amor e não pela pessoa de verdade? Seus sentimentos são genuínos ou exageradamente românticos? Você consegue suportar ataques e cenas ou corre para se esconder no banheiro se alguém levanta a voz ou expressa raiva?

Também pense se a energia do Cavaleiro está faltando em sua vida. Você precisa de um resgate emocional, a vida está chata e estagnada, seu parceiro fica largado no sofá toda noite? É hora de se abrir, ser mais sensível, jogar um jogo romântico, entregar-se à mais elegante e teatral das experiências amorosas? O puro romance? Suas intenções são idealizadas?

Rainha de Copas

PALAVRAS-CHAVE
Empatia, coração mole, consciência emocional, compaixão

FRASES-CHAVE
- *Amor incondicional*
- *Gentileza e compreensão*
- *Harmonia emocional*
- *Saber como é sentir*
- *Consciência de tendências emocionais*
- *Paciência e calma*
- *Desejo de ajudar quem precisa*

Interpretação

A Rainha de Copas indica que compreensão emocional tem uma grande prioridade em sua vida neste momento ou terá num futuro próximo. Mas você tem os recursos necessários para compreender como os outros se sentem, ter empatia em qualquer situação difícil, dar o seu apoio e amar generosa e incondicionalmente.

Na posição "você agora", você está tão cheio de compaixão que irá atrair almas afins ou que buscam sua boa natureza e respeito. Por outro lado, a Rainha de Copas pode representar alguém, tanto homem quanto mulher, que está em sua vida e pode ajudar você a trabalhar positivamente seus sentimentos. Eles estão esperando você se abrir.

Como uma carta de "obstáculo", a Rainha de Copas pede que você reflita se não está envolvido demais com alguém para ver a verdade. Ou se não está tão ávido por se comprometer em ajudar ou amar alguém que está reprimindo suas próprias necessidades emocionais.

Como uma carta de "futuro", em breve você terá que deixar de lado algum ressentimento ou raiva e ser mais compassivo com você mesmo e os outros. Alguém que representa todas as qualidades emocionais da Rainha também pode ser um importante sinal para o próximo passo de sua jornada pessoal. Não dispense essas qualidades. Elas o levarão a uma consciência maior de si mesmo e mais tolerância com os outros.

Rei de Copas

PALAVRAS-CHAVE
Estabilidade, sabedoria, diplomacia, generosidade, apoio

FRASES-CHAVE
- *Segurança emocional*
- *Consciência da natureza humana*
- *Uma pessoa sábia*
- *Aceitar as limitações de alguém*
- *Manter a cabeça numa crise*
- *Controlar emoções em vez de agir por instinto*
- *Avaliar a situação*
- *Criar um ambiente equilibrado*

Interpretação

O Rei de Copas indica que sabedoria, maturidade emocional e orientação são energias importantes em sua vida neste momento. O que tirará você de todas as confusões é a estabilidade representada pela frase "se você puder manter a cabeça quando todos à sua volta estão perdendo a deles...", combinada com uma forma calma de lidar com os eventos atuais.

Na posição "você agora", esta carta reflete sua capacidade de fazer um trabalho bem-feito, ou indica que você está ciente dos fatos, e que tolerância e disciplina criarão a mudança que você procura. Por outro lado, uma nova força estabilizadora, talvez um homem ou uma mulher de autoridade, está exercendo uma poderosa influência sobre você para melhor. Eles oferecem sabedoria e segurança; e podem lhe dar bons conselhos.

No âmbito dos relacionamentos, você chegou num ponto em que sua maturidade emocional lhe permite ser criativo num relacionamento. Você está relaxado, está tranquilo, vê que vale a pena manter sua perspectiva, e até ri um pouco do mundo e de suas idiossincrasias.

Como uma carta de "obstáculo", você pode estar controlando suas emoções a tal ponto que não consegue expressar seus verdadeiros sentimentos e desejos. Ou uma pessoa madura está usando chantagem emocional ou conhecimento para controlar você. É tempo de se abrir e enfocar a sabedoria verdadeira, que vem da aceitação e consciência de seus pontos fracos e fortes e sua capacidade de trabalhar com eles.

Como uma carta de "futuro", você será abençoado com uma calma perspectiva da natureza humana, ou dará um bom conselho a alguém e será capaz de avaliar os papéis que estão sendo interpretados num relacionamento, de modo que possa tomar decisões de acordo. Por outro lado, você encontrará alguém que representa todas essas qualidades e que terá um papel específico no assunto que precisa ser resolvido.

Naipe de Espadas

Espadas, associadas ao elemento Ar, representam a maneira lógica e racional com que tomamos decisões na vida, embora as imagens e associações tradicionais ligadas a este naipe pareçam incrivelmente desoladoras. O que isso quer dizer?

Há um mito de que a lógica e a razão são o único jeito de travarmos nossas batalhas interiores. Se usássemos a razão para entendermos nossas emoções e racionalizássemos nossos desejos, iríamos resolver todos os nossos problemas. Ironicamente, o naipe de Espadas indica que nossa mente racional nos desviou do caminho, muitas vezes nos levando para muito longe da verdade.

Nós temos ilusões, temos ideais, temos princípios, e são essas ilusões que as Espadas "cortam fora". Precisamos ser objetivos e racionalizar ou analisar o que está acontecendo, mas também precisamos aceitar um outro tipo de "saber". Precisamos aprender a confiar em nossa voz interior, confiar e conectar com a fonte dentro de nós.

Espadas de fato têm "dois gumes". Elas nos lembram que nossas ilusões, fantasias e medos são os mesmos "demônios" que precisam ser encarados, e que a "lógica" e a razão precisam trabalhar com a sabedoria de nosso coração.

PALAVRAS-CHAVE

Pensamento, a mente, informação, conexão, ideais, autoexpressão

Exercício do naipe de Espadas

Antes de passar para cada interpretação do naipe de Espadas, experimente fazer este exercício, para ajudar você a conhecer melhor as cartas.

1 Coloque as cartas com a imagem voltada para cima, em ordem crescente – Valete, Cavaleiro, Rainha, Rei.

2 Olhe para as diferentes imagens das cartas da corte. Você é capaz de se identificar com essas pessoas ou conhece pessoas que são parecidas com elas? Por exemplo, uma das características positivas da Rainha é ir direto ao ponto.

3 A seguir, pense em si mesmo. Você é lógico? Você analisa as situações ou usa seu instinto? As imagens mais sombrias alarmam você, ou você imediatamente as afasta ou as racionaliza?

4 Agora, coloque as cartas numeradas e olhe para as diferentes imagens. A maioria das cartas numeradas são pessoas "sozinhas" no mundo. Elas não estão cientes do que está acontecendo em volta delas. As cartas representam nosso senso de separação consciente do resto do mundo, nossa solidão existencial, então sempre as interprete como uma chance de chegar ao cerne da questão.

Ás de Espadas

PALAVRAS-CHAVE

Clareza, verdade, objetividade, honestidade, justiça

FRASES-CHAVE
- *Vencer a ilusão*
- *Perceber o caminho à frente*
- *Usar a lógica e encarar os fatos*
- *Estabelecer o que é certo e errado*
- *Encarar a realidade*
- *Analisar seus motivos*
- *Destreza mental*

Interpretação

Quando você vir o Ás de Espadas, alguma coisa precisa ser expressada, seja uma ideia, uma verdade familiar, um pouco de honestidade consigo mesmo ou uma necessidade de justiça. Mas, seja lá o que for, você pode não reconhecer no começo.

Esta carta também representa encarar qualquer novo desafio com lógica e firmeza. Confie em si mesmo, não duvide de suas motivações ou intenções, fique preparado para entrar em ação, e seja objetivo sobre suas limitações.

O Ás de Espadas diz para encarar os fatos e não trazer amargura e desilusão do passado, porque de outro modo você não será capaz de seguir em frente. Esta é uma carta de firmeza e resolução, mas ela significa que você precisa ser o mais honesto possível consigo mesmo. Se você puder desanuviar o ambiente, dispersar a dúvida e a confusão, o caminho ficará claro para você. Talvez haja um problema que você terá que resolver e a vida nunca é fácil, mas agora é a hora de analisar a situação e resolver o assunto.

Se esta carta aparecer na posição "obstáculo", você está deixando sua cabeça controlar totalmente seu coração ou seus instintos. Analisar demais está deixando você cego para o cerne da questão, e você precisa incluir seus sentimentos na questão, tanto quanto seus neurônios.

Como uma carta de "futuro", o Ás de Espadas sugere que há um desafio vindo em breve, mas fora desse desafio, você pode fazer algo melhor de sua vida. As oportunidades que estão surgindo podem pedir mais esforço de sua parte, mas elas prepararão você para novas possibilidades e para o sucesso.

Dois de Espadas

PALAVRAS-CHAVE
Negação, sentimentos bloqueados, emoções represadas

FRASES-CHAVE
- *Cego para a verdade*
- *Fingir uma coisa, sentir outra*
- *Ser frio e indisponível*
- *Negar seus sentimentos*
- *Atitude defensiva*
- *Ignorar a verdade*
- *Bloquear os outros*
- *Erguer barreiras*
- *Não conseguir fazer uma escolha*

Interpretação

A mulher na imagem ergueu uma barreira ao redor de seu coração; ela está vendada e não deixa nada entrar ou sair. Na verdade, ela nega não apenas sua própria expressão, mas também a dos outros.

O Dois de Espadas nos fala sobre a maneira que negamos que temos sentimentos, fingimos indiferença, evitamos a verdade de nossas emoções e nos recusamos a senti-las. Nós nos separamos de nossos sentimentos, os confinamos, esperamos que eles se vão ou que apodreçam lentamente em nosso porão psicológico para que não tenhamos que lidar com eles. Quando estamos em negação sobre nossos sentimentos, nós nos recusamos a saber que eles existem. Dizemos coisas do tipo "Como assim, infeliz? Eu não sou infeliz, deixe-me contar uma piada..."

Esta carta também se refere à repressão de sentimentos – quando dizemos a nós mesmos: "Não, eu não devo expressar minha raiva, é muito perigoso extravasá-la, eu posso ferir alguém ou a mim mesmo".

Se você tirar o Dois de Espadas na posição "você agora", talvez esteja evitando seus sentimentos ou aceitar a verdade sobre uma situação. Pergunte a si mesmo: você tem sentimentos? Você os está reprimindo ou bloqueando outros? Você tem medo de ser magoado? Você está na verdade sangrando por dentro, mas vive contando piadas? Está cego para a sua situação por escolha ou por necessidade?

Como uma carta de "obstáculo", o Dois de Espadas sugere que você está desconectado não apenas de si mesmo, mas de outra pessoa. E o que você precisa aprender neste momento é se abrir, baixar a guarda, descer a ponte levadiça e não ter medo da verdade.

Três de Espadas

PALAVRAS-CHAVE
Mágoa, descrença, rejeição

FRASES-CHAVE
- *Chegar ao cerne da questão*
- *Triunfo da lógica sobre a emoção*
- *Separação de dois enamorados*
- *Sentir-se magoado*
- *Descobrir uma verdade dolorosa*
- *Sentir-se abater*
- *Sentir que os outros estão prontos para ferir você*
- *Ser traído*
- *Medo de perder o parceiro ou parceira*
- *Inveja*
- *Querer magoar alguém*

Interpretação

O Três de Espadas tem uma variedade de significados e, como qualquer espada de dois gumes, você deve tentar aplicar a interpretação à sua situação atual com total honestidade.

O lado positivo desta carta é que com lucidez, uma mente aberta e a aceitação de seus sentimentos, você pode chegar ao cerne de qualquer questão e resolvê-la. Mas isso requer total autoconsciência.

Em geral, esta carta tende a ser interpretada de maneira negativa. Quando nos sentimos abandonados no amor, traídos e emocionalmente feridos, nosso mundo passa a parecer injusto e ficamos com o coração partido ou com medo de perder alguém. Todas essas experiências têm algo em comum: sofremos sozinhos, achando que somos os únicos a se sentir desse jeito, e acreditamos que ninguém jamais se sentiu como nós nos sentimos. A boa e velha lógica e a razão parecem ser as últimas coisas que poderiam nos salvar. Mas, se você examinar seus problemas com cuidado, conversar com outras pessoas, e perceber que sua dor é também a dor de outra pessoa, isso pode levar a uma melhor compreensão de si mesmo e dos outros.

Muitas vezes esses sentimentos se baseiam na realidade, mas algumas vezes eles se baseiam num medo irracional. É em geral nesse caso que o ciúme toma conta de você. Ele é resultado de um profundo medo de rejeição. Sempre deduzimos que, se uma pessoa não é possessiva ou ciumenta conosco, então talvez seja porque ela não nos ama de verdade.

Se você tirar o Três de Espadas, em qualquer posição, faça uma checagem da realidade. Você tem ciúme do seu parceiro sem nenhuma razão? Ele tem ciúme de você? Qual o seu medo mais profundo quando você tira esta carta? Poderia ser o medo de rejeição e solidão?

Quatro de Espadas

PALAVRAS-CHAVE

Repouso, retiro temporário, contemplação, trégua, medos, fantasmas emocionais do passado

FRASES-CHAVE

- *Reservar um tempo para você ficar sozinho*
- *Encontrar seu espaço*
- *Relaxar e ir com calma*
- *Dar um passo atrás e rever a situação*
- *Preparar-se para o futuro*
- *Fazer um balanço dos seus objetivos*
- *Diminuir o ritmo*

Interpretação

O Quatro de Espadas tem duas interpretações distintas quando aparece na posição "você agora": primeiro, que nosso próprio passado nos impede de avançarmos. Nós nos sentimos empacados, paralisados por nossos medos e inseguranças, criados pelos fracassos, dores, decepções ou traições do passado. É importante olhar para esses medos sob a luz do dia, pois isso os fará desaparecer rapidamente.

A segunda interpretação é a de que o confronto não é apropriado no momento. Em vez de se apressar em tomar uma decisão ou forçar uma situação, dê um passo atrás, retroceda, reserve um tempo para pensar nas coisas ou contemple a verdadeira natureza de sua situação atual.

Ela é tão importante quanto você pensa que é? Você não está exagerando seus desejos ou supondo coisas demais? Quando encontrar clareza dentro de você, poderá então enfocar a situação na qual está empacado.

Se tiver uma questão de relacionamento, esta carta sugere que uma separação entre vocês ou mais espaço permitirá que vocês vejam a relação de uma perspectiva mais objetiva.

O Quatro de Espadas também indica que é hora de ter mais consciência de alguns acordos não verbalizados em seu relacionamento. Nós sempre temos motivos inconfessáveis em nossos relacionamentos e negamos que temos problemas ou sentimentos mal resolvidos. Algumas vezes, temos que nos abrir ou nossa vida se torna um solo improdutivo e congelado. Veja se não é esse o seu caso ao tirar esta carta na posição "obstáculo". Uma comunicação construtiva pode ser necessária neste exato momento.

Como carta de futuro, você precisará dar um passo atrás, fazer uma pausa ou encontrar alguma paz e silêncio para se preparar para novos eventos e experiências.

Cinco de Espadas

PALAVRAS-CHAVE

Conquista, derrota, vitória superficial, aceitar limitações, interesses em conflito

FRASES-CHAVE
- *Situação sem vencedores*
- *Pensar em si mesmo e em mais ninguém*
- *Vencer a batalha*
- *Sentir-se derrotado*
- *Comportamento desonroso*
- *Hostilidade*

Interpretação

O significado do Cinco de Espadas sempre foi controverso e muito confundido nos círculos de tarô. Alguns tendem a olhar para ele como um sinal de recuo, e que o consulente é representado mais por uma das duas figuras batendo em retirada do que pelo vitorioso. Portanto, a interpretação mais comum para esta carta é aceitar suas limitações e aprender a perder.

Entretanto, ela também sugere que você venceu seus medos ou ganhou uma batalha justa apesar de estar em desvantagem. Mais uma vez, tudo depende de sua perspectiva pessoal e das qualidades que está projetando sobre a carta: negativas ou positivas.

Como uma carta "você agora", ambas as interpretações anteriores são válidas, mas também é hora de questionar seus interesses. Faça a si mesmo as seguintes perguntas. Estou colocando meus interesses acima dos interesses de todo mundo? O que é tão importante para mim que tenho que provar que todo mundo está errado?

Por outro lado, esta carta também pode sugerir que é hora de você se colocar em primeiro lugar, mas cuidado com as vitórias sem sentido. Interpretar esta carta não é difícil se você aceitar que vai projetar sobre ela suas reações atuais à "conquista" e à "derrota". Você verá a si mesmo como o perdedor, batendo em retirada e tendo que aceitar que não se pode ganhar sempre, ou vai se ver como o vencedor, que também tem que aceitar que às vezes perderá. Ambas as interpretações são sobre aceitar limitações.

Como carta de "obstáculo", o Cinco de Espadas sugere que há conflito ou hostilidade em sua vida; alguém anda fazendo jogos de poder e existem sentimentos pouco nobres por aí, possivelmente seus.

Como carta de "futuro", o Cinco de Espadas significa que você vai encontrar hostilidade, sentir que poderá tanto ganhar quanto perder, e aprender a aceitar que os outros têm limites também.

Seis de Espadas

PALAVRAS-CHAVE
Nova perspectiva, recuperação, viagem

FRASES-CHAVE
- *Afastar-se de problemas*
- *Superar dificuldades*
- *Avançar para tempos melhores*
- *Ter que se mudar*
- *Jornada mental ou física*
- *Deixar o passado para trás*
- *Começar a ser mais positivo sobre a vida*

Interpretação

Se você sente que está em águas turbulentas neste momento, então esta carta indica que está prestes a navegar em águas mais calmas, principalmente se a carta estiver na posição "você agora". Você não está exatamente exultante, mas um pouco preocupado com o que está à frente, mas pode ao menos ver a vida ou acontecimentos de uma perspectiva mais objetiva. Você está seguindo em frente ou se afastando de circunstâncias que eram desconfortáveis ou incertas, e agora pode ver o caminho à frente.

Se esta carta está na posição "obstáculo", você pode estar se sentindo apático, a vida parece não estar fluindo e você está perdido ou deprimido. Mas apenas manter sua cabeça fora d'água não vai lhe trazer resultados, nem ficar pensando "se eu tivesse feito X em vez de Y". É hora de se libertar dos problemas e medos do passado e aceitar que dois acertos não fazem um erro.

Como carta de "futuro", o Seis de Espadas sugere que em breve você estará se afastando das perigosas águas turbulentas e tomando uma rota muito mais fácil.

O Seis de Espadas também indica que você está pronto para se comunicar e trocar ideias, particularmente numa questão de relacionamento. Ela sugere que vocês precisam mesclar suas diferentes perspectivas e conhecer melhor seu parceiro, para entender como ele vê as coisas. Quando troca ideias, você deve ver também o ponto de vista da outra pessoa. O Seis de Espadas significa que consciência mútua e cooperação o ajudarão a resolver algum problema atual.

Sete de Espadas

PALAVRAS-CHAVE
Desonestidade, subterfúgio, discrição, ilusão

FRASES-CHAVE
- *Fugir da verdade*
- *Evitar responsabilidade*
- *Guardar um segredo*
- *Querer ser um solitário*
- *Não aceitar as consequências de seus atos*
- *Comportamento manipulador*
- *Mentir ou trair*
- *Iludir a si mesmo ou enganar os outros*

Interpretação

Quando você vir o Sete de Espadas, não fuja da verdade desta carta! Um homem é visto fugindo secretamente com algumas espadas, certo de que ninguém o viu. Ele está obviamente fazendo algo escondido e provavelmente desonesto.

Se você tirar esta carta na posição "você agora", é bem possível que você não esteja encarando a verdade. Talvez não queira encarar as consequências negativas dos seus atos ou esteja evitando obrigações como trabalho, um problema de relacionamento ou algum tipo de compromisso.

Pode haver pessoas desonestas ao seu redor, alguém que pode estar tentando iludir você de alguma maneira; alguém trapaceiro, falso ou mentiroso. Um amigo ou o parceiro pode não estar sendo sincero, você pode estar reivindicando o crédito por algo que não fez ou alguém está falando mal de você pelas costas.

O Sete de Espadas também diz: "Olhe para trás, veja se não deixou rastros. Tem certeza de que ninguém vai acusá-lo mais tarde?" Pode ser alguma coisa que tenha feito e prefere não admitir, mas pode ter sido pelo bem de outros ou simplesmente o melhor para você, mas conseguirá "segurar o tranco"?

Talvez você esteja embarcando num novo caso de amor e se libertando de um antigo. Seja lá o que esteja prestes a fazer, será que não está se iludindo ao pensar que essa é a ação correta a fazer? Tente usar o ideal das Espadas: lógica e clareza para chegar à verdade e desanuviar a situação. Algumas vezes, isolar-se dos outros pode ser um fardo enorme. Olhe para a natureza extremamente solitária do ladrão na carta, que terá de assumir a responsabilidade pelas suas ações.

Como uma carta na posição "obstáculo", o Sete de Espadas indica que você está simplesmente tornando as coisas piores para você mesmo ao não encarar a verdade.

Oito de Espadas

PALAVRAS-CHAVE
Restrição, autossabotagem, isolamento, vulnerabilidade

FRASES-CHAVE
- *Sentir-se cerceado*
- *Falta de liberdade de escolha*
- *Sentir-se preso a uma situação*
- *À espera de ser regatado*
- *Ideias esparsas e nenhuma direção*
- *Sentir-se impotente e vitimado*
- *Afogado em sentimento*
- *Preso nas próprias ilusões*

Interpretação

Note que a maior parte das palavras-chave do Oito de Espadas são sobre "sentimentos". Ainda assim, nossos conceitos, ideias, mentalidade e pensamentos são o que nos conectam aos nossos sentimentos e criam, por sua vez, esses dilemas e problemas muito pessoais. A mulher na carta poderia facilmente se libertar, se ela fizesse um esforço, mas é quase como se ela estivesse sabotando suas chances de seguir em frente, mantendo-se restringida porque é mais fácil assim.

Como uma carta de "obstáculo", ela sugere que é um trabalho árduo se desvencilhar das amarras, lutar com as espadas da ilusão; e muitas vezes é mais fácil se debater num estado de vulnerabilidade na esperança de que alguém venha nos resgatar.

Mas esta carta indica que você precisa se focar e ter uma visão mais clara das coisas, em vez de supor que vai encontrar alguém que o resgatará de seus sentimentos de vitimismo. Infelizmente, ninguém pode nos resgatar de nós mesmos, soluções não são fáceis, mas elas estão lá e, se você se abrir para as possibilidades, não terá mais que bancar a vítima.

Por outro lado, o Oito de Espadas significa que você está sendo restringido por acontecimentos "reais", talvez preso a um relacionamento codependente, um trabalho entediante, desemprego, pouco dinheiro. Essas são coisas bem "reais" para nós, que nos fazem nos sentir amarrados, confusos e incapazes de mudar.

Se você tirar esta carta na posição "você agora", então você já está se sentindo restringido por alguma experiência difícil ou por sua própria falta de direção. De qualquer modo, as outras cartas na tiragem lhe darão pistas de como lidar com o limbo em que está. Lembre-se, você tem escolhas e há um caminho a seguir se você tiver objetividade e lucidez. Liberte-se de seus problemas abandonando os conceitos ou ideias aos quais está amarrado.

Nove de Espadas

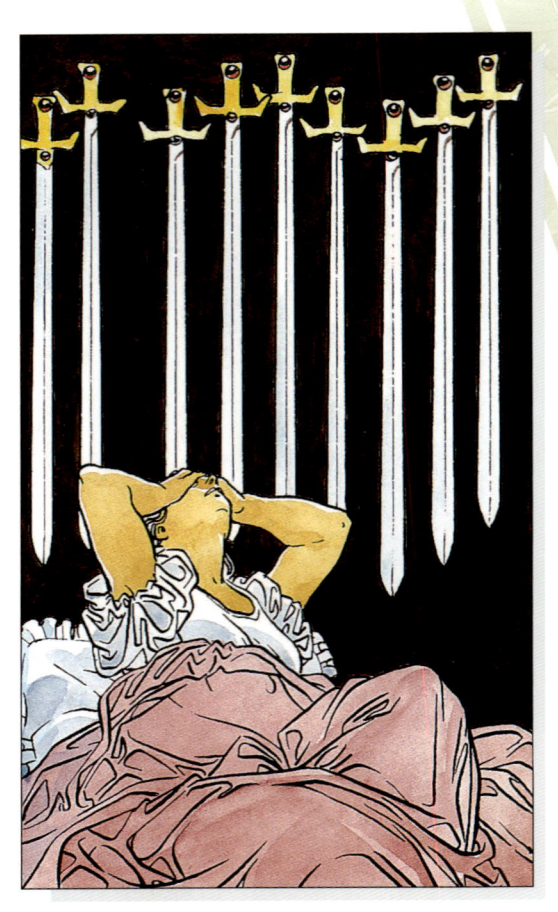

PALAVRAS-CHAVE
Culpa, preocupação, sobrecarga de sentimentos

FRASES-CHAVE
- *Oprimido por pensamentos*
- *Sentir que fez alguma coisa errada*
- *Desejo de mudar o que aconteceu*
- *Arrependimento*
- *Noites insones*
- *Tristeza obsessiva*
- *Sentir-se vulnerável*

Interpretação

Apesar de esta carta parecer uma das mais sombrias do naipe de Espadas, ela traz a mensagem positiva de que o momento mais escuro é justamente antes do amanhecer. Nós podemos nos erguer e ver a luz do dia das profundezas do desespero e nossos maiores medos e sofrimentos. Todos temos noites em que reviramos na cama, pensamos demais, nos culpamos, culpamos os outros, nos preocupamos com nossas ações e nos afundamos em nossas dúvidas.

Se você tirar esta carta na posição "você agora", é hora de pensar com lógica sobre por que está preocupado, por que se sente culpado ou simplesmente por que está infeliz. Esta carta também pode significar que você precisa mergulhar fundo em si mesmo para encontrar a causa dessa inquietude. Às vezes sentimos que "há alguma coisa errada, mas não quero pensar a respeito". O Nove de Espadas está pressionando você a atentar para isso.

Os noves são sobre ação. Se você está num relacionamento difícil, esta carta indica que você está encontrando dificuldade para explicar suas verdadeiras intenções ou sentimentos porque está envolvido demais em seus próprios problemas. Ela também pode sugerir que você está com vergonha de seus sentimentos ou comportamento em relação a alguém.

Se tirar esta carta na posição "obstáculo", reflita sobre quais ilusões estão imobilizando você. Ou será que você está tão sobrecarregado com problemas irritantes ou se preocupando com todo mundo que não consegue pôr seus planos em prática? Aceite que você tem um ponto vulnerável, e que é hora de ser honesto sobre seu calcanhar de Aquiles e trabalhar com seus erros ou sentimentos ruins de maneira construtiva.

O Nove de Espadas basicamente lembra você de que é hora de voltar a se concentrar em seus objetivos, porque uma pequena mudança aqui e ali pode fazer uma grande diferença.

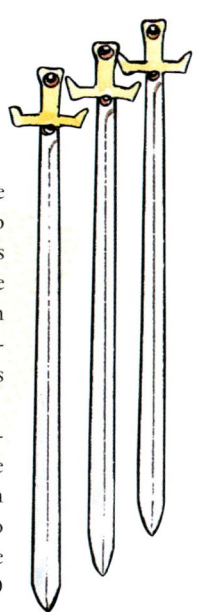

Dez de Espadas

PALAVRAS-CHAVE

Iluminação, ponto de virada, martírio

FRASES-CHAVE
- *Autopiedade exagerada*
- *Sentir que a vida está contra você*
- *Bancar a vítima*
- *Vencer a ilusão*

Interpretação

Sempre uma carta alarmante numa tiragem, o Dez de Espadas não é tão mau quanto parece. Existem interpretações diferentes para o Dez de Espadas, porque ela é uma das mais poderosas e complexas cartas do baralho; no entanto, como todos os Dez, esta carta indica o fim de um ciclo e o início de um novo. Mas antes que você possa embarcar numa nova jornada, você precisa se libertar de antigos padrões de comportamento, abandonar a bagagem emocional e dizer adeus ao seu "velho eu". É hora de colocar sua vida em ordem.

Nesse sentido, o Dez de Espadas representa iluminação. É hora de aceitar suas ilusões pelo que elas são. Mesmo se você estiver "desiludido", isso pode apenas levá-lo a uma nova consciência de si mesmo. Neste momento, você deve olhar para frente e deixar o passado para trás.

Na posição "você agora", esta carta indica que você atingiu um ponto de virada, em que as coisas simplesmente não podem ficar piores. Todo mundo parece estar contra você, você se queixa sobre o quanto a vida é injusta e lamenta pelo seu destino. Mas, muitas vezes, é justamente quando chega ao fundo do poço que você percebe que o único caminho que lhe restou é para cima.

Na posição "obstáculo", ela pode indicar que você está exagerando seus problemas, e que eles não são tão ruins quanto você faz parecer. Ou você pode estar bancando a vítima ou o mártir para exercer certo poder sobre alguém. Caso a questão seja de relacionamento, ela mostra o quanto você lembra ao seu parceiro tudo o que você teve que sofrer: "Veja do que eu tive que desistir por você!" ou "Não, tudo bem, eu não preciso de ninguém, posso fazer tudo sozinho". O poder da vítima e do mártir é igualmente perturbador em sua manifestação.

Como uma carta de "futuro", prepare-se para uma mudança no coração, esteja pronto para encarar seu "novo eu" e ria um pouco do mundo e das suas coincidências. Se você está sofrendo de verdade, então esta carta indica uma mudança para melhor.

Valete de Espadas

PALAVRAS-CHAVE

Vigilância, pronto para a ação, lógica e razão, perspicácia

FRASES-CHAVE
- *Sabedoria baseada na experiência*
- *Comunicar seus planos*
- *Buscar os fatos*
- *Ideias joviais*
- *Honestidade renovadora*
- *Uma pessoa jovem de coração*
- *Parceiro amoroso desafiador*

Interpretação

Se tirar o Valete de Espadas como uma carta "você agora", você está pronto para os desafios que estão por vir. Eles podem não ser exatamente os que você queria, mas você está vigilante e preparado para a próxima etapa de qualquer situação. Com visão do futuro e lógica você pode comunicar suas ideias e encontrar o melhor jeito para lidar com qualquer teste ou desafio.

Você precisa vencer um desafio para que possa provar que tem coragem mental. Seja sincero com relação às suas necessidades ou desejos e investigue todos os fatos. Quando vir esta carta, reflita se você teme desafios ou se os recebe bem. Você é como o Valete de Espadas, pronto para lutar por você mesmo, para mostrar que você é honesto e confiável, ou viraria a cabeça em outra direção?

Desafios vêm em muitas formas. Os desafios de Espadas são sobre questões, problemas ou tarefas que estimulam sua mente, talvez até um convite para criar um clima de disputa num relacionamento. A palavra "vigilância" tem raiz no latim e quer dizer "ficar acordado". O Valete de Espadas lembra você de abrir os olhos, ver a verdade, não se deixar levar por medos emocionais e usar as qualidades positivas das Espadas. A saber, o espírito do aprendizado, comunicação e pensamento objetivo para ver o caminho à frente.

Se esta carta aparecer na posição "obstáculo", pare de se iludir, achando que tem todas as respostas. Algumas vezes você deve questionar e desafiar a si mesmo também.

Cavaleiro de Espadas

PALAVRAS-CHAVE
Autoconfiança, poder de decisão, franqueza, impetuosidade, conhecimento abundante, indiscrição e crítica, impaciência, falta de tato e rispidez, intelecto poderoso

FRASES-CHAVE
- *Analisar a situação*
- *Desconexão dos sentimentos*

Interpretação

Como todos os Cavaleiros, o cavaleiro de Espadas representa os extremos da energia desse naipe. Se esta carta aparecer numa tiragem, preste atenção à qual energia você se identifica. O Cavaleiro tanto representa um aspecto de você mesmo quanto alguém que você conhece.

Como uma carta de "você agora", use sua energia de maneira positiva para analisar a situação atual, mas não se apresse em tomar qualquer decisão sem pensar muito bem. Talvez você queira fazer as coisas com pressa, pode lhe faltar sensibilidade ou você pode simplesmente ser tão influente e inteligente que sabe que pode persuadir qualquer um a ver as coisas do seu jeito.

As suposições vãs do Cavaleiro podem se manifestar através de outras pessoas. Um parceiro pode parecer indiferente ou emocionalmente distante, ou mergulhar de cabeça num novo projeto sem pensar nas consequências. Um amigo ou novo admirador pode exigir muita atenção ou ser ríspido, ir direto ao ponto e não aceitar um "não" como resposta.

O Cavaleiro de Espadas também pode sugerir que você precisa ser mais seguro, falar, não ter medo de críticas ou se preocupar com o risco de desagradar alguém expressando o que você acredita. Lembre-se, quando tira o Cavaleiro, convém expor sua situação ou problema atual na tiragem. Seja muito honesto sobre qual extremo de comportamento o Cavaleiro de Espadas está representando em sua vida.

Em uma posição de "obstáculo", você pode estar deixando sua cabeça dominar seu coração ou alguém é tão autoritário ou dominador em seu ponto de vista que você não tem uma chance de falar sobre suas próprias necessidades.

Rainha de Espadas

PALAVRAS-CHAVE
Nada de bobagens, astúcia, despretensão, ser direto, realista e incisivo

FRASES-CHAVE
- *Ir direto ao ponto*
- *Encarar abertamente um fato*
- *Honesto e astuto*
- *Intelecto vibrante*
- *Caráter forte*
- *Emoções reprimidas*
- *Pessoa que faz julgamentos*

Interpretação

Essa Rainha chegou ao trono por causa de sua habilidade de perceber rapidamente como resolver os problemas. Ela pensa rápido, é perspicaz e realista sobre o que pode se obter e o que é melhor evitar.

Se tirar esta carta numa posição "você agora", você pode se identificar com as características positivas dela, como ir direto ao ponto. É o seu conhecimento intelectual e maneira astuta de olhar a situação que lhe trarão resultados.

Mas, como todas as cartas de Espadas, a Rainha tem uma associação negativa também, particularmente se estiver numa posição de "obstáculo". Por exemplo, não há nada de errado em ser direto, enfático e perspicaz, uma autoridade perceptiva na vida, mas isso também pode significar que você pode estar reprimindo suas verdadeiras necessidades emocionais. Por outro lado, você encontra falhas em tudo e em todo mundo a sua volta, porque ninguém consegue viver dentro das suas altas expectativas. Pergunte a si mesmo se você está lidando com uma situação, pessoa ou experiência de um ponto de vista objetivo ou não.

Esta carta também pode indicar alguém em sua vida que incorpora tanto as qualidades negativas quanto as positivas acima. Talvez alguém que pareça conhecer bem a vida, é astuto, sagaz e espertalhão. Mas o que a presença dessa pessoa significa em sua vida? Talvez seja uma inspiração para você ser como ela? Ela faz você perceber que, se expressar seu lado lógico temperado com uma dose saudável de realismo, você será capaz de avançar ou ascender socialmente? Ou que talvez ser tão seguro de sua intelectualidade é uma compensação para uma vulnerabilidade mais profunda que precisa ser disfarçada?

Rei de Espadas

PALAVRAS-CHAVE
Articulado, direto, justo, assertivo, analítico

FRASES-CHAVE
- *Assumir as rédeas da situação*
- *Visão objetiva da vida*
- *Padrões elevados*
- *Julgamento justo*
- *Valores patriarcais*
- *Capacidade e prudência*
- *Talentos intelectuais*

Interpretação

O Rei parece seguro de si mesmo. Ele tem como armadura o intelecto e o conhecimento. Tem princípios elevados. O Rei de Espadas representa a energia mais poderosa deste naipe, a que usa a mente para resolver os problemas, vencer a confusão mental e desafiar os outros com ideias.

Se você tira esta carta na posição "você agora", você está pronto para lidar com seus problemas de uma maneira nobre. Você pode ver através da neblina, chegar ao cerne do problema, resolver qualquer conflito através do poder de seus pensamentos. Os reis representam energia "ativa", então você pode medir sua sagacidade contra a dos outros, ser desafiado, mas saber que suas ideias são ouvidas; pesquisar a fundo um assunto ou comunicar a verdade com um ponto de vista imparcial.

O Rei de Espadas pode também indicar alguém na sua vida que incorpore essas qualidades e atos como um catalisador para ativar essas mesmas qualidades em você. É fácil criticar valores patriarcais quando as qualidades femininas estão atualmente muito na moda. Nós devemos intuir e sentir, seguir o fluxo. E muitas vezes sentimos profundo ressentimento das pessoas que parecem bradar sua lâmina intelectual, desafiar nossos pensamentos ou têm princípios tão elevados que ninguém consegue alcançar. O Rei de Espadas lembra você que a razão intelectual é tão importante em sua vida quanto seus sentimentos. Sintetize qualquer sensibilidade emocional com sua atual capacidade de articular e analise a situação.

Como uma carta de "obstáculo", o Rei de Espadas indica que você é assertivo demais, que bloqueou suas necessidades emocionais em favor da segurança do dogmatismo e da intolerância. Por outro lado, alguém em sua vida está tão confiante em seu ponto de vista que você se sente intelectualmente esmagado, ou alguém usa o poder de aprovação ou desaprovação para controlar você.

Naipe de Ouros

Ouros (também chamado Discos, Pentáculos ou Moedas) está associado à Terra e, como os signos do zodíaco do elemento Terra, representa recursos pessoais e a própria substância do nosso ser. Ele nos fala sobre nossos talentos ou a falta deles, o mundo aparentemente concreto, o que nos faz sentir seguros ou o que é confiável, e como podemos servir outras pessoas e a nós mesmos. Este naipe também representa aquelas coisas que definem e moldam quem nós somos.

Pode ser a nossa identificação com o trabalho, pessoas, capacidades, talento criativo, ou pode ser nossa armadura psicológica – o quanto nos sentimos seguros, o que nos dá um senso de propósito ou nos define no contexto de um relacionamento. Nós temos pele, ossos e massa muscular, essa é a nossa substância física. Mas nós também temos substância psicológica e espiritual. A palavra-chave "tangível" também se refere a como vemos o mundo externo a partir de nosso eu interior. Nós temos uma visão realista da vida, queremos riqueza ou uma melhor conexão com a natureza?

É fácil descrever este naipe representando meramente bens materiais, dinheiro e sucesso. Mas toda moeda tem dois lados, e é importante lembrar que é nossa percepção única da realidade que está em jogo.

PALAVRAS-CHAVE
Substância, os sentidos, realidade, o tangível

Exercício do Naipe de Ouros

Antes de passar para a interpretação do naipe de Ouros, experimente fazer este exercício, para ajudar você a conhecer melhor as cartas.

1. Coloque as cartas da corte com a imagem voltada para cima, em ordem crescente – Valete, Cavaleiro, Rainha e Rei.

2. Você conhece pessoas como eles? Por exemplo, as características positivas da Rainha são a capacidade de cuidar dos outros e os pés no chão. Como você reage a esse tipo de pessoa? Ou quanto aos aspectos negativos do Cavaleiro, inflexível e relutante em assumir riscos? Isso poderia ser um lado seu também? Você se identifica com esses personagens facilmente ou não?

3. Coloque as cartas numeradas em ordem decrescente. Pense sobre as diferentes imagens e como você reage a cada carta. A seguir, pense em você mesmo. Você é criativo, gosta de estrutura e organização? Você tem uma visão descontraída da vida ou obsessiva? A maioria das cartas numeradas representa pessoas *interagindo* com o mundo, fazendo coisas. O naipe de Ouros representa nosso *sentimento de conexão* com o resto do mundo e com nossos próprios limites.

Ás de Ouros

PALAVRAS-CHAVE

Recompensa por um esforço, prosperidade abundante, realismo

FRASES-CHAVE
- *Realização prática*
- *Resultados tangíveis*
- *Poder de conseguir o que precisa*
- *Confiar na situação*
- *Novo começo*
- *Virar a página*
- *Estar ancorado ao mundo real*

Interpretação

A energia materialista do Ás de Ouros estimula você a espalhar essas sementes do sucesso, aproveitar esses projetos encaminhados e tirar vantagem do que está funcionando para você neste momento. Esta não é hora de buscar arco-íris, mas de investir em planos válidos e viáveis.

Se esta carta aparecer na posição de "você agora", concentre-se nos resultados tangíveis e direcione seu conhecimento prático e habilidades para investir em você mesmo e no seu futuro. Esta carta, como todos os outros Ases, representa novos começos. Nesse caso, um começo realista, centrado e confiável para você como indivíduo. Então aja agora para ter bons resultados.

Numa posição de "obstáculo", o Ás de Ouros significa que você está tão focado em ganhos materiais ou no potencial financeiro que não está consciente de suas necessidades e desejos mais profundos. Cercar-se das armadilhas da segurança material é muitas vezes o único meio de nos sentirmos seguros, porque achamos que podemos bloquear os sentimentos da vulnerabilidade humana que flui através de todos nós.

Como uma carta de "futuro", você irá ter em breve todos os recursos à mão para ter sucesso onde quer que deseje. Aceite isso e aproveite seu bem-estar interno e externo. Agora não é hora de brincar com fogo, mas para pôr as mãos na massa. Se você aproveitar essa energia regeneradora, você se sentirá próspero e experimentará tanto crescimento espiritual quanto psicológico.

Dois de Ouros

PALAVRAS-CHAVE
Equilíbrio, destreza, flexibilidade, malabarismo

FRASES-CHAVE
- *Agilidade em lidar com coisas materiais*
- *Adaptar-se às necessidades do relacionamento*
- *Fazer muitas coisas ao mesmo tempo*
- *Lidar com vários problemas de uma vez*
- *Sentir-se confiante de suas capacidades*
- *Divertir-se*
- *Levar em conta as opções*
- *Querer seguir o fluxo*
- *Compreender a mudança*

Interpretação

O malabarista bem-humorado da imagem nos lembra das infinitas possibilidades que existem na vida – escolhas, opções, novos desdobramentos, mudança de cenário – e como é importante manter-se flexível e aberto à mudança. Esta carta também significa que, para superar quaisquer dificuldades ou problemas, é preciso estar pronto para levar em conta todas as opções. Divirta-se e ria um pouco da vida, e procure novas maneiras de lidar com velhas situações. Ao se adaptar ao mundo à sua volta, você também irá criar uma maneira eficaz de conquistar seus objetivos atuais.

Numa posição "você agora", esta carta significa que você está começando a ter mais confiança em seus talentos e habilidades, e é hora de acreditar em si mesmo. Recuse-se a deixar que a mudança o aborreça, fique alerta para as coisas que você pode ter que conciliar, tanto nos relacionamentos quanto na vida profissional.

Como uma carta de "obstáculo", você pode estar lidando com coisas demais de uma só vez, e talvez precise ir um pouco mais devagar. Não superestimule seu corpo ou sua mente. Talvez você precise deixar outra pessoa ajudar a organizar as análises psicológicas com você. Se você mantém um "placar" emocional das disputas entre você e outra pessoa, pode ser a hora de criar uma nova maneira de se relacionar.

Como uma carta de "futuro", pode esperar tempos divertidos e cheios de vida logo à frente; navegue pela vida com um pouco de flexibilidade e expanda sua consciência do fluxo da mudança.

Três de Ouros

PALAVRAS-CHAVE
Habilidade, cooperação, trabalho em equipe, planejamento

FRASES-CHAVE
- *Crescimento profissional*
- *Ganho material*
- *Colocar-se à prova*
- *Uma estratégia competente*
- *Estar ciente do seu potencial*
- *Unir-se a outros*
- *Espírito de equipe*
- *Reconhecimento de uma habilidade*
- *Obsessão pelos detalhes*
- *Dependência excessiva das opiniões alheias*

Interpretação

Superficialmente, esta carta parece significar o grande sucesso que acompanha o planejamento e o trabalho em equipe. O que nós faríamos sem confiar nos outros? Como poderíamos criar uma obra-prima sem um planejamento cuidadoso e colegas ou amigos competentes para nos apoiar?

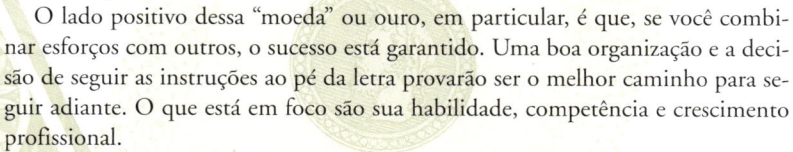

O lado positivo dessa "moeda" ou ouro, em particular, é que, se você combinar esforços com outros, o sucesso está garantido. Uma boa organização e a decisão de seguir as instruções ao pé da letra provarão ser o melhor caminho para seguir adiante. O que está em foco são sua habilidade, competência e crescimento profissional.

Entretanto, esta carta também pode indicar que cabe a você dedicar-se a um projeto ou processo pelo qual está totalmente apaixonado, onde não há ambiguidade ou ambivalência, e onde você possa fazer o que sabe fazer sem se tornar uma mera peça da engrenagem. O último lugar não será suficiente para satisfazer você.

Na posição de "obstáculo", você está tão obcecado com os detalhes de um projeto que não consegue ver a floresta por causa das árvores. Por outro lado, você está dependente demais do que os outros pensam para seguir seu próprio caminho. Buscar aprovação através de suas ações, seu "espírito de equipe", pode não ser tudo aquilo que parece. Talvez você precise ser mais individualista. Como uma carta de "futuro", você será capaz de criar o tipo certo de ambiente e empreendimento para ter sucesso. Orgulhe-se do que você está prestes a conquistar e deleite-se um pouco de seus próprios talentos ou habilidades.

Quatro de Ouros

PALAVRAS-CHAVE
Maldoso, possessivo, mania de controlar, teimoso, estagnado

FRASES-CHAVE
- *Recusar-se a ceder*
- *Acreditar que o seu jeito é o certo*
- *Limitar seu ponto de vista*
- *Controlar os outros com materialismo*
- *É meu!*
- *Resistir às mudanças*
- *Avarento e mercenário*
- *Mente estreita, atitude mesquinha*

Interpretação

Você precisa olhar para a figura da carta para compreender seu significado – esse é um indivíduo "maldoso" no baralho de tarô. O Quatro de Ouros representa, num nível, o mundo materialista em seu pior aspecto. Todos nós podemos nos tornar possessivos com o que temos. Nós controlamos nosso dinheiro, não suportamos nos livrar daquele velho CD que nunca ouvimos mais, controlamos os outros muito sutilmente devido à necessidade do nosso ego de possuir e assim manter o controle. Nós nos relacionamos com os outros definindo nosso território, dizendo "isto é meu, não seu".

O Quatro de Ouros na posição "você agora" pode sugerir que sua impotência está fazendo você tentar controlar uma situação. Você acredita que o seu jeito é o único certo em questões envolvendo dinheiro e posses, ou você tem uma feroz determinação de controlar os outros.

Ainda assim, há também um lado positivo no Quatro de Ouros. Se você está envolvido numa situação incontrolável, se um relacionamento está se tornando confuso ou se desgastando, ou, se você está financeiramente empacado, então estrutura, organização e planejamento realista são importantes neste momento.

Como uma carta de "obstáculo", alguém mais pode estar sendo cruel e avarento em sua vida (mas não se esqueça de que isso também pode ser um reflexo de você mesmo). Essa pessoa pode estar impedindo você de fazer as mudanças necessárias para o seu progresso. Ela pode controlar você através da possessividade ou manipulá-lo através da dependência financeira. Como uma carta de "futuro", você deve olhar com cuidado as situações de controle em seus relacionamentos e aprender a aceitar que a possessividade tem sua raiz no medo da mudança e na insegurança emocional.

Cinco de Ouros

PALAVRAS-CHAVE
Falta, mentalidade vitimista, dificuldade, rejeição

FRASES-CHAVE
- *Separação espiritual*
- *Busca da alma*
- *Estar ferido emocionalmente*
- *Sentir-se desvalorizado*
- *Sentir-se sozinho ou excluído*
- *Negligenciar as próprias necessidades*
- *Uma sensação de que algo está faltando na vida*

Interpretação

Há sempre uma sensação de "falta" quando você tira o Cinco de Ouros. Superficialmente, pode simplesmente parecer que falta segurança material para você, mas trata-se de algo mais profundo. Há uma carência, um sentimento de que algo está faltando, seja uma conexão espiritual ou um sentido para a vida.

Esta carta muitas vezes aparece quando nos sentimos em privação emocional ou nos tornamos vítimas num relacionamento. Às vezes é mais fácil e também mais digno permanecer como a pessoa carente num relacionamento codependente. Esta carta também significa que você está sozinho, precisando de amor, não se sente merecedor do amor de alguém ou simplesmente está sendo negligente consigo mesmo física e emocionalmente.

O lado positivo desta carta diz que, se há alguma coisa faltando em sua vida neste momento, então você deve sair e descobrir o que é. Talvez precise de uma crença espiritual, mais amor, menos dependência material ou mais confiança em si mesmo. Essa é a mentalidade de alguém que vê o copo meio vazio em vez de meio cheio, o pessimista que experimenta uma sensação de abandono ou rejeição. O sentimento de que foi deixado lá fora no frio significa que é hora de procurar um lugar mais acolhedor, mas você tem que assumir responsabilidade de fazer isso por você mesmo.

Se você tem medo de pedir ajuda, pergunte-se a si mesmo por quê. Você é orgulhoso demais, tem medo demais de abrir velhas feridas ou está negando seus sentimentos à custa do benefício material?

Como uma carta de "obstáculo", ela indica que você pode estar tão envolvido em seu sentimento de carência que não consegue ver o caminho à frente. O preço do vitimismo é alguém sempre querer salvar você; no entanto, que tipo de resgate você realmente quer? Não é melhor resgatar a si mesmo? Esta carta também pode sugerir medo (justificado ou não) de rejeição, seja de um empregador em potencial, um editor ou a pessoa amada.

Seis de Ouros

PALAVRAS-CHAVE
Generosidade, boa vontade, presentes, consideração

FRASES-CHAVE
- *Perdas e ganhos*
- *Dar e receber*
- *Alternar o poder*
- *Ter e não ter*
- *Dominação ou submissão?*
- *Buscar aprovação*

Interpretação

Tudo parece muito harmonioso na carta. Um amável benfeitor está doando dinheiro para um mendigo enquanto o outro pedinte espera, na expectativa. Aparentemente, assim é a vida: alguns ganham, outros não. Nós não podemos ser generosos com todo mundo. Porém, a figura principal está carregando a balança da justiça, simbolizando que ele tem o poder de decidir quem recebe e quem não deve receber. Enquanto isso, ele também ganha aprovação por sua generosidade. Poderia isso ser um significado inconsciente de desejo de poder?

Se você tirar esta carta numa posição "você agora", considere se sua atual gentileza (seja lá a forma que assuma) ou ato de dar é motivado por uma necessidade de poder. Também se pergunte se você está atualmente na posição de dar ou receber nessa equação. Você está ganhando com os presentes de alguém? Está se submetendo às vontades dessa pessoa? Está pegando o que lhe cabe ou não está pegando o bastante do que quer? Estão comprando seu amor? Quem está no momento desejando o poder?

O Seis de Ouros é uma carta extremamente ambígua. Por isso, você deve olhar para as outras cartas na tiragem para determinar em qual lado dessa "moeda" você está. A sensação geral do Seis de Ouros é muito paradoxal. Em cima é embaixo e branco é preto. Dar e receber são a mesma coisa, amor e ódio não se excluem mutuamente. E, do mesmo modo, ganho pode ser perda, presentes podem ser indesejados, aqueles que bancam vítimas ou mártires podem ser onipotentes graças à sua fraqueza.

Esta carta em qualquer tiragem sugere que você investigue um pouco mais a fundo seus motivos atuais, desejos e aparentes necessidades. Todos queremos ter lucro, ganhar, conquistar e avançar.

Esta carta indica que é hora de erguer o véu da ilusão que colocamos sobre essas qualidades e ver que esses mesmos ganhos nos fazem perder muito de nós mesmos. Da mesma maneira, em nossas perdas há muito a ganhar. Na posição de "obstáculo", esta carta pode significar qualquer uma das coisas acima.

Sete de Ouros

PALAVRAS-CHAVE

Avaliação, frutos do trabalho, avaliação

FRASES-CHAVE

- *Qual o próximo passo?*
- *Avaliar o progresso*
- *Avaliar onde você está*
- *Saber para onde está indo*
- *Estar preparado para uma nova estratégia*
- *Estar pronto para fazer seu próximo movimento*
- *Ver resultados do esforço*
- *Fazer uma pausa no trabalho duro*

Interpretação

Este jardineiro foi bem até agora. O trabalho que ele teve fazendo seu jardim crescer foi recompensado e ele se sente um pouco mais confiante de suas capacidades. Ele tem sua colheita. Mas e agora?

O Sete de Ouros numa posição "você agora" indica que é hora de avaliar seu progresso. Pense sobre como trabalhou. O que conquistou até agora e como pode aproveitar os frutos do seu trabalho? Talvez você viva tão mergulhado em seu trabalho ou objetivo que se esqueceu de fazer um balanço dos resultados até agora. Mas agora é hora de fazer uma avaliação.

Faça uma pausa e considere se precisa realmente investir mais tempo e esforço em suas tarefas. Dê um passo atrás, reflita, crie uma nova estratégia ou siga numa direção totalmente diferente. Algumas vezes, mantemo-nos no mesmo caminho por medo de ter que encontrar um novo. Como pintar uma obra-prima ou esculpir uma escultura, nós precisamos saber quando pôr de lado nossos instrumentos e parar, de outra maneira podemos causar um desastre total. Nós tememos a finalização porque ela implica uma nova despedida justamente quando estamos felizes seguindo o caminho que conhecemos e amamos. É mais fácil ficar com o que é familiar.

Esta carta também indica que você pode estar numa encruzilhada. É importante avaliar onde você está indo e se é a estrada certa para você. Pode ter sido confortável e satisfatório no passado, mas agora é hora de se abrir à possibilidade de mudança. Qualquer colheita significa que você tem que começar de novo, espalhar novas sementes, cavar a terra e trabalhar duro em outros aspectos de sua vida. Como uma carta de "obstáculo", persevere com seus projetos e não cruze os braços. Aja.

Oito de Ouros

PALAVRAS-CHAVE
Habilidade, diligência, disciplina, conhecimento

FRASES-CHAVE
- *Dedicação ao trabalho*
- *Produção paciente*
- *Perseverança recompensada*
- *Atenção cuidadosa ao detalhe*
- *Situação repetitiva ou entediante*
- *Treinar para uma nova habilidade*
- *Ampliar seus conhecimentos*

Interpretação

Nós trabalhamos, colocamos a mão na massa, prestamos atenção aos detalhes. Então, algumas vezes, não fazemos isso. Quando esta carta aparece numa tiragem, ela significa que é momento de prosseguir. Concentre toda a sua energia em terminar o serviço, seja ele qual for. Pode não ser necessariamente um trabalho prático, como o homem esculpindo suas moedas, mas preste atenção ao seu relacionamento, cheque os fatos, leia as entrelinhas e dedique-se à tarefa em suas mãos. Esta carta sugere que você deve perseverar a todo custo e quanto mais você se doar, quanto mais se entregar ao trabalho, a uma crença, a um relacionamento ou a um problema, mais sucesso terá.

Uma outra interpretação para o Oito de Ouros é que você alcançou um nível de habilidade onde as coisas ficaram um pouco mais fáceis. Você se sente no topo, mas com essa sensação de conquista você precisa de alguma coisa a mais a que se dedicar – um novo projeto, um novo relacionamento. O Oito de Ouros sugere que a repetição e rotinas diárias precisam mudar para que você possa mudar de marcha. É tempo de acrescentar variedade em sua vida de alguma maneira, para que não fique às voltas com a mesma rotina de sempre.

Numa posição de "futuro", em breve será hora de ampliar sua perspectiva do mundo. Desenvolva uma nova habilidade, aprenda novas técnicas, faça um esforço para melhorar seus conhecimentos. Quando está numa posição de "obstáculo", esta carta indica que você está colocando atenção demais no trabalho profissional em detrimento de seus relacionamentos ou desenvolvimento pessoal. Reparos e renovações são necessários no departamento da autoconsciência.

Nove de Ouros

PALAVRAS-CHAVE
Conquista, refinamento, independência, confiança em si mesmo

FRASES-CHAVE
- *Ter recursos*
- *Saber que está no controle da situação*
- *Segurança material ou financeira*
- *Aproveitar os melhores prazeres da vida*
- *Sensação interior de segurança*
- *Agir por conta própria*
- *Autodisciplina*

Interpretação

O Nove de Ouros significa que uma missão foi concluída. Você está pronto para se divertir, aproveitar seu sucesso e saber que seu jeito é o jeito certo. Em resultado de seus esforços recentes no trabalho ou na sua vida amorosa, você ganhou um sentimento maior de autoconfiança e independência.

Esta graciosa dama de Ouros se sente segura consigo mesma, tem um falcão encapuzado na mão, representando nossa capacidade de controlar nossos sentimentos e demonstrar que não somos controlados pelas nossas dúvidas e medos inconscientes. Os falcões podem ser treinados para caçar, voar para longe, mas sempre voltam para seu poleiro. Da mesma maneira, você está livre para fazer o que quiser, desde que mantenha os pés no chão e assuma responsabilidade por suas ações.

Esta carta também indica que seu dever mais importante agora é consigo mesmo. Questões que devem ser levantadas quando você tira esta carta são: até que ponto você é livre? Você recebe de bom grado a independência? Você tomou consciência de suas conquistas? Tem receio de ser muito autoconfiante ou acredita que não tem nada a mostrar pelos seus esforços?

Se o Nove de Ouros estiver na posição de "obstáculo", você pode estar literalmente confiante demais, tão seguro e blasé que não deixa ninguém se aproximar de você. Ou você acredita que neste momento já fez tudo o que queria, então não há mais nada a conquistar?

Esta carta também pode representar satisfação sexual, a indulgência de todos os sentidos e um tempo para usufruir dos seus relacionamentos íntimos.

Dez de Ouros

PALAVRAS-CHAVE
Vida boa, riqueza, convenção, segurança, valores tradicionais

FRASES-CHAVE
- *Ater-se às regras*
- *Desejo de permanência e continuidade*
- *Vida feliz em família*
- *Segurança material*
- *Buscar abundância*
- *Prosperidade espiritual ou emocional*
- *Sucesso mundial*

Interpretação

Embora esta carta seja tradicionalmente associada à abundância material e segurança familiar, ela é um pouco complexa. Todas essas palavras – segurança financeira, riqueza, abundância e convenção – descrevem nossos desejos mais relacionados ao mundo exterior. Se tivermos rios de dinheiro, acreditamos que projetaremos uma imagem de sucesso. Se temos uma vida familiar estável, então somos pessoas de bem. Se seguimos as regras da convenção, então não somos uma ameaça para os outros. Você já captou a ideia.

Se você tirar esta carta, pode muito bem estar passando por uma fase de prosperidade e sucesso. Por outro lado, pode ansiar uma riqueza maior ou estar feliz em se ater às regras, sabendo que os métodos convencionais funcionarão. O radical e o imprevisível não são bem-vindos nos corredores do poder burocrático.

Não há nada errado em querer mais, desde que você esteja ciente da motivação desse desejo. Não há nada errado em viver uma vida familiar estável e sólida, se você sabe o que isso realmente significa para você.

Como uma carta de obstáculo, ela muitas vezes indica que você de fato está usando as armadilhas da riqueza, da convenção ou da segurança familiar pelos motivos errados; que no fundo você é vulnerável; que a mudança é desconfortável; que rios de dinheiro ou uma carreira de sucesso significam que você não se sentirá tão carente. Todos nós precisamos de uma certa constância na vida, dependendo de nossa constituição individual. Mas a única certeza na vida é que ela está sempre mudando.

Esta carta lembra a você que segurança a longo prazo é uma necessidade muito humana, e pode, claro, propiciar grandes realizações, recompensa financeira e o número desejado de filhos, mas não há garantia de que ela durará para sempre. O simbolismo desta carta – "e eles viveram felizes para sempre" – é um dos muitos símbolos paradoxais que continuam aparecendo no tarô. Reconheça seus valores tradicionais, siga o caminho convencional se preferir, mas não se deixe enganar.

Valete de Ouros

PALAVRAS-CHAVE
Abordagem prática, objetivos realistas, esforço concentrado, foco e progresso, novos projetos

FRASES-CHAVE
- *Colocar as rodas em movimento*
- *Buscar uma oportunidade*
- *Conhecer suas limitações*
- *Querer ser próspero*
- *Mensageiro financeiro*
- *Trabalhador dedicado*

Interpretação

O Valete de Ouros indica que é hora de ser prático ou perseguir objetivos realistas e se envolver num novo projeto. Não é simplesmente olhar para o que você já conquistou, mas olhar para o futuro e ver o que ainda pode conquistar. Há uma oportunidade lá fora, mas você terá que sair para procurá-la. Seja uma nova carreira ou um empreendimento, ou uma chance para melhorar um relacionamento, esta carta é um convite para "pôr a mão na massa".

O Valete também pode representar alguém que você conhece. Um trabalhador confiável, um amigo organizado, alguém que sabe como transformar ideias em realidade. Essa pessoa pode ter alguma coisa útil para lhe dizer ou simplesmente pode simbolizar uma parte de você que ainda não se expressou ou você não reconheceu.

Pergunte a si mesmo se conhece suas limitações? Você pode ir além? Até que ponto é prático quando se trata de trabalhar para provocar um efeito em algo ou alguém? Você se identifica com planejamento e progresso, foco e resultados? Ou procrastina e "deixa para amanhã o que poderia ser feito hoje"?

Essas questões irão surgir com o Valete de Ouros em qualquer tiragem, mas use sua influência positiva para aproveitar o espírito de comprometimento com uma causa ou com o simples planejamento. Ele também pode aparecer na sua vida na forma de um membro confiável da sua equipe, um gênio financeiro ou um amigo que tem ideias realistas. Se ela aparecer como uma carta de "obstáculo", você está muito focado em si mesmo. Entretanto, seus objetivos e interesses práticos estão ocupando um espaço tão grande na sua vida que você está ignorando as necessidades de outros ou sendo insensível a elas.

Cavaleiro de Ouros

PALAVRAS-CHAVE
Trabalho manual, responsabilidade, persistência, realismo

FRASES-CHAVE
- *Alguém tradicional*
- *Determinado ou dogmático*
- *Realista ou melancólico*
- *Dedicado ou inflexível*
- *Cumpre tarefas*
- *Cautela ou medo de se arriscar*
- *Esforço sem entusiasmo*
- *Fidelidade*
- *Alguém que demora a se envolver no amor*

Interpretação

Se você tirar esta carta, tenha a certeza de que pode se relacionar com os dois extremos de energia que o Cavaleiro representa. Conclua qual é relevante para você neste momento e seja honesto para aceitar que, se você atualmente acredita que é trabalhador e persistente, pode também estar expressando uma das qualidades negativas do Cavaleiro – sendo pouco aventureiro ou relutante com respeito a alguma coisa nova ou diferente.

O Cavaleiro de Ouros representa sua capacidade de arregaçar as mangas e pegar firme no trabalho, mas também sua dificuldade em se envolver emocionalmente nesse trabalho. E esse "trabalho" inclui qualquer coisa, desde organizar suas finanças até ser criativo num relacionamento. Se não envolvemos nossos sentimentos ou paixão em nossos esforços, estamos desconectados da fonte de nossa convicção individual. Esta carta lembra que, se você quer melhorar sua vida, é hora de acordar dessa dormência, perda ou falta de paixão, princípios ou crenças.

O Cavaleiro de Ouros numa posição "você agora" sugere que você está sendo direto e dedicado, e desejando investir tempo e energia num projeto, mas preferiria manter-se emocionalmente distante. Se tem um problema de relacionamento, esta carta sugere que você está cansado de se envolver muito rápido, talvez negando seus verdadeiros sentimentos.

Numa posição de "obstáculo", o Cavaleiro de Ouros significa que você é mal-humorado ou pessimista, e que precisa de mais leveza para elucidar a situação ou o problema que enfrenta. Em qualquer posição de "futuro", esse Cavaleiro lembra a você que cautela, prudência e uma boa dose de realismo serão de valor inestimável, mas tome cuidado para não perder oportunidades pelo receio de mudanças. Aproveite os potenciais em vez de abafá-los e você criará seu próprio sucesso.

Rainha de Ouros

PALAVRAS-CHAVE
Dependente, maternal, de bom coração, sensual, generosa, Mãe Terra

FRASES-CHAVE
- *Visão realista da vida*
- *Ater-se aos fatos*
- *Confiável e leal*
- *Sentir-se seguro e caseiro*
- *Desejo genuíno de ajudar outra pessoa*
- *Amante de animais e crianças*
- *Criativa e cheia de recursos*

Interpretação

A Rainha de Ouros é uma expansão do nosso senso de segurança e conectividade com o mundo. Ela está lá para todos, sempre disponível, confiável, caseira, desejando fazer qualquer coisa para seu clã e tudo sem nenhum alarde. Ela é o tipo de pessoa que você admira, inveja ou até odeia.

Pense em como esse arquétipo da Mãe Terra faz você sentir. Você se identifica com ela? Admira sua lealdade, seu coração bondoso e seu estilo de vida despretensioso? Inveja seu jeito natural e sensível de resolver qualquer problema ou detesta a maneira como ela recebe bem qualquer um em seu doce lar? Ou você é totalmente imune a sentir qualquer coisa?

Seja qual for sua reação, lembre-se de que a Rainha de Ouros representa uma parte de você. A energia que ela simboliza pode vir em sua vida através de qualquer um – talvez um novo rosto na multidão, um membro da família, um novo parceiro (seja homem ou mulher, a Rainha de Ouros simboliza as qualidades femininas de cuidar e acolher).

Quem quer que represente a Rainha, ela também lhe diz, "Olhe para dentro, encontre seu lado maternal". Você cuida de si mesmo? Você se importa com mais alguém? Você seria capaz de manter um amigo ou a pessoa amada dependente, ou contaria seus segredos? Você desenvolveu seus talentos criativos ou desistiu deles? Se a Rainha aparecer na posição "obstáculo", você está cuidando de outros em detrimento de suas próprias necessidades emocionais ou espirituais.

Rei de Ouros

PALAVRAS-CHAVE
Confiável, sagaz, materialista, empreendedor, defensor

FRASES-CHAVE
- *Personagem carismático*
- *Líder de negócios*
- *Conselheiro financeiro*
- *Prático e estabilizado*
- *Resoluto e imbatível*
- *O "Toque de Midas"*
- *Competente, sensato*
- *Atitude responsável*

Interpretação

Este é um rei feliz. Ele fez de alguma coisa um sucesso, alcançou o topo, não tem vícios ou complexos e tem aquela capacidade única de estar sempre um passo à frente dos outros. O Rei de Ouros representa uma personalidade empreendedora e confiável. Alguém que sabe o que é melhor para si mesmo e para os outros, sabe fazer negócio, tem um instinto de como as coisas funcionam, e é tão estável quanto a Rocha de Gibraltar. De fato, esse é um Rei que todos nós gostaríamos de conhecer. Ele já pode estar em sua vida, talvez alguém que você conheça ou com quem trabalhe e que inspire essas qualidades em você.

O Rei de Ouros algumas vezes indica que você está num período de sucesso na vida, e manter esse sucesso é seguir em frente. Usufrua desse sucesso e não se sinta culpado pelas suas conquistas. Por outro lado, essa energia pode estar faltando em sua vida, e agora precisa ser expressa.

Como uma carta de "obstáculo", você pode estar tão obcecado com o mundo dos negócios ou finanças que seus relacionamentos estão sofrendo. Ou outra pessoa pode estar forçando você a assumir mais tarefas do que cumprir. Como uma carta de "futuro", o Rei de Ouros diz "Colha os frutos dos seus esforços, honre esse compromisso com amor (ou faça amor numa pilha de dinheiro!), aperfeiçoe-se e seja o melhor em sua profissão". Com esta carta você terá energia, confiança e carisma para lidar com qualquer situação.

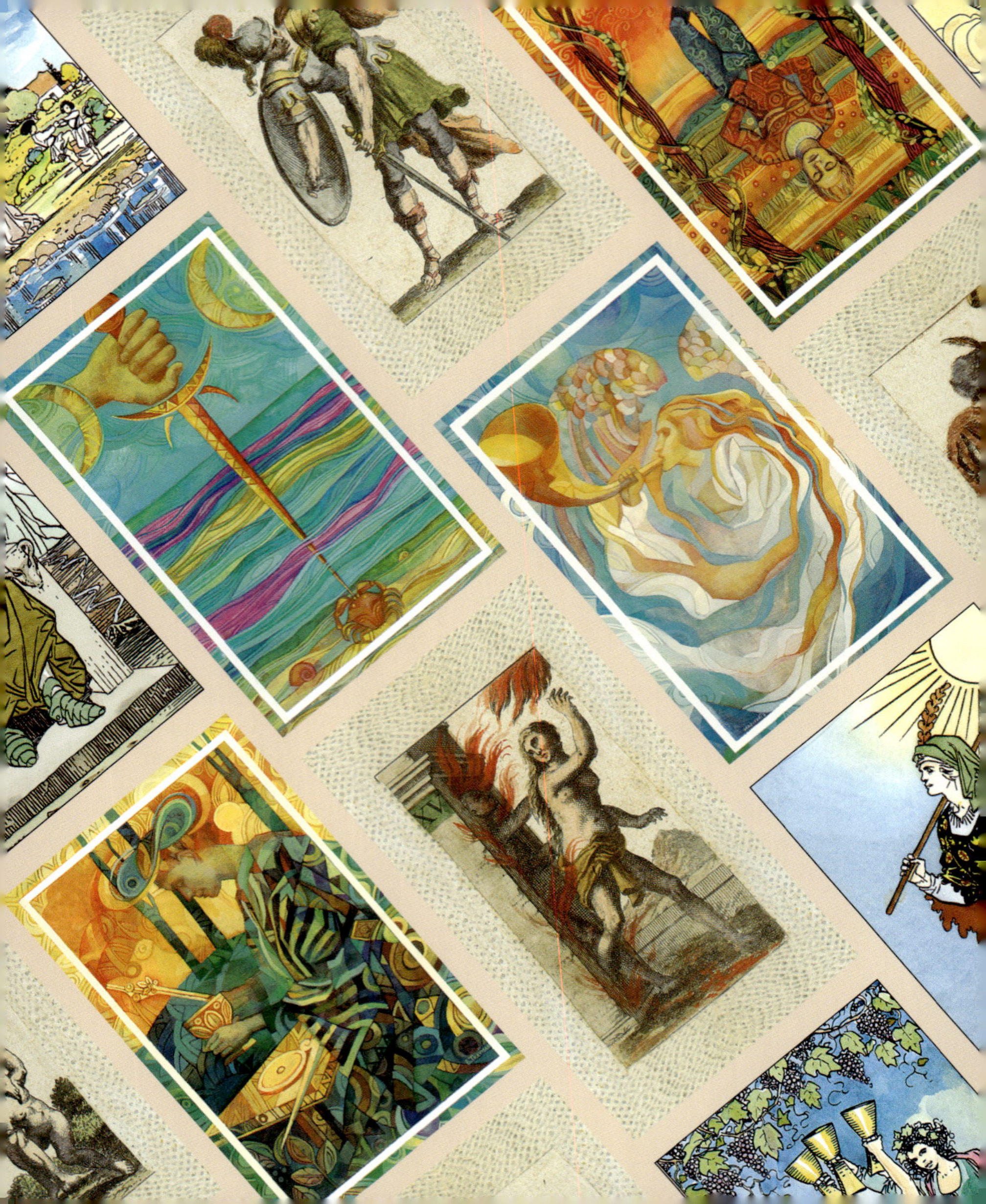

Tiragens diárias

Como usar as tiragens diárias

As tiragens desta seção propiciam um acesso rápido e fácil à leitura do tarô. Seja você um iniciante ou um oraculista experiente, estas tiragens diárias são úteis para resolver questões simples ou para facilitar seu autoconhecimento no dia a dia. Os padrões de tiragem podem ser adaptados, assim como as frases-chave de cada posição das cartas.

Estas tiragens são ótimas para ampliar suas interpretações pessoais das cartas, evitando que você dê a elas sempre os mesmos significados. É como ler sempre o mesmo parágrafo de um texto. Você acaba ficando entediado se não passar para a próxima página. Você também pode usá-las como tiragens simples de "passado", "presente" e "futuro" ou relacioná-las a assuntos específicos.

O segredo da interpretação do tarô é sempre lembrar que as cartas são um reflexo de você no momento em que está lendo as cartas. Quanto mais objetivo você for, melhor. Então, tente criar uma história em torno das cartas primeiro. Conte sua história em voz alta para estruturar o que está se passando na sua cabeça. Lembre-se de que, se está procurando uma resposta, a solução pode não estar necessariamente numa carta isolada, mas na tiragem inteira.

Estas tiragens diárias permitirão que você conheça melhor as cartas individualmente antes de começar a usar tiragens mais complexas. Elas o ajudarão a se compreender melhor e a identificar quais cartas levantam questões relevantes para você no momento. Quando lida com poucas cartas numa tiragem, é mais fácil perceber quando uma carta "fala" com você. Você subitamente tem um lampejo e sabe o que ela significa. Você também pode ter repulsa a uma carta ou temer suas implicações. Pergunte a si mesmo por que as cartas estão provocando determinadas reações em você. Nestas leituras diárias, você pode descobrir muito mais sobre si mesmo do que imagina e também passar bons momentos de diversão conhecendo as cartas.

Com a prática, você ficará mais sintonizado com as cartas.

Tiragens diárias

Antes de começar

Não há regras para fazer tiragens ou interpretá-las, mas as instruções a seguir proporcionam um quadro de referências e uma estrutura com as quais trabalhar. Estrutura e substância são o reino do naipe de Ouros, a interpretação é uma combinação de Espadas e Paus, e Copas é o naipe que representa nossa reação a essa interpretação.

Guia passo a passo

1 Procure um ambiente silencioso e confortável. Isso facilitará sua concentração e deixará sua intuição fluir. Providencie espaço suficiente para colocar as cartas no chão ou sobre uma mesa.

2 Acenda velas, incenso ou uma música suave para preparar seu estado de espírito e facilitar a concentração.

3 Faça seu ritual favorito.

4 Mantenha um diário do tarô perto de você para fazer anotações e comentários.

5 Anote por escrito sua pergunta ou assunto antes de começar.

É importante fazer anotações no seu diário quando começar a usar o tarô.

Importante

Depois de cada tiragem há um exemplo de leitura para orientar você. Lembre-se de que nem todas as tiragens possuem as posições "você agora", "obstáculo" ou "futuro", mencionadas na seção Interpretação. Se você escolher uma tiragem que não inclui essas posições específicas, interprete a carta com seus significados básicos.

6 Embaralhe as cartas com um dos métodos recomendados (veja páginas 54-55) e corte três vezes.

7 Enquanto embaralha, concentre-se na sua pergunta se tiver uma.

8 Uma a uma, tire o número de cartas da tiragem que você escolheu. É quando você escolhe a carta que você e o tarô se fundem. Se tiver uma pergunta ou problema, concentre-se nisso ou repita a pergunta para si mesmo enquanto tira cada carta.

9 Coloque cada carta voltada para *baixo*, uma de cada vez, na ordem e posição mostradas no diagrama da tiragem.

10 Quando todas as cartas já tiverem sido tiradas, vire-as para cima uma de cada vez e coloque-as na posição correta, se estiverem invertidas.

11 Examine cada uma das cartas e compare as interpretações deste livro com seus próprios sentimentos e intuição. Conclua o que cada carta significa para você antes de passar para a próxima. Quando tiver mais experiência, você vai descobrir como combinar cartas e até ler a tiragem inteira como se fosse uma carta só.

12 Leia as palavras-chave de cada tiragem assim como o conselho que as acompanha.

Prática diária

Há duas boas maneiras de conhecer as cartas no dia a dia. Diferentemente de tirar apenas uma carta do dia para ver o que acontece, essas duas tiragens requerem o seu envolvimento e permitirão a você ter experiências diretas dos significados das cartas através do autoquestionamento.

Carta para a tiragem diária
1 Carta do dia (os aspectos importantes do dia pela frente)
2 Preste atenção (assuntos pessoais que vão precisar de atenção)
3 Tenha cuidado (sentimentos, desejos ou reações que podem surgir)

Exemplo de leitura
1 **Força** Um dia em que você assumirá responsabilidade pelas suas ações; força emocional combinada com compaixão é a chave para o sucesso em relacionamentos e contatos. Pergunta interativa: Até que ponto você está em contato com sua natureza emocional?
2 **Oito de Ouros** Seja diligente, preste atenção nos detalhes e dedique-se a uma tarefa. Isso lhe parece desafiador ou lhe dá satisfação?
3 **Sete de Copas** Otimismo exagerado ou enganar a si mesmo achando que sabe todas as respostas. Pessoas que sonham acordadas ou são desleixadas – elas irritam você ou você entra no fluxo delas?

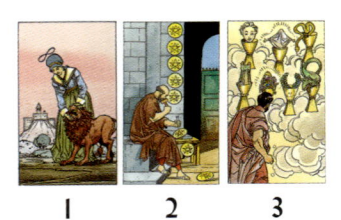

Tiragem da energia do dia

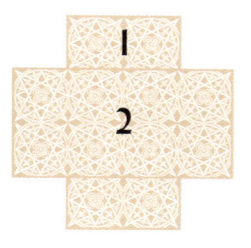

1 A energia do seu dia
2 Interferências
3 Resultados positivos

Exemplo de leitura

1 Quatro de Paus Seu humor está ótimo, livre e solto. Você resiste a esses sentimentos ou os aceita?

2 O Imperador Figuras de autoridade ou sua própria necessidade de assumir o controle podem interferir no seu humor. Você consegue deixar de lado todas as responsabilidades por um dia e se divertir? Os outros estão impedindo você de fazer o que você quer?

3 Rei de Espadas Um dia em que você pode desanuviar a situação e analisá-la. Até que ponto você é racional?

Meu maior ponto forte e meu maior ponto fraco

Você pode usar essas duas tiragens individualmente ou colocá-las lado a lado e fazer as interpretações juntas. Note como seu ponto forte atual e seu atual ponto fraco podem ser dois lados da mesma moeda. Como essas qualidades estão atuando em sua vida?

Meu maior ponto forte

1 Meu ponto forte atual
2 Como eu posso usá-lo
3 Onde ele pode me levar
4 Que ponto forte eu preciso desenvolver

Exemplo de leitura
1 **Valete de Ouros** Atitude realista. O quanto estou familiarizado com isso?
2 **Três de Espadas** Olhar minhas feridas. Aceitar que eu as tenho.
3 **Roda da Fortuna** Uma encruzilhada, um ponto de virada. Pense se você lida bem ou mal com a mudança.
4 **O Enforcado** Seguir o fluxo. Viver o momento.

Meu maior ponto fraco

1 Meu atual ponto fraco
2 O que me ajudará a superá-lo
3 Nova direção

Exemplo de leitura

1 Sete de Paus Recusar-se a ceder ou mudar meu ponto de vista sobre um princípio.
2 A Estrela Uma visão otimista da vida, novos ideais, acreditar em meus sonhos.
3 Ás de Espadas Momento de ser honesto comigo mesmo e descartar ilusões do passado.

Minhas prioridades neste momento

Estas duas tiragens esclarecem assuntos que precisam ser resolvidos. A primeira tiragem usa cinco cartas; a primeira carta representa a prioridade, as demais revelam qualquer problema em torno dessa prioridade e como lidar com ela para avançar. Outras prioridades geralmente relacionam-se à sua vida amorosa, à sua carreira e ao seu autodesenvolvimento, mas você pode mudar as categorias se desejar.

Tiragem da minha maior prioridade
1 Maior prioridade
2 O que está me bloqueando
3 Coisas que eu posso mudar
4 Coisas que eu devo aceitar
5 Como as coisas vão progredir

Exemplo de leitura
1 **Seis de Copas** Minha principal prioridade no momento é ser generoso ou gentil ou ter boas intenções comigo mesmo e com outros.
2 **O Diabo** Estou pensando de maneira negativa, obcecado com o materialismo.
3 **Dois de Ouros** Começar a ver as opções, ser mais adaptável.
4 **Rainha de Espadas** Meus motivos ocultos para agir como ajo.
5 **Nove de Copas** Eu terei os resultados que espero.

Tiragem das outras prioridades

1 Amor
2 Carreira
3 Autoaperfeiçoamento

Exemplo de leitura

1 O Eremita Eu preciso refletir profundamente no tipo de amor que é melhor para mim.

2 Três de Paus Também é hora de eu tentar algo novo ou diferente.

3 Dez de Ouros Segurança material é importante para o meu bem-estar neste momento.

O eu secreto

Estas duas tiragens revelam seus segredos atuais. Você pode fazê-las muitas vezes, visto que nosso estado de espírito, sentimentos e desejos secretos mudam o tempo todo. Nosso medo de aceitar que sentimentos mudam nos impede de seguirmos adiante.

Tiragem do Eu Secreto 1

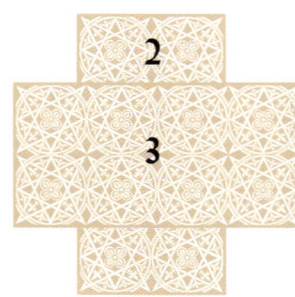

1 Meu desejo secreto
2 O que me motiva
3 O que me deprime
4 O que eu posso conseguir

Exemplo de leitura

1 O Carro Eu realmente quero estar no controle da minha vida.
2 Oito de Ouros Trabalhar duro e me dedicar a uma tarefa.
3 Oito de Paus Eu fico preocupado quando as coisas vão muito rápido ou não se decidem.
4 A Estrela É hora de compartilhar minhas ideias e me inspirar a agir.

Tiragem do Eu Secreto 2

1 Meu amor secreto
2 Meu ódio secreto
3 Meu teste secreto

Exemplo de leitura

1 A Torre Meu amor secreto é uma relação eletrizante ou está criando o caos ao meu redor.

2 Seis de Paus Meu ódio secreto é para com as pessoas que gostam de se mostrar.

3 O Mago Meu teste secreto é descobrir minhas motivações para os dois acima.

As cartas mais e menos favoritas

Esta tiragem é um pouco diferente das outras porque primeiro você deve conscientemente escolher duas cartas do baralho – sua carta favorita atualmente e a carta que você menos gosta no momento. Passe o tempo que desejar olhando as cartas e, se várias delas parecem chamar sua atenção, tire-as do baralho e depois selecione-as, até restar apenas uma. Você verá que suas cartas favoritas e menos favoritas mudam frequentemente, dependendo da situação.

Guia passo a passo

1 Coloque as primeiras duas cartas nas posições mostradas na página 269, então embaralhe o restante do baralho normalmente. Escolha uma carta do baralho e coloque-a na posição 3.

2 Primeiro olhe para as interpretações da sua carta favorita e da que você menos gosta. Pense sobre o que cada uma significa para você nesse momento. Porque você gosta de uma e não da outra?

3 A carta de que você não gosta é particularmente significativa? Você está bloqueando essas emoções ou energias arquetípicas ou as projeta sobre os outros?

4 A carta da qual você gosta está projetada sobre um amor, um ideal ou uma ambição de longo prazo? Você está verdadeiramente vivendo essa qualidade ou apenas sonhando com ela?

5 Finalmente, vire a terceira carta e descubra o que você precisa aprender nesse momento sobre essas duas cartas.

Tiragem das cartas favorita e menos favorita

1 Carta favorita
2 Carta menos favorita
3 O que você precisa aprender

Exemplo de leitura

1 Rainha de Ouros Minha carta favorita é como eu gostaria de ser, confiável e leal.

2 A Lua A Lua representa minha incapacidade de confiar nos outros.

3 Força Eu preciso aprender a ter mais consciência de mim mesmo e a assumir responsabilidade pelas minhas ações, aprender a confiar nos outros e em mim mesmo.

Problema do passado, obstáculo no presente e visão do futuro

Esta tiragem usa o passado, o presente e o futuro para dar a você uma ideia dos fios da vida que estão todos entrelaçados no tempo. Nós sempre queremos saber o que o futuro nos reserva porque isso nos dá uma sensação de controle sobre nossa vida. Mas é importante também conhecer o passado, porque, apesar do passado ter ficado para trás, faz parte do nosso presente. Nós pensamos sobre o passado o tempo todo, provavelmente tanto quanto pensamos no futuro. Desvele os fios do passado e você poderá ver como lidar com o futuro e criá-lo da sua maneira.

Tiragem de passado, presente e futuro

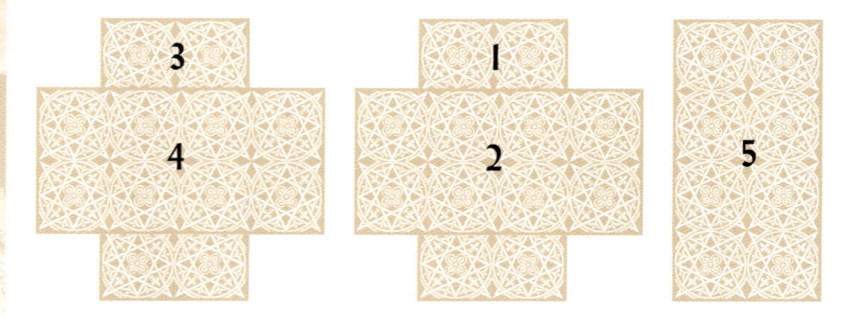

1 Você agora
2 Obstáculo no presente
3 Assunto não resolvido do passado
4 Obstáculo no passado
5 O caminho à frente

Exemplo de leitura

1 A Sacerdotisa Eu quero revelar meus sentimentos a alguém.

2 Rei de Espadas Mas eu me sinto vulnerável sobre me abrir por medo do risco de ser criticado ou rejeitado.

3 Dois de Copas Eu sempre levei as coisas para o lado pessoal e me magoo e fico na defensiva muito facilmente.

4 Dois de Ouros Eu estava sempre tentando jogar com coisas demais e nunca foquei em quem eu sou e o que eu quero.

5 Nove de Ouros Ser mais independente emocionalmente; então eu não terei medo de dizer a alguém como eu realmente me sinto.

1   2   3   4   5

Tudo muda

Trata-se de outra tiragem voltada para "futuro e passado", mas desta vez você se concentra no que pode abandonar do passado para poder seguir em frente. Esta tiragem é muito útil se você está preso ao passado, sente dificuldade para esquecer mágoas provocadas por um relacionamento ou sentimentos de rejeição. Ou simplesmente dizer apenas "adeus" para o velho e dar as boas-vindas ao novo.

Tiragem do que eu preciso resolver

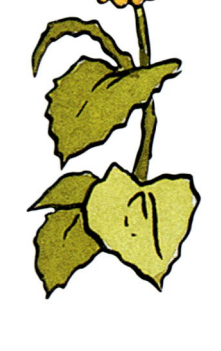

1 O que não importa mais
2 O que foi conquistado
3 O que me fará avançar
4 A mudança que eu preciso fazer

Exemplo de leitura

1 Os Enamorados O que não importa mais é um caso de amor que está terminado.
2 Cinco de Espadas O que foi conquistado é que eu aceitei minhas limitações.
3 O Sol O que vai me fazer avançar é saber que vou ser feliz no futuro.
4 Rainha de Copas A mudança que eu devo fazer é me abrir para os outros e ter mais compaixão.

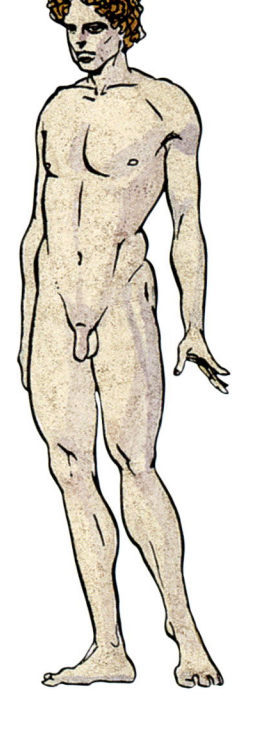

1 2 3 4

Quem eu sou agora e para onde estou indo

Esta tiragem convida você a se conhecer um pouco mais do que conhece as outras pessoas, usando sete cartas.

Tiragem quem e onde

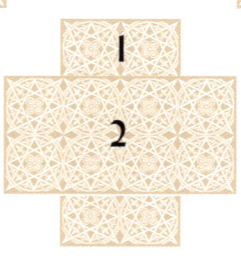

1 Isto é quem eu sou agora
2 Isto é o que eu não sei sobre mim
3 Isto é o que eu preciso deixar para trás
4 Isto é o que eu preciso desenvolver
5 O que eu adoraria me tornar
6 Minha busca atual
7 Aonde tudo isso irá me levar

Exemplo de leitura

1 Oito de Ouros Eu sou atualmente alguém que trabalha muito e está concentrado em si mesmo.

2 O Julgamento O que eu não sei sobre mim é que posso abandonar antigos valores e encontrar novos. Eu posso fazer escolhas e assumir responsabilidade pelas minhas ações.

3 Valete de Copas O que eu preciso deixar para trás é meu desejo constante de agradar os outros.

4 Rei de Espadas O que eu preciso desenvolver é uma visão com mais discernimento.

5 O Eremita Eu adoraria me tornar mais reflexivo e viver mais em sintonia comigo mesmo.

6 Ás de Paus Minha busca atual é acreditar em mim mesmo e seguir minhas visões e ideais.

7 Três de Ouros Isso me levará a fazer novos contatos, trabalhando como parte de uma equipe e provando que eu posso chegar lá.

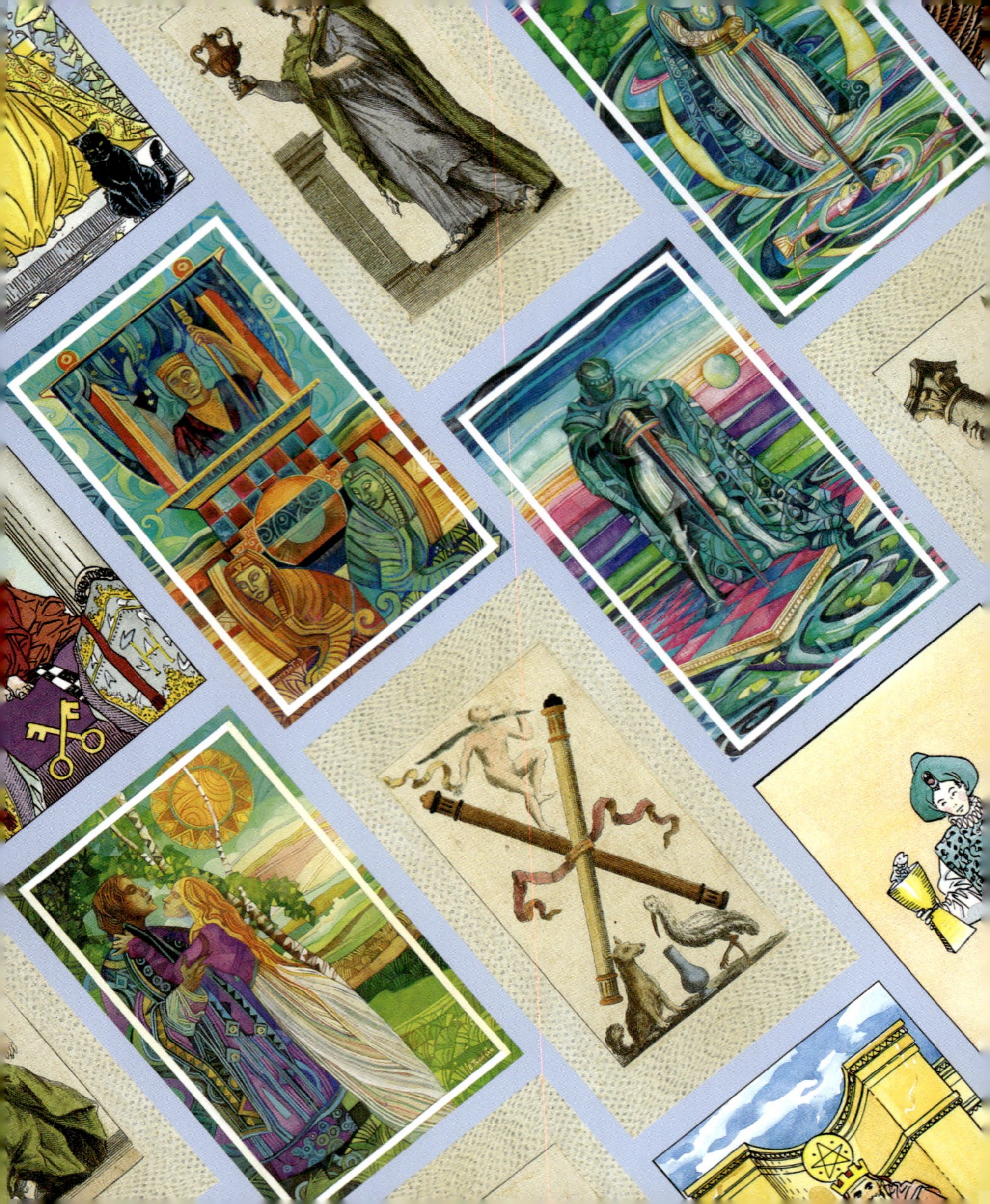

Tiragens de relacionamento

Como usar as tiragens de relacionamento

Todos nós sabemos como podem ser complexos os relacionamentos e, se estamos apaixonados e fascinados com o mistério de tudo ou nos sentindo feridos, traídos ou entediados com um relacionamento atual, há momentos em que precisamos recorrer ao tarô para obter uma visão mais objetiva do que está acontecendo. Seja qual for a razão que você tenha para consultar o tarô, ele irá refletir seus relacionamentos da mesma maneira que reflete você.

Essa seção inclui tiragens de cartas que você pode utilizar sozinho ou junto com seu parceiro ou pessoa amada. Quando optar por fazer as tiragens sozinho, analise com muito cuidado e sinceridade as cartas que caírem no território do "outro", pois você estará interpretando as cartas do seu parceiro na ausência dele. Interpretar cartas para alguém ausente é um jogo sempre repleto de projeções do que você "quer" que a pessoa amada sinta, pense ou faça. Mas, se você conseguir

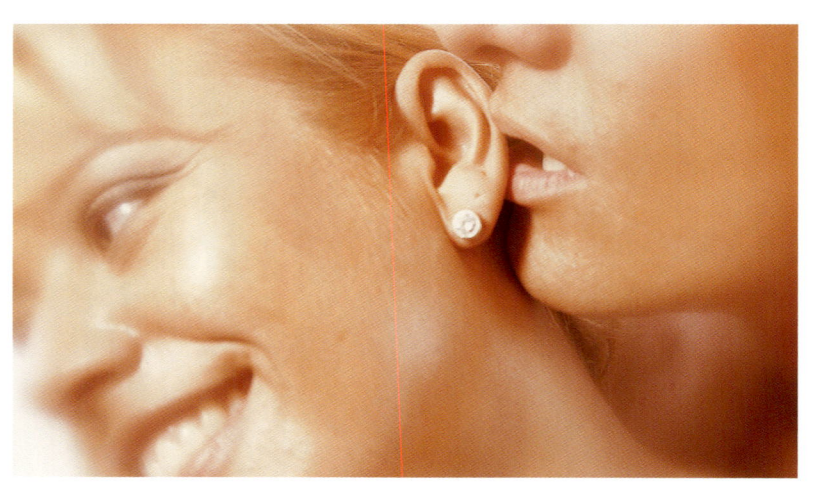

Se você combinar a sua data de nascimento com a do seu parceiro, você terá uma única carta.

ser totalmente honesto e objetivo, essas tiragens de relacionamento podem propiciar algumas revelações marcantes em seu relacionamento.

Leitura de tiragens com um parceiro

Quando ler com um parceiro, decidam primeiro quem será o parceiro A e o parceiro B. Como você verá em algumas das tiragens, há posições diferentes para as cartas do parceiro A e B.

Sentem-se no chão de frente um para o outro e passem um tempo embaralhando as cartas, de modo que ambos tenham manuseado o tarô. Para escolher ou tirar as cartas, enfileirem entre vocês dois as cartas embaralhadas voltadas para baixo, de modo que ambos possam tirar uma carta por vez. Coloquem as cartas escolhidas, uma de cada vez, em suas posições. Se optarem por uma tiragem que tenha uma carta representando o relacionamento em si (em outras palavras, a energia combinada de vocês dois), decidam antes quem escolherá essa carta em especial.

A carta do relacionamento

Usando suas datas de nascimento combinadas, você também pode encontrar a carta do Arcano Maior que represente o seu relacionamento atual. Ela mostra os desafios, as tendências e a interação entre você e o seu parceiro. Se ela surgir numa leitura, irá reforçar a dinâmica subjacente àquela posição. O Louco é a carta 0, mas para esse processo você deve transformá-lo em 22 – nenhuma soma pode chegar a 0.

A carta do relacionamento é determinada pela soma de suas datas de nascimento juntas. Em seguida adiciona-se os dígitos até chegar a um número abaixo de 22. Por exemplo:

26 de maio de 1952 e 28 de março de 1950
26 + 5 + 1952 + 28 + 3 + 1950 = 3964
3 + 9 + 6 + 4 = 22

O Louco recebe o número 22 e por isso essa é a carta do Arcano Maior do relacionamento.

O relacionamento neste momento

Esta tiragem (que pode ser feita sozinho ou em dupla) pode ajudar você a compreender seu relacionamento num determinado momento, identificar seus pontos positivos e negativos e guiar você e seu parceiro através do labirinto das emoções. A energia do amor nunca é estática, e essa tiragem pode lhe mostrar como e para onde ela está se movendo nesse momento.

Ligeiramente diferente das outras, porque está refletindo um relacionamento e não você mesmo, esta tiragem revela a dinâmica e a interação entre vocês. As cartas representam a mecânica da relação, muito mais do que você ou o seu parceiro. Trate o relacionamento como um terceiro elemento e vocês mesmos como expectadores.

Nota Para esta tiragem, use apenas as cartas dos Arcanos Maiores para uma interpretação profunda.

O relacionamento e suas qualidades

1 Sua energia
2 Sua comunicação
3 Seu ponto forte
4 Seu ponto fraco
5 Sua realidade
6 Sua paixão
7 Sua chave para o futuro

Exemplo de leitura

1 A Temperança O relacionamento está equilibrado e harmonioso.

2 A Estrela Existe um diálogo idealista, mas progressivo acontecendo nesse relacionamento.

3 O Sol Criatividade e divertimento são a chave para o sucesso.

4 O Carro Parece haver um jogo de poder oculto acontecendo. Quem é mais esperto?

5 A Sacerdotisa Aos olhos dos que estão de fora, esse relacionamento está envolto numa aura de mistério.

6 O Mundo Aventura e extroversão.

7 Os Enamorados Decisões mútuas e honestidade manterão esse relacionamento muito mais vivo.

O teste do amor

Esta tiragem (feita sozinho) pode ser usada se você estiver num relacionamento novo ou antigo, ou ainda solteiro. Ela lhe dá a chance de explorar o que o amor significa para você ou se você quer que um relacionamento dê certo, e como seguir adiante com sucesso ou encontrar o parceiro certo.

A tiragem do objetivo no amor
1 Meu objetivo no amor
2 O que eu tenho a oferecer
3 O que me falta
4 O que eu não quero num parceiro
5 O que eu quero num parceiro
6 O cerne do problema
7 O que eu posso fazer para isso funcionar

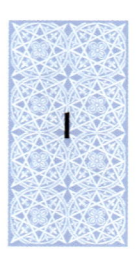

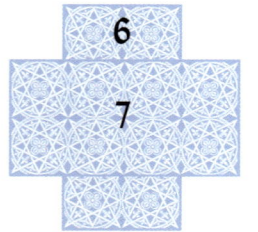

Exemplo de leitura

1 O Eremita Meu objetivo é descobrir minha verdade interior por meio de um relacionamento amoroso.

2 Quatro de Paus Eu posso oferecer minha espontaneidade e vontade de viver.

3 Dez de Copas Falta-me um senso de família ou de fazer parte de algo.

4 Sete de Espadas Eu não quero falsidade num parceiro.

5 Valete de Paus Eu quero criatividade e espírito aventureiro num parceiro.

6 O Enforcado Eu devo aceitar quem sou e não tentar sacrificar minhas necessidades pela segurança do ser amado.

7 O Mago Para fazer isso funcionar, eu posso ser mais consciente de mim mesmo, conhecer minhas motivações e intenções.

Como vocês veem um ao outro

Use esta tiragem sozinho ou com um parceiro para revelar a verdade sobre como cada um vê o outro e o relacionamento. Se você fizer isso sozinho, lembre-se de não projetar suas esperanças, medos e desejos sobre seu parceiro. Algumas vezes, pode ser útil ter um amigo objetivo para interpretar as cartas para você.

Nota Decida antes quem é A e quem é B.

Tiragem vendo um ao outro

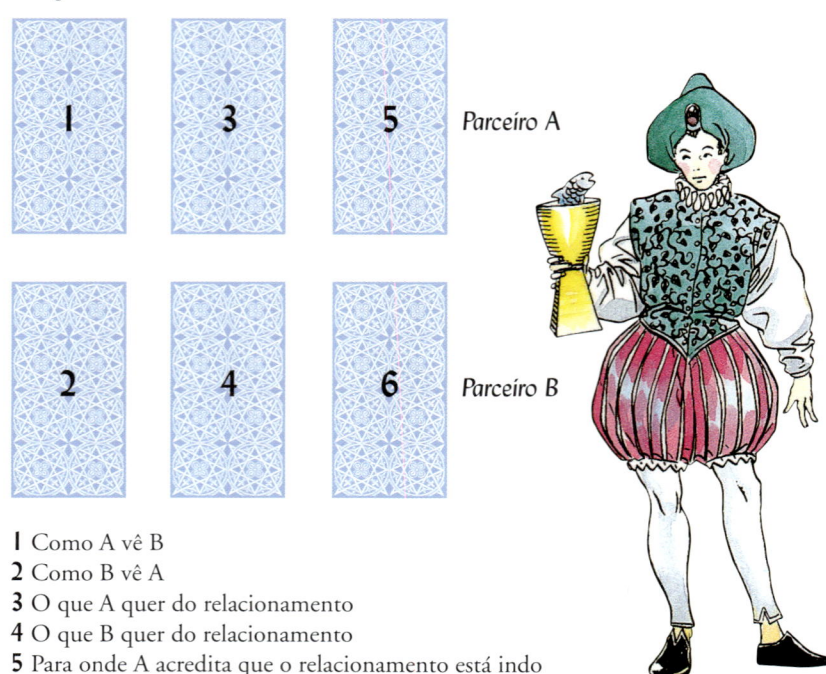

1   3   5   Parceiro A

2   4   6   Parceiro B

1 Como A vê B
2 Como B vê A
3 O que A quer do relacionamento
4 O que B quer do relacionamento
5 Para onde A acredita que o relacionamento está indo
6 Para onde B acredita que o relacionamento está indo

| 1 | 2 | 3 | 4 | 5 | 6 |

Exemplo de leitura

1 Rainha de Paus A vê B como alguém enérgico, extrovertido e entusiasmado.
2 Julgamento B vê A como alguém decidido, honesto, que sabe julgar uma situação.
3 Valete de Copas A quer companhia, uma boa vida social e sentir-se conectado.
4 Seis de Espadas B quer abandonar sua bagagem emocional do passado e ter um novo começo.
5 Cinco de Ouros A acredita que o relacionamento ficará estagnado, se não fizerem um esforço para renová-lo.
6 O Hierofante B acredita que o relacionamento está seguindo normalmente, um verdadeiro relacionamento convencional.

Obviamente, A e B precisam discutir o futuro, visto que A está preocupado com a possibilidade de o relacionamento se tornar tedioso e rotineiro, e B não vê isso como um problema.

Esses tipos de discrepâncias frequentemente surgem nessas Tiragens de relacionamento, mas eles podem criar uma abertura para diálogos criativos e a compreensão mútua dos problemas mais profundos do relacionamento.

Os rumos do relacionamento

Como a tiragem anterior, esta pode ser feita sozinho ou juntos, e ajuda você a olhar para o estado do seu relacionamento e os rumos que ele está tomando.

Tiragem dos rumos do relacionamento

1 Como estamos agora
2 O que está nos causando problemas
3 O que nos esquecemos de respeitar
4 O que precisamos expressar
5 Nossa opções
6 Que rumos estamos tomando

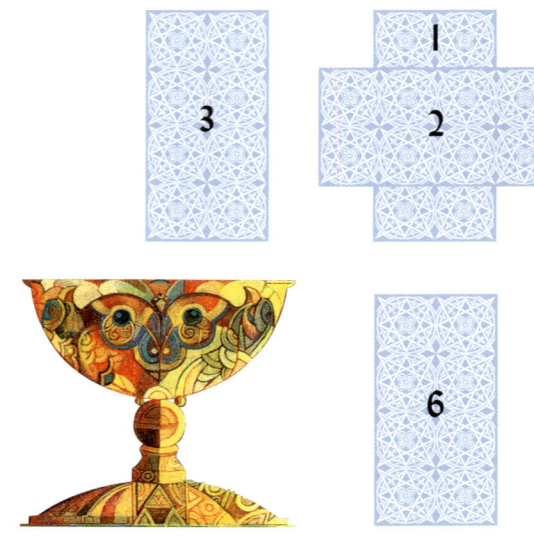

Exemplo de leitura

1 A Força No momento, estamos nos dando muito espaço e aceitando as faltas um do outro.

2 A Temperança Cooperação demais, a vontade constante de encontrar o meio-termo, pode estar causando problemas neste momento. Será que isso não é um tanto chato e desestimulante?

3 Seis de Copas Nós nos esquecemos de como brincar.

4 Sete de Copas Nós precisamos expressar nossos sonhos, nossa necessidade de gozarmos mais a vida e sermos mais descontraídos.

5 O Louco Nossas opções são expandir nossos horizontes e nossa rede de contatos, fazer alguma coisa espontânea, ser mais descontraídos.

6 Ás de Copas Podemos nos apaixonar de novo e nos aproximarmos um do outro. Deixe o amor florescer.

Como você pode ver, tudo pode estar bem na superfície, a harmonia é abundante e vocês estão dando espaço um para o outro. O que mais poderiam querer? Mas há sempre um "problema" ou uma "carência" ou uma "necessidade" em qualquer relacionamento. Esta tiragem permite que você veja os rumos que o relacionamento está tomando, saiba como seguir adiante e evitar um relacionamento estagnado.

Lição de química sexual

É divertido fazer esta tiragem sozinho ou com o parceiro. Se vocês fizerem em dupla, deixe claro antes de começar quem vai ser o "eu" e o "você". Mas, por favor, note que as expressões habituais "eu faço você se sentir" e "você me faz sentir" são muito críticas. Todos nós dizemos "você faz com que eu me sinta fantástico, ótimo, jovem etc.". De fato, o que estamos dizendo é que existe algo em você que ativa em mim o fantástico, o jovem ou qualquer outra faceta da minha personalidade.

Nota Para esta tiragem, use apenas as cartas da corte, os Ases e os Arcanos Maiores.

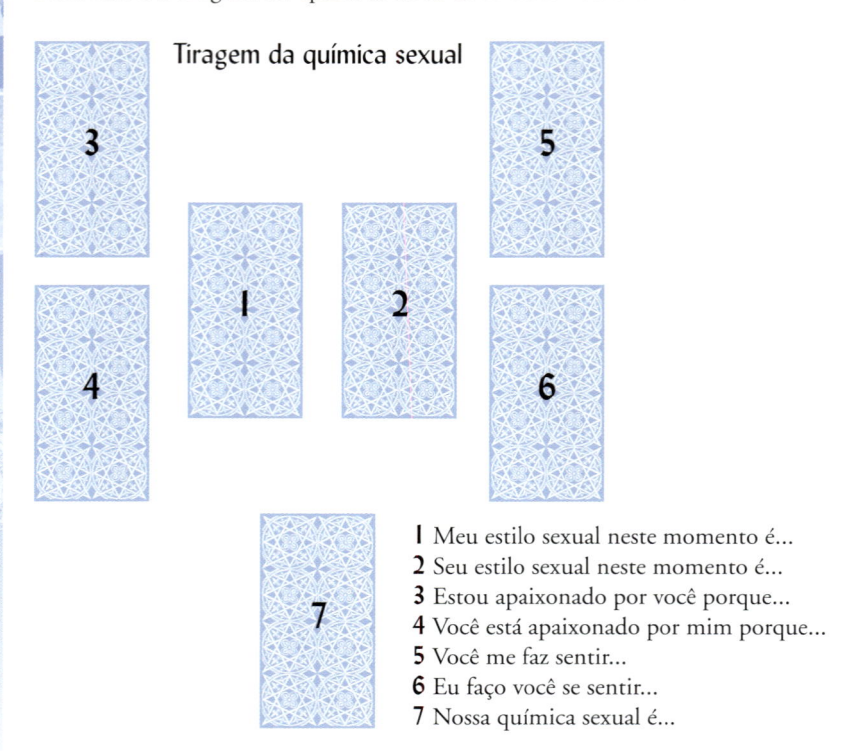

Tiragem da química sexual

1 Meu estilo sexual neste momento é...
2 Seu estilo sexual neste momento é...
3 Estou apaixonado por você porque...
4 Você está apaixonado por mim porque...
5 Você me faz sentir...
6 Eu faço você se sentir...
7 Nossa química sexual é...

Exemplo de leitura
1 Rainha de Espadas Meu estilo sexual é excitante, ousado.
2 Cavaleiro de Espadas Seu estilo sexual é desafiador, expressivo.
3 Rainha de Ouros Estou apaixonado por você agora porque você representa beleza e verdade.
4 O Imperador Você está apaixonado por mim agora porque eu represento poder sexual.
5 Ás de Paus Você faz com que eu me sinta apressado, como se estivesse fazendo as coisas rápido demais.
6 Rei de Espadas Eu faço você se sentir articulado, seguro de sua sexualidade.
7 Cavaleiro de Paus Nossa alquimia sexual é ousada e destemida.

Você e eu

Esta tiragem, como as anteriores, pode ser feita sozinho ou em dupla. Note que ela é ligeiramente diferente das outras, porque a sétima carta não é tirada aleatoriamente como as outras seis. Ela é a soma total de todas as outras cartas que você tirou até então. Em outras palavras, ela representa as energias combinadas de vocês dois. Para encontrar essa carta, some o valor numérico das outras seis cartas que você tirou.

Tiragem dos sentimentos, desejos e arrependimentos

1 Meus sentimentos são...
2 Meus desejos são...
3 Meus arrependimentos são...
4 Seus sentimentos são...
5 Seus desejos são...
6 Seus arrependimentos são...
7 Nosso futuro é...

Exemplo de leitura

1 Rainha de Paus Meus sentimentos são dramáticos.
2 Os Enamorados Meus desejos são apaixonados.
3 Cinco de Espadas Meu arrependimento é ter sido muito egocêntrico.
4 A Lua Seu sentimento é de estar sem rumo.
5 A Justiça Seu desejo é encontrar honestidade e verdade.
6 Dez de Espadas Seu arrependimento é ter sempre bancado o mártir.
7 O Carro Nosso futuro é confrontar a verdade e encontrar nosso próprio caminho único.

Obviamente, quando interpretar as cartas, procure ampliar as interpretações, em vez de usar apenas uma palavra. Esta lhe dá simplesmente uma base para a interpretação de cada carta.

Para determinar sua sétima carta, some o valor numérico de cada uma delas. Por exemplo, os Enamorados vale 6, o Dez de Espadas vale 10; dê o valor numérico de 1 para o Rei, de 2 para a Rainha, de 3 para o Cavaleiro e de 4 para o Valete. Some os números e chegue a um número entre 1 e 22 (o Louco é 0, mas nesse processo, você terá que conferir o valor de 22 – nenhuma soma pode dar 0). Então, confira qual dos Arcanos Maiores é sua carta especial de futuro.

Mágoas

Esta tiragem, que se faz sozinho, é chamada "Ai!", porque ela pode machucar. O objetivo é compreender um pouco mais profundamente o que há em você e em seu parceiro que pode provocar mágoas a qualquer momento. Essas mágoas fazem seus mecanismos de defesa entrarem em ação imediatamente. Mas, ao analisar esse novo conhecimento, você pode começar a se ver com mais clareza e perceber para onde o relacionamento está caminhando.

Tiragem de amor, mágoa e defesa

1 Como eu amo você
2 Como eu magoo você
3 Como eu me defendo
4 Como você me ama
5 Como você me magoa
6 Como você se defende
7 Quem eu sou neste momento?
8 Quem é você neste momento?
9 Para onde estamos indo?

Exemplo de leitura

1 Cavaleiro de Espadas Eu amo você sinceramente.
2 Dez de Copas Mas eu magoo você demonstrando que estou mais ligada à minha família ou aos valores familiares do que a você.
3 Sete de Paus Eu me defendo recusando-me a aceitar qualquer outro ponto de vista.
4 Nove de Espadas Você me ama com culpa e ansiedade.
5 Os Enamorados Na maioria das vezes você me magoa flertando com outros.
6 Três de Copas Você se defende dizendo a todos os seus amigos que não acredita em relacionamentos exclusivos.
7 Roda da Fortuna Neste momento, estou num ponto de virada.
8 A Torre Neste momento, seu ego está prestes a sofrer um golpe.
9 Ás de Espadas Nós teremos que encarar a verdade e aceitar responsabilidade por nossas ações e palavras.

Tiragem da verdade da parceria

Esta tiragem, que pode ser feita só por você ou com seu parceiro, leva você um pouco mais fundo do que as outras Tiragens de relacionamento. Se você fizer essa tiragem com seu parceiro, mas com total honestidade e objetividade, ela pode ser extremamente benéfica e levar a uma maior compreensão mútua.

Tiragem da Verdade

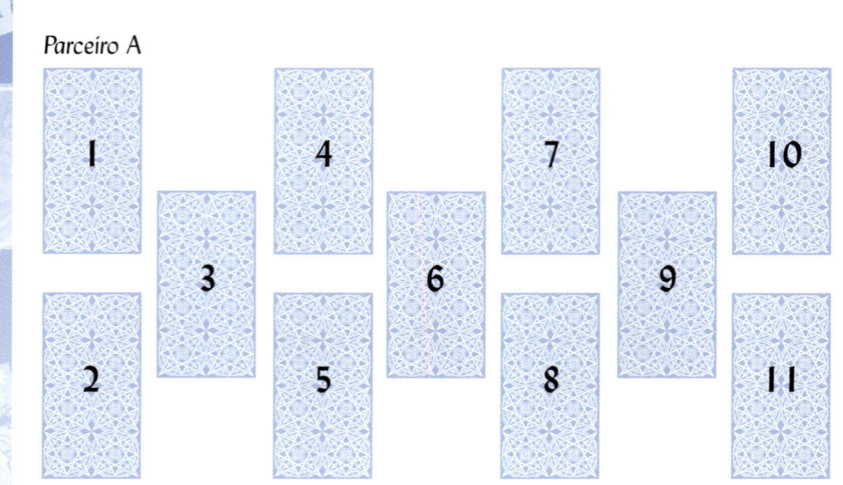

Parceiro A

Parceiro B

1 Eu agora
2 Você agora
3 Nosso objetivo/aspiração comum
4 Eu realmente quero isso?
5 Você realmente quer isso?
6 Nossa ilusão atualmente
7 Como eu posso ajudar a consertar
8 Como você pode ajudar a consertar
9 Nossos planos ocultos/não expressos
10 O que eu estou projetando em você
11 O que você está projetando em mim

Exemplo de leitura

Essa leitura não faz justiça a essa tiragem, porque o mais importante é a interpretação que você faz de cada afirmação ou pergunta.

1 Rei de Espadas Atualmente, eu sou articulado e analítico.

2 Oito de Ouros Você está se dedicando aos projetos atuais.

3 Quatro de Espadas Nosso atual objetivo comum é levar uma vida tranquila.

4 Quatro de Copas Sim, eu realmente quero isso, eu preciso diminuir um pouco o ritmo.

5 O Diabo Não tenho tanta certeza, sou mais materialista; não vou conseguir abrir mão de tudo para ter um estilo de vida alternativo.

6 O Louco Nossa ilusão atual é perseguir um sonho que não é realista.

7 Dois de Copas Eu posso ajudar a consertar isso me conectando melhor com você.

8 A Justiça Você pode ajudar a consertar isso assumindo mais responsabilidades por suas escolhas.

9 Três de Espadas Nossos planos ocultos e não expressos são que ambos temos medo de nos magoarmos, por isso evitamos a verdade.

10 Dez de Copas Estou projetando valores familiares em você.

11 Cavaleiro de Paus Você está projetando seus talentos exagerados em mim.

Refletindo

Esta é outra tiragem reveladora para fazer sozinho ou com o parceiro. Se você for totalmente honesto, ela o ajudará a aprender a respeitar as opiniões do outro sobre o relacionamento. Se você fizer essa tiragem sozinho, certifique-se de estar sendo totalmente objetivo com relação às respostas do seu parceiro B.

Tiragem espelhada

1 O que eu sou ou penso que sou
2 O que você é ou pensa que é
3 Isso é o que eu sinto
4 Isso é o que você sente
5 Isso é o que eu acho que você sente
6 Isso é o que você acha que eu sinto
7 Isso é o que eu quero que aconteça
8 Isso é o que você quer que aconteça
9 Isso é o resultado final

Parceiro A *Parceiro B*

Exemplo de leitura

1 Valete de Paus Eu penso que sou criativo e tenho confiança em mim mesmo.
2 A Estrela Você pensa que é inspirador e idealista.
3 A Imperatriz Eu me sinto vibrante e maternal.
4 Cinco de Espadas Você sente que precisa se defender das pessoas.
5 Cavaleiro de Paus Eu acho que você se sente sexy e sedutor.
6 O Carro Você acha que eu me sinto competitivo e seguro de mim mesmo.
7 Oito de Copas Eu quero buscar coisas melhores.
8 Seis de Paus Você quer alcançar o sucesso.
9 Rainha de Espadas O resultado final é que nós devemos chegar ao cerne do problema e resolvê-lo.

Segredos

Nós muitas vezes escondemos nossos sentimentos até de nós mesmos. Esta tiragem solitária revela seus verdadeiros sentimentos com relação a si mesmo e ao seu parceiro.

Tiragem dos Segredos

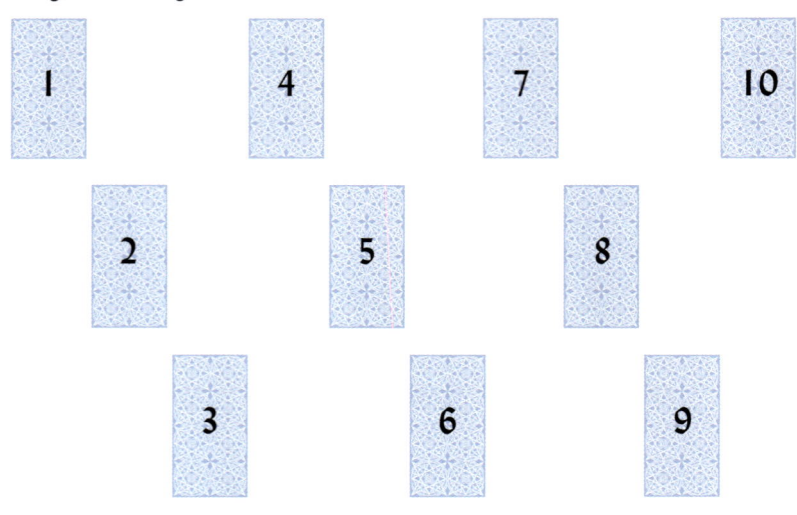

1 Meu desejo secreto para mim mesmo
2 Meu medo secreto para mim mesmo
3 Minha arma secreta para mim mesmo
4 Meu sentimento secreto (por você)
5 Meu amor secreto (por você)
6 Meu ódio secreto (por você)
7 Minha fantasia secreta (para nós dois)
8 Meu poder secreto
9 Minha vulnerabilidade secreta
10 Meu maior segredo

Exemplo de leitura

1 A Sacerdotisa Meu desejo secreto é fazer esse relacionamento avançar lentamente, ser um pouco mais enigmático e evasivo.

2 Oito de Paus Meu medo secreto é que tudo esteja avançando rápido demais.

3 A Morte Minha arma secreta é que eu posso aceitar as mudanças que devem ocorrer agora.

4 Três de Copas Meus sentimentos secretos por você são exuberantes; eu quero dançar e cantar e brincar para sempre.

5 A Lua Meu amor secreto por você é cheio de medo; não estou certo se você está me enganando.

6 A Temperança Eu secretamente odeio seu lado sensível e disposto a fazer concessões.

7 Nove de Copas Minha fantasia secreta é que façamos amor para sempre.

8 Seis de Paus Meu poder secreto é que eu posso me gabar do que sou.

9 Rainha de Espadas Minha vulnerabilidade secreta é que eu reprimo minhas emoções.

10 Os Enamorados Meu maior segredo agora é que eu quero um compromisso de longo prazo.

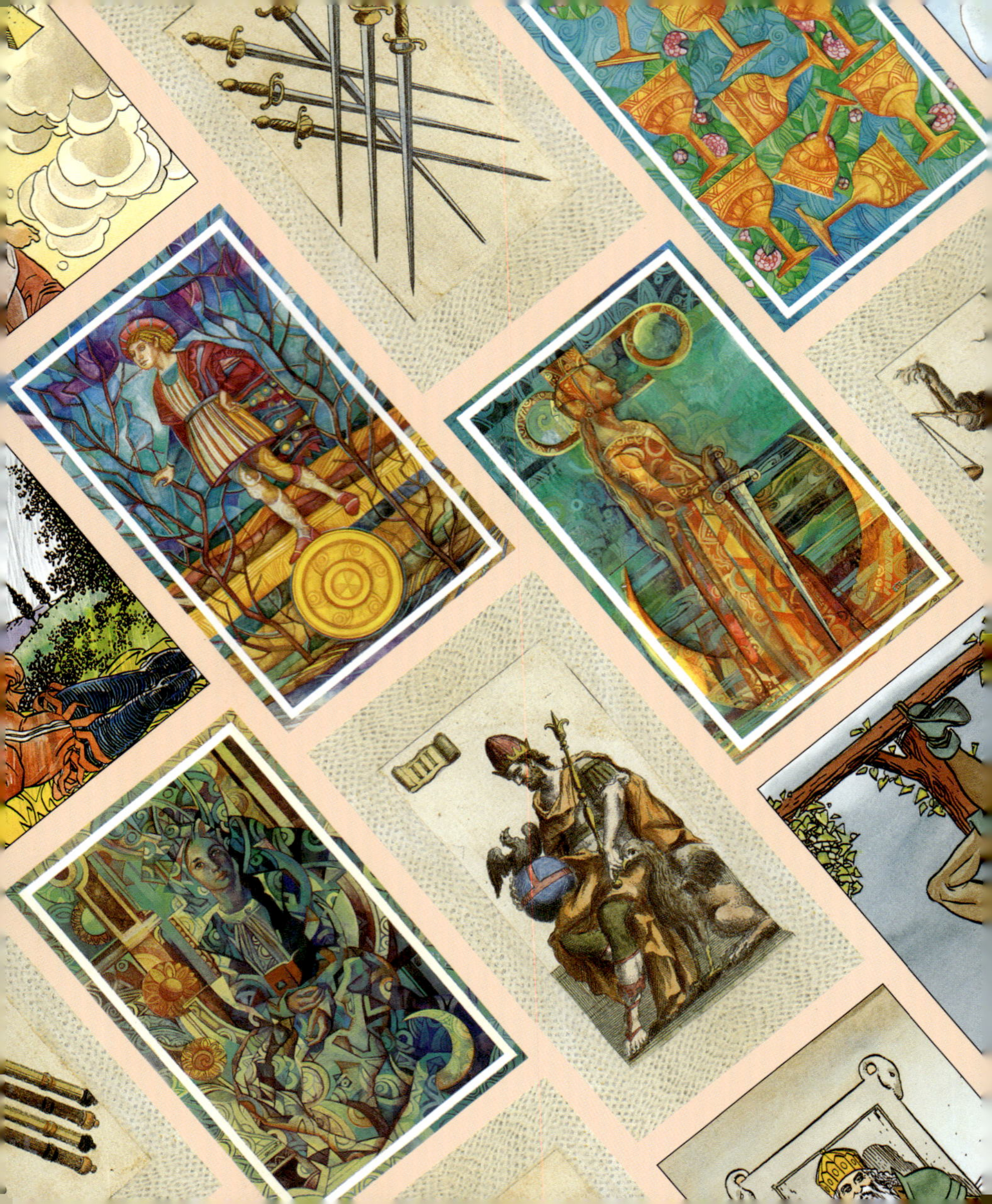

Tiragens de revelação

Como usar as tiragens de revelação

As seguintes tiragens proporcionam mais revelações sobre seu mundo pessoal. Elas tratam dos mesmos temas que você encontrou nas tiragens diárias, mas são mais detalhadas e focadas no seu desenvolvimento pessoal do que simples "exercícios". Eles revelam mais sobre você e seu mundo interior, o que instiga você, o que você realmente quer para si mesmo, e por isso lhe dão a oportunidade de assumir responsabilidade por suas próprias escolhas de vida e pelo seu crescimento. Como nas tiragens diárias e nas tiragens de relacionamentos, a arte da interpretação consiste em sempre lembrar que as cartas são um reflexo de você no momento em que faz a leitura.

Se você achar difícil combinar as ideias ou interpretar as cartas em relação a você ou seus problemas atuais, tente criar uma história em torno das cartas, e a repita em voz alta para estruturar as ideias na sua cabeça. A solução pode não ser encontrada em uma carta individual, mas na tiragem inteira.

Nesse ponto, você já deve saber embaralhar e escolher cartas aleatórias. Como nas tiragens anteriores, coloque as cartas na ordem mostrada no diagrama, e voltadas para baixo. Coloque na posição correta qualquer carta invertida e faça a leitura lentamente.

O conhecimento do seu mundo interior traz a felicidade exterior.

*Tome nota dos seus pensamentos e sentimentos
depois de fazer uma tiragem.*

Importante

Em cada tiragem há exemplos de leituras para orientar você, mas não é possível dar muitos detalhes devido ao espaço limitado deste livro. Lembre-se também de que nem todas as tiragens possuem a posições "você agora", "obstáculo" ou "futuro", às quais nos referimos na interpretação individual de cada carta. Se você escolher uma tiragem que não inclua essas posições específicas, interprete os significados principais da carta ou desenvolva o tema que a cerca para trabalhar com o assunto da sua tiragem.

Você pode usar os modelos de tiragens apresentados aqui para desenvolver suas próprias tiragens e leituras relacionadas a questões específicas.

O que estou fazendo com minha vida?

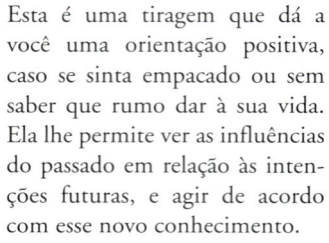

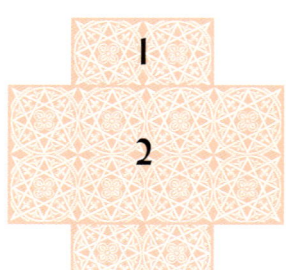

Esta é uma tiragem que dá a você uma orientação positiva, caso se sinta empacado ou sem saber que rumo dar à sua vida. Ela lhe permite ver as influências do passado em relação às intenções futuras, e agir de acordo com esse novo conhecimento.

Tiragem o que eu estou fazendo

1 Eu agora
2 Do que tenho medo
3 Influência passada – benéfica
4 Influência passada – negativa
5 Eu prometo a mim mesmo
6 Esse será o resultado

Exemplo de leitura

1 Cinco de Ouros Atualmente estou me sentindo rejeitado e abandonado.
2 A Torre Eu tenho medo de mudanças repentinas ou desdobramentos inesperados porque não estarei no controle da situação.
3 Rei de Paus Uma influência benéfica recente em mim foi uma pessoa carismática ou o sentimento de que eu poderia ser mais corajoso e motivado.
4 Nove de Espadas Uma influência negativa recente foi me sentir culpado por querer ser verdadeiro comigo mesmo.
5 Seis de Ouros Mas eu prometo a mim mesmo que vou investigar mais profundamente minhas atitudes. Estou dando demais de mim mesmo? Estou tirando demais ou esperando demais dos outros? É isso o que eu tenho que resolver.
6 O Mundo O resultado será que eu me sentirei mais íntegro e completo e poderei começar a realizar meus objetivos.

O problema, sugestão e resposta

Use esta tiragem muito simples de três cartas quando você tiver algum tipo de problema pessoal, mas não sabe o que fazer. Você pode ter uma forte consciência do que precisa corrigir: um relacionamento que vai mal, um trabalho sem perspectivas, um desejo incansável de viajar ou o medo do compromisso. A primeira carta se concentrará na raiz do problema, no que está por trás da manifestação do problema, e a segunda ajudará você a resolver a situação. Problemas são parecidos com sintomas; você deve olhar para a causa por trás do sintoma e tentar curar essa causa oculta.

Tiragem do problema, sugestão e resposta

1 Essa é a raiz do meu problema atual
2 É assim que lidarei como ele
3 A resolução

Exemplo de leitura

O problema de Liz é que ela acha entediante a companhia dos seus amigos.

1 Cinco de Espadas A raiz do meu tédio está em pensar somente em mim mesma, me isolar e definir meus interesses de maneira limitada demais. Eu não me disponho a ouvir os outros ou dar a alguém a chance de se aproximar de mim.

2 Cinco de Copas Vou lidar com esse problema aceitando que as coisas devem mudar e eu preciso abandonar meus padrões de comportamento do passado, não importa o quanto eles me inspirem segurança.

3 Rei de Copas Minha resolução é ser mais tolerante e me importar mais com os outros, abrir meus olhos para eles e conhecer novas ideias. Talvez então eu não me sinta tão entediada. Talvez eu precise aprender que meu tédio diz mais sobre mim do que sobre meus amigos.

Atitude exterior, verdade interior

Esta tiragem revela sua verdade interior e a fachada que você mostra ao mundo. Esta pode não estar necessariamente de acordo com seus sentimentos mais profundos ou intenções. Por que não? Algumas vezes tememos que, se fizermos o que realmente queremos lá no fundo, nós não seremos amados. Então talvez seja a hora de ser mais honesto com relação ao que você quer e estar preparado para lutar por isso. As cartas que cruzam as cartas da verdade interior representam a fonte de resistência (seja interior ou exterior) ou aquilo que é contrário às suas intenções interiores.

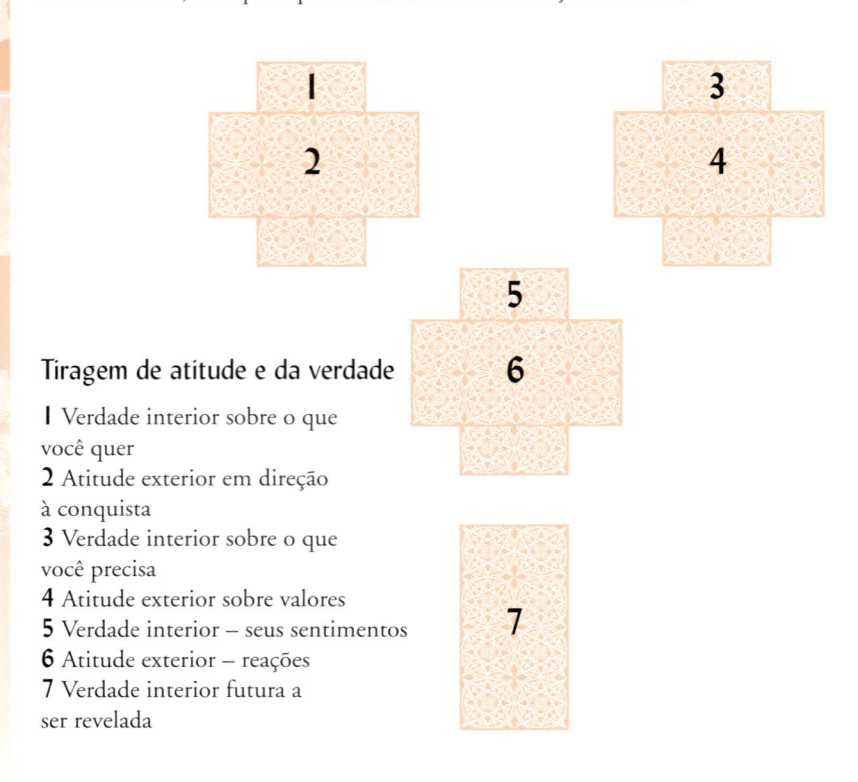

Tiragem de atitude e da verdade

1 Verdade interior sobre o que você quer
2 Atitude exterior em direção à conquista
3 Verdade interior sobre o que você precisa
4 Atitude exterior sobre valores
5 Verdade interior – seus sentimentos
6 Atitude exterior – reações
7 Verdade interior futura a ser revelada

Exemplo de leitura

1 O Mago O que você quer lá no fundo é causar um impacto, fazer alguma coisa que ninguém jamais sonhou fazer.

2 Cavaleiro de Copas Mas sua atitude exterior para a conquista não é realista e muitas vezes extravagante, então ninguém realmente acredita ou confia em você.

3 A Força O que você realmente precisa é paciência e determinação.

4 Nove de Copas Mas você parece dar mais valor ao ganho material do que à integridade pessoal.

5 Três de Espadas Lá no fundo, você se sente incrivelmente só, como se estivesse num exílio emocional.

6 Três de Paus Mas você consegue encobrir isso muito bem com sua capacidade de ser um bom exemplo ou com seus talentos de liderança.

7 Sete de Espadas A verdade interior revelada é que você deve encarar os fatos e parar de fugir da verdade. Não se iluda.

Desafios atuais, resultados futuros

Esta tiragem permite que você conheça os desafios atuais que você pode precisar enfrentar em sua vida.

Tiragem dos desafios atuais e resultados futuros

1 Desafio pessoal neste momento
2 Desafio no relacionamento neste momento
3 O que está me detendo?
4 O que me motiva?
5 Onde eu conseguirei apoio?
6 Que decisão devo tomar com base nisso?
7 O resultado

Exemplo de leitura

1 Seis de Copas Meu desafio pessoal é parar de ser tão bonzinho ou legal por ter medo de rejeição. Por outro lado, meu desafio pessoal é apreciar mais os prazeres simples da vida. (Lembre-se de que todas as cartas têm várias camadas de significados.)

2 Oito de Espadas Meu desafio no relacionamento é parar de me sentir tão cerceado ou tão vítima e descobrir clareza e direção.

3 Dez de Copas O que está me impedindo de ir em frente? Bem, provavelmente, minha crença de que os valores familiares são mais importantes do que os valores pessoais ou que eu deveria ser feliz num cenário familiar. Eu tenho um sentimento de culpa sobre isso.

4 Valete de Paus O que realmente me motiva é me aventurar e correr riscos. Eu quero liberdade.

5 Ás de Paus Onde eu vou achar apoio? Em pessoas originais, entusiasmadas, cheias de vitalidade e confiança para me apoiar. (O Ás de Paus pode não representar diretamente uma pessoa, mas o tema do Ás de Paus sugere criatividade, então, seja também criativo com sua linguagem de tarô.)

6 A Morte Que decisão eu preciso tomar com base nessas informações? Decida que agora é hora de fechar uma porta e abrir outra; aceitar que eu tenho que fazer uma grande mudança em minha vida. Parar de ser alguém que eu não sou. Liberdade pessoal é meu objetivo e minha culpa em torno da família é estar sempre bancando o "garoto ou garota de ouro" e isso está me impedindo de ser verdadeiro comigo mesmo.

7 A Sacerdotisa O resultado é que finalmente poderei revelar meus talentos ocultos e expressar minha individualidade.

O que eu preciso aprender

Todos nós temos coisas para aprender enquanto viajamos pela estrada da vida. Algumas vezes, as lições vêm uma atrás da outra; outras vezes elas mal surgem no horizonte. Essa tiragem enfoca as três áreas principais – amor, vida e carreira – para ajudar você a dar o próximo passo nessa estrada. As três cartas para cada tema podem ser lidas individualmente ou combinadas. A leitura combinada é um bom exercício para você ver a resposta completa em mais de uma carta. Lembre-se de interpretar tanto os aspectos "positivos" quanto "negativos" de cada carta; as qualidades positivas podem estar faltando ou as qualidades negativas precisam ser transformadas.

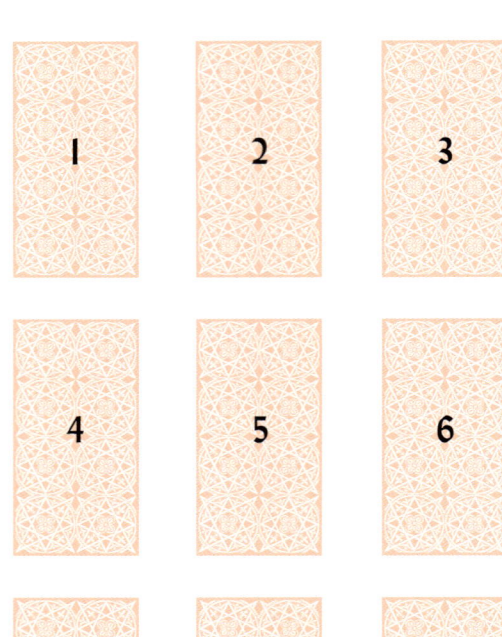

Tiragem do aprendizado

1, 2, 3 O que eu preciso aprender sobre o amor
4, 5, 6 O que eu preciso aprender sobre a vida
7, 8, 9 O que eu preciso aprender sobre minha vocação

Exemplo de leitura

1, 2, 3 Rainha de Espadas, Dez de Paus, A Justiça No amor, eu preciso aprender a ser sincero ou honesto sobre meus sentimentos; parar de achar que é meu dever fazer alguém feliz; parar de assumir a culpa por tudo que dá errado. Eu preciso aprender a assumir responsabilidade pelas minhas escolhas.

4, 5, 6 Dois de Copas, A Lua, O Eremita Na vida, eu preciso aprender que é importante perdoar e esquecer, e aceitar os outros como iguais. Eu preciso também aprender a saber a diferença entre minhas ilusões e o que eu posso realmente conseguir ou não. Eu devo procurar mais fundo dentro de mim significado e autoconsciência.

7, 8, 9 O Diabo, Oito de Copas, A Roda da Fortuna Em minha carreira, eu preciso me concentrar menos no ganho material e parar de duvidar de mim mesmo e dos meus talentos. Agora é hora de seguir em frente, expandir meus horizontes e agarrar a oportunidade que apareceu no meu caminho.

Deixando o passado para trás

Esta tiragem é ligeiramente diferente das outras, porque você deve primeiro escolher uma carta que representa a coisa, ideia, pessoa, complexo, dinâmica, sentimento ou o que quer que você queira deixar para trás. Isso faz com que você se concentre no problema em si, e significa que terá que trabalhar um pouco mais do que se simplesmente tirasse uma carta aleatória para representar um assunto que esteja "à mão".

Olhe para os 22 Arcanos Maiores separadamente e decida qual representa o seu problema. Por exemplo, se você quer esquecer um ex que continua a assombrá-la, você deve escolher os Enamorados (você não consegue deixar de desejá-lo); o Imperador (um parceiro dominante e controlador); ou o Diabo (seu parceiro era egoísta, mais interessado em dinheiro e poder do que em amor verdadeiro).

A seguir, embaralhe todas as cartas e tire normalmente as outras cinco cartas.

Tiragem do deixar partir

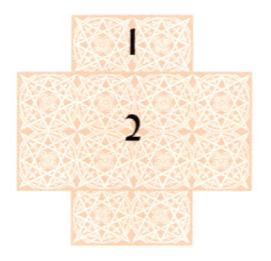

1 Eu quero deixar para trás...
2 O que está me impedindo?
3 Como seguir em frente?
4 Influências futuras a evitar
5 Influências futuras a aceitar

Exemplo de leitura

1 Eu quero parar de pensar sobre um ex que era dominador e controlador. Eu escolhi **O Imperador**.

2 Sete de Copas Eu estou me enganando ao achar que ele/ela irá voltar e será diferente. O que está me impedindo é minha própria indulgência em minhas fantasias sobre como tudo poderia ter sido diferente, a síndrome do "se pelo menos".

3 O Enforcado Eu tenho que me permitir sentir a dor, sofrer um pouco antes de seguir em frente, mas também a viver o momento e parar de me forçar a esquecê-lo(a), e então isso acontecerá naturalmente.

4 Quatro de Copas No futuro, eu preciso evitar sentimentos de apatia, reprimir minhas emoções, ser avaro com minha afeição porque não confio em ninguém.

5 Cinco de Espadas No futuro, preciso colocar minhas necessidades em primeiro lugar e prestar atenção ao número um. Trocar ideias com novas pessoas. Concentrar-me no que faz com que me sinta bem e considerar que o fim dessa relação era necessário para eu me tornar eu mesmo.

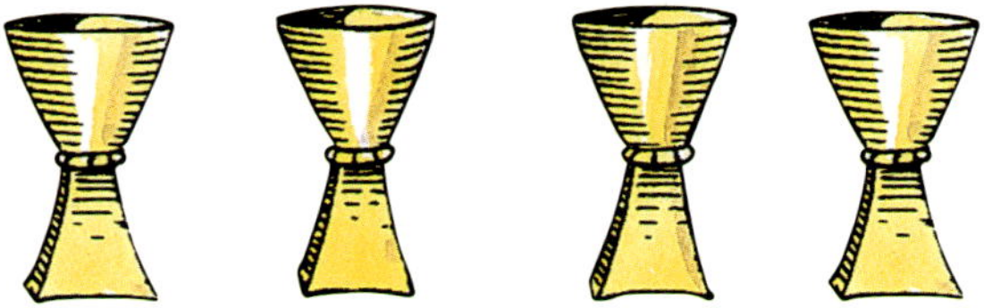

Dissipando dúvidas e medos

Esta tiragem é útil quando você não sabe o que dissipar, mas tem a sensação de que alguma coisa não vai indo bem para você. Ela permite que você se analise e veja o melhor meio de lidar com medos e dúvidas que estão assombrando seu porão psicológico.

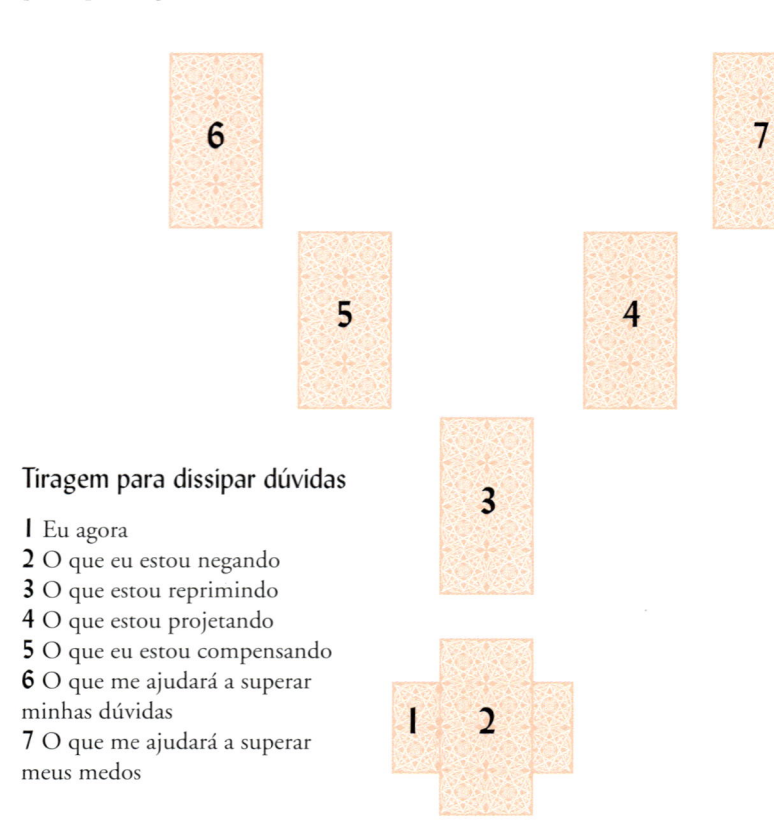

Tiragem para dissipar dúvidas

1 Eu agora
2 O que eu estou negando
3 O que estou reprimindo
4 O que estou projetando
5 O que eu estou compensando
6 O que me ajudará a superar minhas dúvidas
7 O que me ajudará a superar meus medos

Exemplo de leitura

1 Ás de Copas Estou me apaixonando e é assustador.

2 Seis de Paus Aparentemente esta carta indica que eu não me sinto bem comigo mesmo, então como alguém vai me amar? Essa possibilidade simplesmente não existe. Como assim, baixa autoestima? Besteira, eu me sinto ótimo. (Na verdade, estou em negação, não vou admitir que eu de fato tenho baixa autoestima.)

3 Cavaleiro de Espadas O que eu estou reprimindo é meu desejo de mergulhar de cabeça nessa relação. Eu sei que me sinto dessa maneira, mas meu julgamento interior diz que é perigoso mergulhar tão fundo, então eu represo esse desejo.

4 O Imperador O que eu estou projetando neste momento é que eu preciso estar no controle. De fato, estou convencido de que a pessoa por quem estou apaixonado certamente tentará me controlar se eu me envolver.

5 Três de Copas Estou compensando minha paixão bancando o indiferente.

6 O Carro O que me ajudará a superar minha dúvida em mim mesmo é me concentrar no que eu quero mais do que no que eu temo.

7 Ás de Espadas O que me ajudará a superar esses medos é analisar a situação e ver através das minhas ilusões. Na verdade, é por isso que estou usando esta tiragem; depois disso eu poderei deixar de lado essas dúvidas e medos e apenas aproveitar essa paixão!

| 1 | 2 | 3 | 4 | 5 | 6 | 7 |

Como eu encontro o amor?

Algumas vezes, estamos sozinhos e acreditamos que nunca seremos amados. Cercamo-nos de ilusões sobre quem deveríamos ser ou como nós deveríamos agir para que possamos ser amados. Na verdade, queremos ser qualquer coisa que não seja nós mesmos. Esta tiragem permite que você explore que tipo de amor você precisa neste momento e como vai encontrá-lo.

Tiragem para encontrar o amor

1 Você agora
2 O tipo de amor de que precisa
3 O que precisa expressar
4 O que precisa dar
5 O que precisa pegar
6 Como encontrará o amor

Exemplo de leitura

1 Oito de Paus Tudo está em suspenso com você neste momento, mas você está desesperado para iniciar um relacionamento amoroso.

2 Rei de Copas Você precisa neste momento de alguém que se importe com você ou que possa curar feridas emocionais.

3 A Imperatriz O que você deve expressar é sua apreciação pela beleza e a natureza. Deixe fluir sua sensualidade nata.

4 Dois de Ouros O que você precisa dar é sua descontração.

5 Dez de Ouros O que você deve pegar é a chance de ser feliz a longo prazo.

6 O Hierofante Você encontrará o amor em grandes grupos de pessoas, religiões convencionais, eventos culturais, cursos.

Tomando decisões

Todos precisamos tomar decisões, mas muitas vezes as adiamos ou oscilamos entre várias soluções ou escolhas. Esta tiragem abre seus olhos para os vários fatores envolvidos e aponta o caminho para o resultado dessa decisão. Mas fica a seu critério tomá-lo ou não.

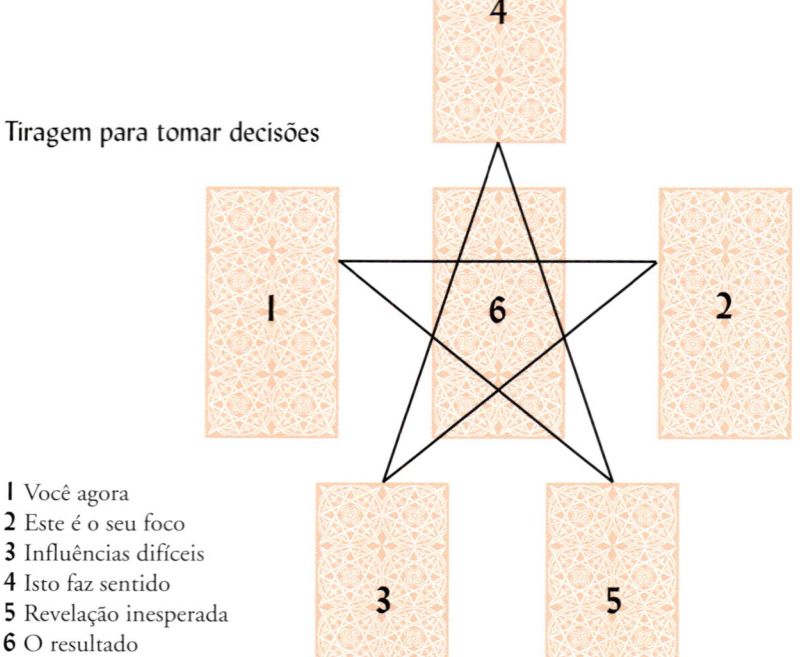

Tiragem para tomar decisões

1 Você agora
2 Este é o seu foco
3 Influências difíceis
4 Isto faz sentido
5 Revelação inesperada
6 O resultado

Exemplo de leitura

1 Ás de Paus Você está em ponto de bala e ansioso para tomar uma decisão. Você não quer perder tempo.

2 A Sacerdotisa Concentre-se na sua intuição. Ela está provavelmente muito aguçada neste momento.

3 Três de Ouros Evite envolver outras pessoas em suas decisões. Não se apoie no trabalho de equipe.

4 Nove de Ouros É mais sensato confiar em si mesmo e se apegar às suas crenças pessoais.

5 Valete de Copas Uma revelação inesperada virá de um amigo mais jovem, um colega atraente, uma reação instintiva.

6 A Força O resultado será que você terá a força interior para fazer de sua decisão um sucesso.

O sete místico

Baseado na tiragem da Cruz Celta (veja página 332), o Sete Místico confere a você revelações do passado, do presente e do futuro. Ela pode ser usada para uma análise direta do que está acontecendo em sua vida neste momento e das consequências de suas intenções e ações.

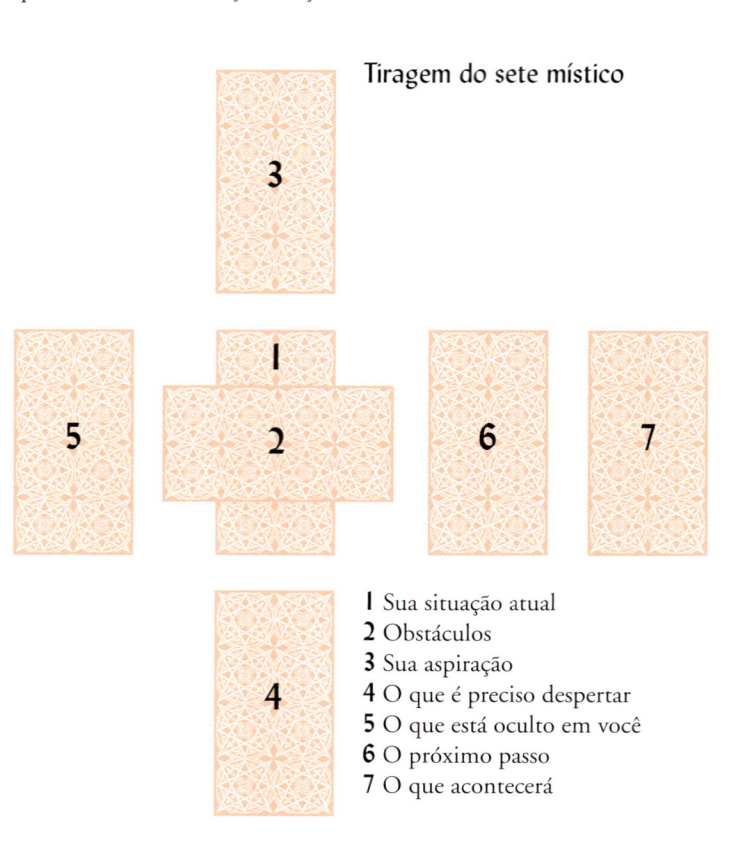

Tiragem do sete místico

1 Sua situação atual
2 Obstáculos
3 Sua aspiração
4 O que é preciso despertar
5 O que está oculto em você
6 O próximo passo
7 O que acontecerá

Exemplo de leitura

1 Cinco de Copas Atualmente, você está passando por algum tipo de perda. Pode ser qualquer coisa: dinheiro, um bem material, um trabalho, uma ideia, um sonho ou uma crença, um relacionamento. Você tem que lidar com essa perda, mas alguma coisa está obstruindo você.

2 Rei de Espadas O obstáculo em seu caminho são seus próprios valores rígidos ou um amigo, parceiro, colega ou chefe que tem princípios muito elevados.

3 Valete de Ouros Sua aspiração neste momento é prosperidade e resultados práticos. Você se vê como uma pessoa experiente.

4 A Temperança O que é preciso despertar é sua capacidade de alcançar equilíbrio e harmonia em todos os aspectos da vida, não apenas na conquista material.

5 A Justiça O que está oculto em você é que a justiça foi feita.

6 Três de Copas O próximo passo é expandir os horizontes, compartilhar suas ideias, aproximar-se de novos amigos com os quais você possa estabelecer uma ligação ou fazer um trabalho.

7 O Louco O resultado é que este pode ser o início da sua própria busca pessoal e da libertação dessa sensação de perda.

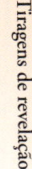

Desvendando a mim mesmo

Esta é outra tiragem para ajudar você a conhecer e compreender você mesmo e suas motivações.

Tiragem desvendando a mim mesmo

1 Eu sou assim agora
2 Isto é o que me incomoda
3 Isto é o que eu gosto em mim
4 Isto é o que eu não gosto em mim
5 Meu talento
6 Minha tentação
7 Minha busca pessoal
8 Meu anjo guardião atual

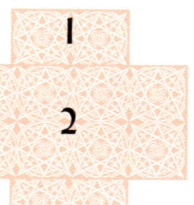

Exemplo de leitura

1 O Mago Neste momento, estou agindo, sei o que estou fazendo e me sinto bem com isso.

2 A Lua Meus medos e ilusões me incomodam.

3 Dois de Espadas O que eu gosto em mim é minha capacidade de me manter tranquilo quando todos em volta de mim perdem a cabeça. Eu sou uma pessoa reservada.

4 Seis de Copas O que eu não gosto em mim é meu lado sentimental.

5 Os Enamorados Meu talento neste momento é ter convicção das minhas crenças.

6 Rei de Paus Minha tentação é ser exibido.

7 Quatro de Espadas Minha busca pessoal é encontrar paz e ser mais tranquilo em relação à vida.

8 Valete de Espadas Meu atual anjo guardião é a verdade, então eu devo encará-la.

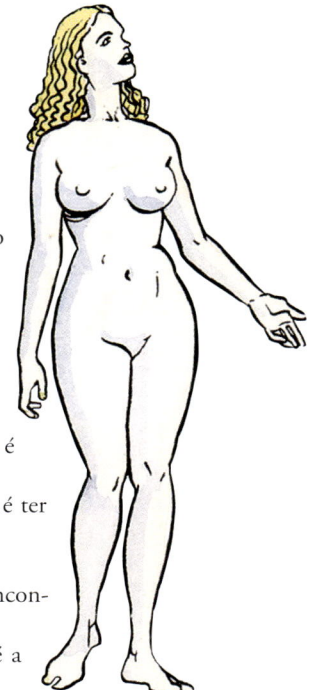

Aspirações e metas

Use esta tiragem quando você precisar de motivação, autoconfiança e segurança para seguir seus objetivos. Você pode também usá-la quando não estiver certo de que direção tomar ou estiver inseguro sobre a direção que acha melhor para você.

Tiragem das aspirações e metas

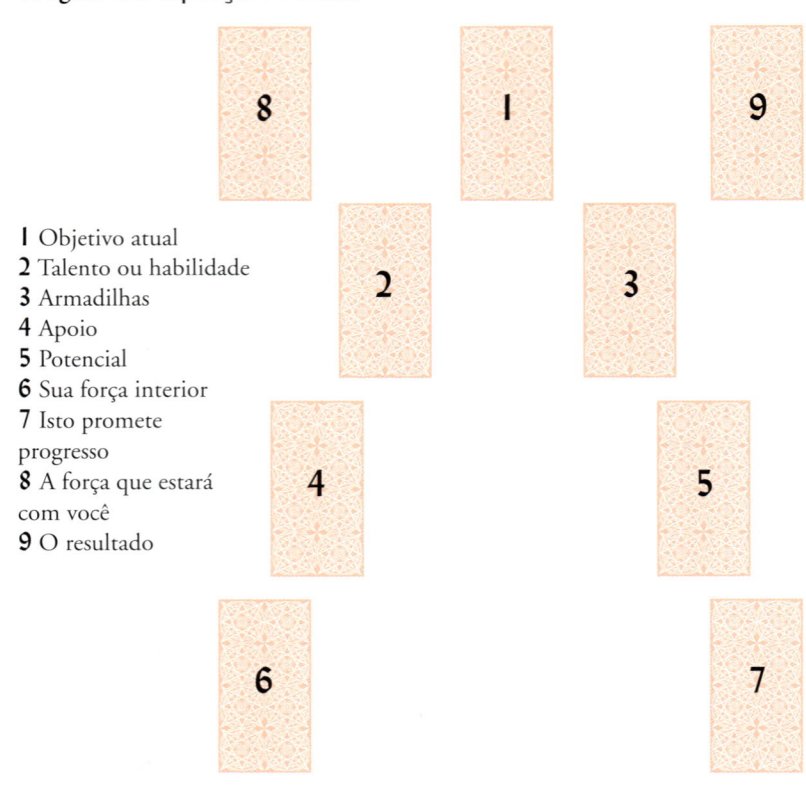

1 Objetivo atual
2 Talento ou habilidade
3 Armadilhas
4 Apoio
5 Potencial
6 Sua força interior
7 Isto promete progresso
8 A força que estará com você
9 O resultado

Exemplo de leitura
1 Cavaleiro de Copas Minha aspiração atual é seduzir alguém.
2 Cinco de Paus Meu talento ou habilidade é meu jeito sexy e provocante.
3 A Torre A armadilha, no entanto, é que tudo pode dar errado se eu pressionar demais.
4 Ás de Ouros O que irá me apoiar é ser realista sobre minhas limitações.
5 Seis de Ouros Existe potencial para dar e tirar alguma coisa.
6 O Carro Minha força interior é minha habilidade de não deixar nada me distrair.
7 A Sacerdotisa Ser um pouco enigmático vai ajudar.
8 Dez de Paus Eu devo aceitar responsabilidade pelas minhas ações.
9 Rainha de Copas O resultado parece ser sucesso emocional e felicidade sexual se eu acreditar em mim mesmo.

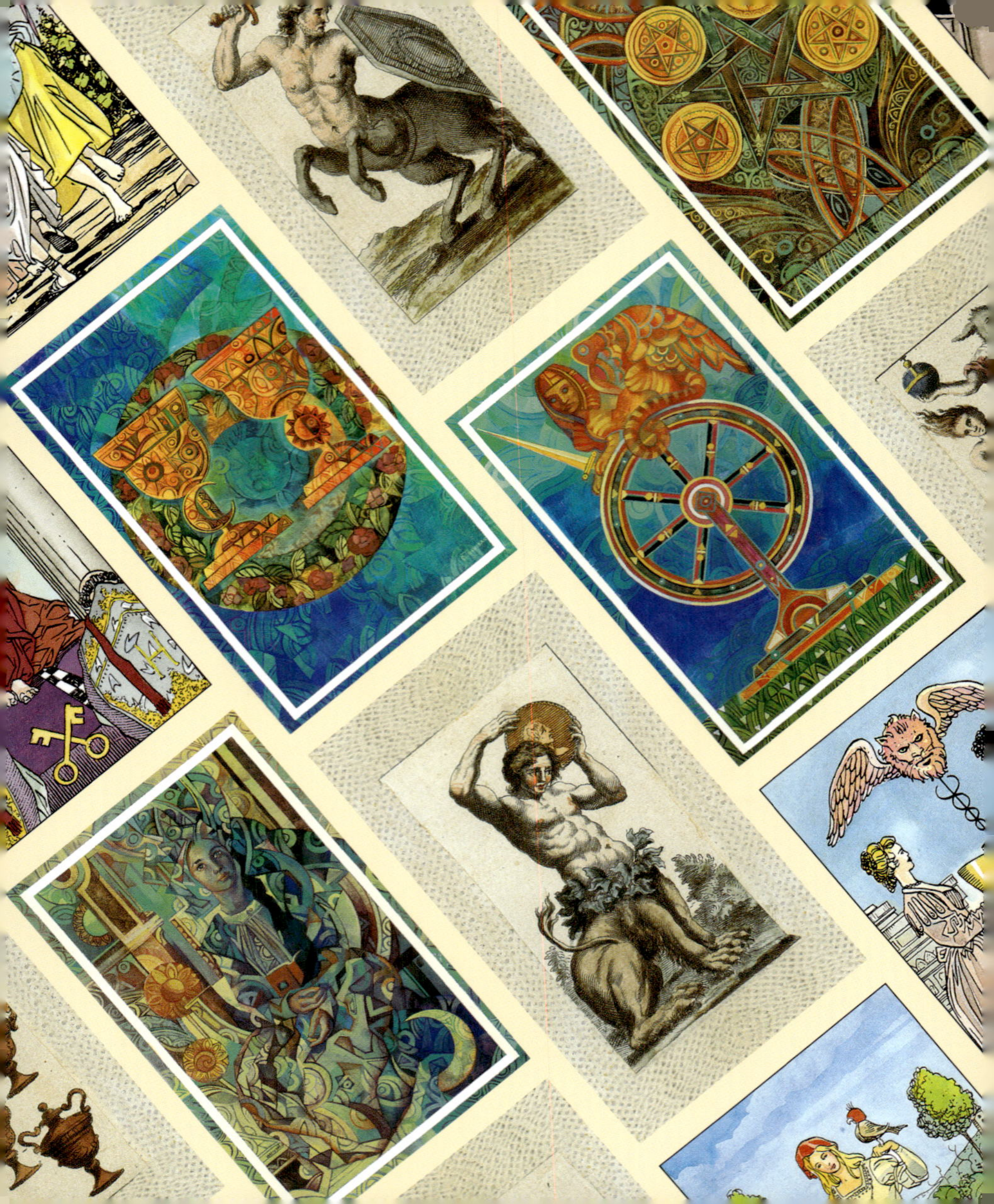

Tiragens do destino

Como usar as tiragens do destino

A maioria destas tiragens do destino são baseadas em tiragens tradicionais ou usadas com mais frequência nas artes divinatórias. Use estas tiragens para olhar com mais profundidade para problemas e assuntos do presente, do passado e do futuro.

A esta altura, você já deve saber o melhor jeito de embaralhar e escolher as cartas aleatoriamente (volte para o capítulo "Primeiros Passos" nas páginas 44-79, se você quiser refrescar sua memória). Como todas as outras tiragens deste livro, coloque as cartas na ordem mostrada no desenho, voltadas para baixo. Coloque qualquer carta invertida em sua posição correta a menos que você use cartas invertidas (veja páginas 74-75).

Todas as tiragens têm exemplos de leitura para orientar você. Lembre-se também de que nem todas as tiragens possuem as posições "você agora", "obstáculo"

O seu destino está na palma da sua mão.

ou "futuro", que são mencionadas na interpretação de cada carta individual. Se você escolher uma tiragem que não inclui essas posições específicas, interprete a carta com seu significado definitivo ou desenvolva o assunto relacionado à carta para trabalhar no tema da tiragem. Reflita sobre como as lições ou conhecimento revelados nessas tiragens maiores podem ser aplicadas em sua situação atual ou em sua jornada de vida.

Você pode usar a tradicional tiragem da Cruz Celta para qualquer questão ou problema. Essa tiragem tornou-se uma das mais populares entre os tarólogos contemporâneos.

As tiragens baseadas na astrologia ajudam você a projetar suas ideias, necessidades e crenças no futuro, de modo que possa ver como fazer mudanças ou escolhas e se adaptar. Todos queremos "saber" o que o futuro nos reserva, porque isso nos faz sentir segurança e a sensação de que estamos no controle de nossas vidas. Mas esse conhecimento é, paradoxalmente, criado a partir de seus próprios desejos interiores e decisões. Essas tiragens simplesmente o ajudam a confirmar exatamente o que já estava dentro de você, o que você quer para o seu futuro, e ajudam você a perceber que o destino é escolha sua. Como Carl Jung disse, "A vida de um homem é característica dele".

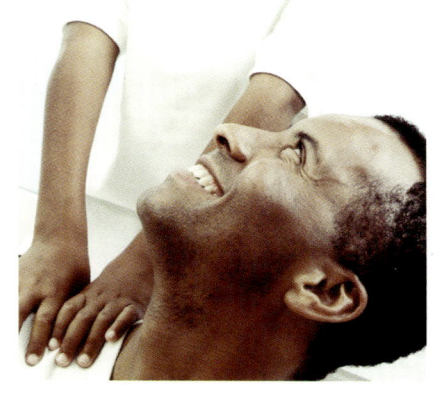

Adote um estilo de vida que reflita os seus verdadeiros valores.

Cruz Celta Tradicional

Use esta tiragem quando tiver um problema, assunto ou questão que precisa ser resolvida ou para saber em que situação você está em qualquer momento da vida. Mesmo que você só queira uma orientação ou visão objetiva da sua jornada de vida, interprete cada carta em relação à sua situação atual.

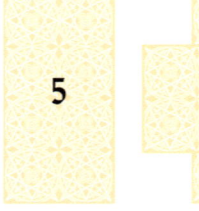

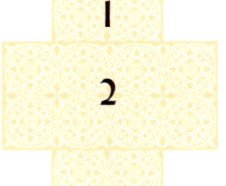

1 Você agora/cerne do problema
2 Desafio/obstáculo
3 Objetivo consciente
4 Influência desconhecida
5 Influência do passado
6 Influência de um futuro próximo
7 Recurso ou talento interior
8 Como os outros veem você
9 Esperanças e/ou medos
10 Resultado

Exemplo de leitura

O problema: parece que as coisas estão indo de mal a pior na minha vida profissional. É como se ninguém estivesse interessado em meus talentos. O que eu posso fazer?

1 Cinco de Ouros Estou me sentindo rejeitado e inseguro. Eu sei que tem alguma coisa faltando em minha vida. Eu preciso aceitar isso, mas sei que é provavelmente temporário.

2 Cavaleiro de Copas Expectativas idealistas e irrealistas demais estão me impedindo de avançar.

3 A Imperatriz Meu objetivo consciente é ser criativo e sentir que fui recompensado pelos meus esforços.

4 O Carro A influência positiva desconhecida é minha capacidade de me manter trabalhando. Eu tenho potencial e talento.

5 Sete de Paus A influência passada é que eu me lembro de como eu defendia minhas ideias e crenças, e isso é imperativo para eu ter sucesso.

6 Três de Ouros A influência de um futuro próximo é que, em breve, eu serei capaz de combinar meus talentos com os de outros.

7 Quatro de Espadas Meu recurso ou talento interior é a capacidade de me distanciar um pouco da situação e vê-la com mais objetividade.

8 Cinco de Paus Os outros me veem como uma pessoa competitiva e pronta para qualquer desafio.

9 A Estrela Eu espero desesperadamente inspirar outros e quero me sentir querido de novo.

10 Três de Copas Acreditando em mim mesmo e tendo expectativas realistas, em breve eu estarei comemorando meu sucesso.

O Zodíaco

Esta tiragem, baseada nos doze signos e casas astrológicos, dá a você uma visão de todos os aspectos de qualquer situação atual. Cada posição representa as qualidades do signo e da casa zodiacal em questão, conforme você vai passando pelo círculo zodiacal. Por exemplo, a primeira carta representa a primeira casa do zodíaco, Áries. Em outras palavras, a maneira como você vê o mundo. A segunda casa, Touro, está associada aos valores; a terceira casa, Gêmeos, à comunicação etc. Para maiores informações sobre o tarô e o zodíaco, veja páginas 356 e 363.

A tiragem do zodíaco

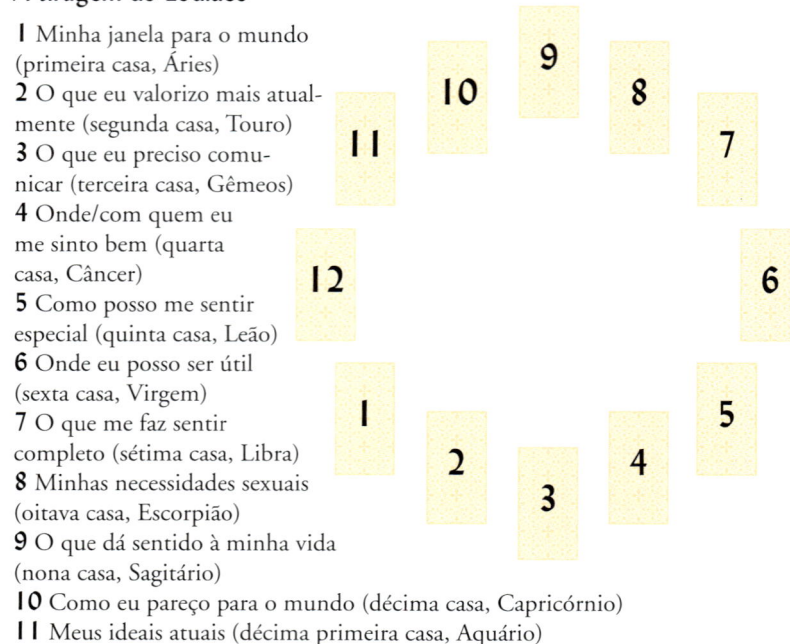

1 Minha janela para o mundo (primeira casa, Áries)
2 O que eu valorizo mais atualmente (segunda casa, Touro)
3 O que eu preciso comunicar (terceira casa, Gêmeos)
4 Onde/com quem eu me sinto bem (quarta casa, Câncer)
5 Como posso me sentir especial (quinta casa, Leão)
6 Onde eu posso ser útil (sexta casa, Virgem)
7 O que me faz sentir completo (sétima casa, Libra)
8 Minhas necessidades sexuais (oitava casa, Escorpião)
9 O que dá sentido à minha vida (nona casa, Sagitário)
10 Como eu pareço para o mundo (décima casa, Capricórnio)
11 Meus ideais atuais (décima primeira casa, Aquário)
12 Meu segredo (décima segunda casa, Peixes)

Exemplo de leitura

1 Rainha de Paus Eu vejo o mundo com um olhar positivo. Eu sou otimista e cheio de entusiasmo por tudo o que é novo.
2 O Hierofante Eu valorizo a educação e o conhecimento mais do que tudo.
3 O Diabo Eu preciso falar sobre dinheiro e poder.
4 Seis de Ouros Eu me sinto bem com aqueles que são generosos.
5 Oito de Paus Como eu posso me sentir especial? Travando conversas significativas, colocando meus planos em ação.
6 O Eremita Eu posso ser útil ajudando os outros.
7 Dois de Copas Uma ligação próxima com alguém faz com que me sinta completo.
8 Nove de Copas Nesse momento, minhas necessidades sexuais estão ligadas à satisfação dos meus sentidos.
9 Rainha de Espadas Eu posso achar um significado na vida compreendendo a natureza humana.
10 Ás de Copas Para o mundo eu pareço emocionalmente seguro.
11 O Sol Meus ideais atuais são sucesso pessoal e maior iluminação.
12 Dez de Paus Meu segredo atual é que eu me sinto preso às minhas responsabilidades e adoraria aliviar meu fardo.

Gangorra astrológica

Para esta tiragem, as cartas são lidas aos pares para permitir que você veja ambos os lados das questões que afetam a todos nós. Como você equilibra seu mundo interior pessoal com o aparente mundo exterior? Suas necessidades emocionais estão sendo atendidas pelo seu trabalho ou carreira? Seus objetivos individuais estão sendo distorcidos pelas expectativas coletivas? Como você equilibra as rotinas e rituais da vida comum com suas esperanças espirituais, sonhos e desejos secretos?

Tiragem da Gangorra Astrológica

1 e 2 Quem você é, o que projeta nos outros
3 e 4 Valor pessoal, reunir recursos
5 e 6 Foco atual, sentido da vida
7 e 8 Necessidade emocional, imagem externa/sucesso
9 e 10 Objetivo individual, expectativa coletiva
11 e 12 Realidade do dia a dia, seu mundo secreto

Exemplo de leitura
1 e 2 Seis de Espadas, Valete de Paus Atualmente, estou saindo de uma rotina, deixando para trás alguns maus momentos e me sinto mais positivo com relação à direção que estou tomando, mas é um trabalho duro. Todo mundo parece estar irritado, com quatro pedras na mão e mais interessado em si mesmo do que em mim. O que eu estou projetando? Meu próprio desejo por um estilo de vida mais apaixonado. É melhor assumir que isso é uma projeção e seguir com a vida!

3 e 4 O Hierofante, a Rainha de Paus Meus valores pessoais são muito convencionais. Neste momento, eu sigo as regras no que diz respeito a dinheiro. Isso beneficia a reunião de recursos. Meu parceiro/colega de trabalho e eu estamos entusiasmados com a ideia de sermos criativos com nossas finanças.

5 e 6 Sete de Espadas, o Mundo Neste momento, sou um lobo solitário, do ponto de vista intelectual e não compartilho o que sei. O Mundo indica que eu preciso expandir meus horizontes em vez de ter a mente estreita.

7 e 8 A Lua, Dois de Paus Emocionalmente, estou um pouco perdido e um tanto assustado. Eu mostro uma imagem ousada e de comando para disfarçar minha vulnerabilidade. Eu não devo negligenciar minhas necessidades para satisfazer meu anseio de poder pessoal.

9 e 10 Ás de Copas, os Enamorados Eu adoraria ser mais autossuficiente, mas todo mundo me vê como parte de um casal.

11 e 12 Dez de Copas, Quatro de Ouros Superficialmente, eu levo uma vida convencional, mas em meu coração eu gostaria de não ter que me preocupar com o ganho material.

Tiragem Cigana

Esta tiragem proporciona muitos elementos com as quais você pode ligar passado, presente e futuro. Muito usada pelos ciganos do passado, esta é uma das tiragens mais detalhadas, pois cobre todos os aspectos da sua vida.

Nota Você pode ler as três fileiras de cartas, da esquerda para a direita, representando passado, presente e futuro; ou ler as sete colunas, divididas em temas: trabalho – passado, presente e futuro; lar – passado, presente e futuro, e assim por diante, como mostrado aqui.

	I	II	III	IV	V	VI	VII
C	15	16	17	18	19	20	21
B	8	9	10	11	12	13	14
A	1	2	3	4	5	6	7

A tiragem cigana

A O passado
B O presente
C O futuro

I Trabalho/perspectivas
II Lar/necessidades
III Sorte/desejos
IV Amigos/apoio
V Amor/sexo
VI Planos/objetivo
VII Busca pessoal

Exemplo de leituras

Trabalho (I)

1 O Louco No passado, eu me arrisquei para estar onde estou agora.

8 Sete de Ouros No presente, eu devo reservar um tempo para fazer um balanço e reavaliar aonde estou indo.

15 Seis de Copas No futuro, um período criativo vai começar e eu poderei aproveitar os frutos do meu trabalho.

Lar/necessidades (II)

2 Valete de Espadas No passado, eu fui muito insensível com as necessidades de outra pessoa, pensando apenas em mim mesmo.

9 Quatro de Ouros Neste momento, eu estou me agarrando ao conhecido, porque parece mais seguro e eu não quero mudanças.

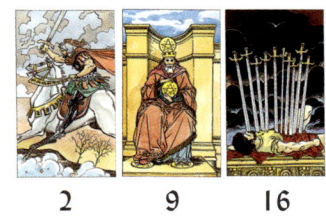

16 Dez de Espadas Em breve, saberei o quanto fui exagerado com relação a tudo isso. As coisas estão começando a se esclarecer.

Sorte/desejos (III)

3 Dez de Copas No passado, eu era realmente feliz, tinha uma boa vida familiar e tudo o que eu queria.

10 Cinco de Paus Neste momento, parece que tudo é uma batalha; sempre encontro oposição aos meus desejos.

17 A Torre Em breve, eu verei a verdade, perceberei que é hora de acordar e sair do caminho batido.

O ano à frente

Esta tiragem baseia-se mais no ano astrológico do que no ano do calendário. O ano astrológico começa ao 0 grau de Áries, e como Áries corresponde a abril, nossa primeira carta representa o mês de abril, a segunda representa maio e assim por diante.

Disponha as cartas desta maneira, mas comece lendo a carta que representa o mês no qual você está no momento. Por exemplo, se fizer a tiragem no início de junho, comece lendo a terceira carta e continue seguindo a ordem.

A tiragem do ano à frente

Oportunidades e/ou missão para cada mês
1 Abril
2 Maio
3 Junho
4 Julho
5 Agosto
6 Setembro
7 Outubro
8 Novembro
9 Dezembro
10 Janeiro
11 Fevereiro
12 Março

| 3 | 4 | 5 | 6 | 7 | 8 | 9 |

Exemplo de leitura

3 Junho **A Imperatriz** Assuntos maternais – gravidez, criatividade, sentir conexão com a natureza. A missão é dar à luz alguma coisa!

4 Julho **Seis de Paus** Oportunidade para conseguir algum tipo de sucesso. Mas procure não ser arrogante.

5 Agosto **Os Enamorados** Relacionamentos serão importantes. Você estará numa cruzada pela paixão.

6 Setembro **O Julgamento** Você tem a chance de começar de novo ou reconhecer sua verdadeira vocação.

7 Outubro **Quatro de Ouros** Oportunidades financeiras. Tenha cuidado para não ser controlador ou possessivo.

8 Novembro **Rei de Espadas** Conhecerá alguém com altos padrões, ou um bom comunicador. Ele pode ser útil.

9 Dezembro **Dez de Ouros** Seus planos para o futuro começam a decolar. Você está passando por uma maré de sorte. Não desista de seus planos.

Os chakras

Segundo as tradições espirituais orientais, a energia flui através do nosso corpo por meio de sete centros energéticos principais conhecidos como chakras. Algumas vezes, sabemos intuitivamente que esse fluxo de energia não está equilibrado, que alguma coisa está errada. Não conseguimos progredir em nossa carreira ou nunca conseguimos encontrar o par perfeito. Usando o tarô, você pode determinar qual chakra pode estar bloqueado e qual pode ser a causa oculta para o seu desequilíbrio.

Esta tiragem é também ótima para localizar qualquer bloqueio psicológico desconhecido e o que precisa ser expresso ou trabalhado.

A tiragem dos chakras

1 Chakra da base ou da raiz
2 Chakra do sacro
3 e 4 Chakra do plexo solar
5 Chakra do coração
6 e 7 Chakra da garganta
8 e 9 Chakra do terceiro olho
10 Chakra da coroa

Exemplo de leitura

O exemplo de leitura a seguir mostra cartas e interpretações apenas para os quatro primeiros chakras, mas define a área que concerne a todos os sete.

Estou muito negativo com relação a tudo neste momento.

1 O chakra da raiz está relacionado ao seu senso de estabilidade e instinto básico de sobrevivência. **Rainha de Espadas** Atualmente, estou alerta e bem estável mentalmente; então, qual é o problema?

2 O chakra do sacro relaciona-se com a sexualidade e os sentimentos. **O Diabo** Estou acorrentado às minhas ilusões. Esse chakra precisa ser purificado? Talvez eu não esteja expressando minhas necessidades sexuais ou emocionais para alguém.

3 e 4 O chakra do plexo solar está ligado ao estado do seu ego. **Dez de Copas, Nove de Ouros** Meu ego está bem forte, mas eu preciso assumir o compromisso de cuidar do meu mundo interior.

5 O chakra do coração está ligado à compaixão e com o carinho consigo mesmo. **Nove de Copas** Confio muito em mim, mas não estou realmente preocupado com o sentimento dos outros; talvez eu deva ser mais amoroso e isso ajudará a eliminar minha própria negatividade. Essa é a verdadeira origem do meu problema.

6 e 7 O chakra da garganta está relacionado ao modo como você se comunica.

8 e 9 O chakra do terceiro olho está ligado à intuição e aos processos intelectuais.

10 O chakra da coroa é a sua ligação com o divino e com o seu eu espiritual.

Projeção

As qualidades ou problemas que você projeta consciente ou inconscientemente no mundo à sua volta são revelados nesta tiragem. Um exemplo de projeção é quando você não percebe que tem talento para cantar, então se apaixona por um astro do rock que expressa para o mundo seu próprio talento para você. Isso acontece também de uma maneira negativa, sombria. Por exemplo, você pode odiar pessoas que fazem piadas o tempo todo. Reconheça que talvez seja você que precise expressar o lado espirituoso que existe dentro de você.

Nota Você deve usar apenas os Arcanos Maiores e as cartas da corte nesta tiragem, para uma interpretação mais profunda.

Tiragem da projeção

1 Como eu me vejo neste momento
2 O que eu não consigo ver em mim
3 e 4 Testes e limites
5 e 6 Pessoas e relacionamentos
7 e 8 Objetivos e ideais
9 e 10 Desejos e sonhos
11 e 12 O que está por vir, o que está para ir
13 Resultado

Exemplo de leitura

1 Valete de Paus Eu me vejo como um espírito livre, cheio de entusiasmo e capaz de fazer quase qualquer coisa.

2 Rainha de Ouros O que eu não vejo é que estou sempre tentando fazer outra pessoa feliz, e não eu mesmo.

3 e 4 A Roda da Fortuna, O Eremita Eu preciso assumir um risco, fazer escolhas e seguir adiante.

5 e 6 O Imperador, Cavaleiro de Copas Eu atraio pessoas poderosas para a minha vida neste momento. Estou expressando meu próprio poder? Acredito no parceiro perfeito? O que isso me diz sobre meu próprio senso de perfeição ou inadequação?

7 e 8 O Carro, Rainha de Paus Para alcançar meus objetivos, eu terei que expressar esse espírito independente, em vez de deixar os outros agirem por mim.

9 e 10 A Torre, Valete de Espadas Eu devo fazer alguma coisa positiva em vez de projetar nos outros meu desejo de mudança.

11 e 12 Os Enamorados, O Enforcado O que está por vir – assumir responsabilidade pelas minhas escolhas. O que está para ir – depender dos outros para ser feliz.

13 A Força Eu terei força e coragem para fazer as mudanças necessárias para alcançar meus objetivos.

A lista de desejos

Com esta tiragem, você irá descobrir como tornar realidade o futuro dos seus sonhos. Diferente da maioria das outras tiragens, nesta você escolhe as primeiras sete cartas. Olhe o baralho e decida qual carta você sente que é relevante para cada um dos seus sonhos ou desejos para o futuro. Como você se vê daqui a um ano?

Pense nessas ideias claramente antes de começar a escolher as cartas. Independentemente das cartas que escolher, você precisa "sentir" que elas representam ou indicam seus desejos específicos. Tudo é possível e você pode fazer sonhos se tornarem realidade se acreditar verdadeiramente em si mesmo. Então qual é o "você" ideal: solteiro, mas cercado de amigos? Ou casado e começando uma família? Numa profissão altamente rendosa ou num estilo de vida alternativo?

Escolha as últimas sete cartas aleatoriamente, depois embaralhe-as e coloque cada uma delas, voltadas para baixo, ao lado das cartas escolhidas, pois elas lhe farão uma revelação ou indicarão a direção necessária para fazer esses sonhos se tornarem realidade.

Tiragem da lista de desejos

1 Meu futuro ideal é...
2 Onde eu quero estar nesta época no próximo ano
3 Com quem eu quero estar nesta época no próximo ano
4 Família ou independência?
5 O que eu quero conquistar
6 O que eu quero aprender
7 O que eu quero deixar para trás
8, 9, 10, 11, 12, 13, 14 Revelações para fazer esses desejos se tornarem realidade

Exemplo de leitura

1 Digamos que você tenha escolhido a carta **Os Enamorados** para "seu futuro ideal". Você quer o relacionamento ideal e estar apaixonado. Como tornar isso real? Bem, a carta que você escolheu aleatoriamente para a posição oito lhe revelará como concretizar esse sonho. Digamos que tenha escolhido aleatoriamente o **Dez de Ouros**. Isso significa que você vai realizar seu futuro ideal por meio de associações convencionais, instituições materiais ou financeiras, organizações ou associações de negócios, onde você vai encontrar o seu par ideal.

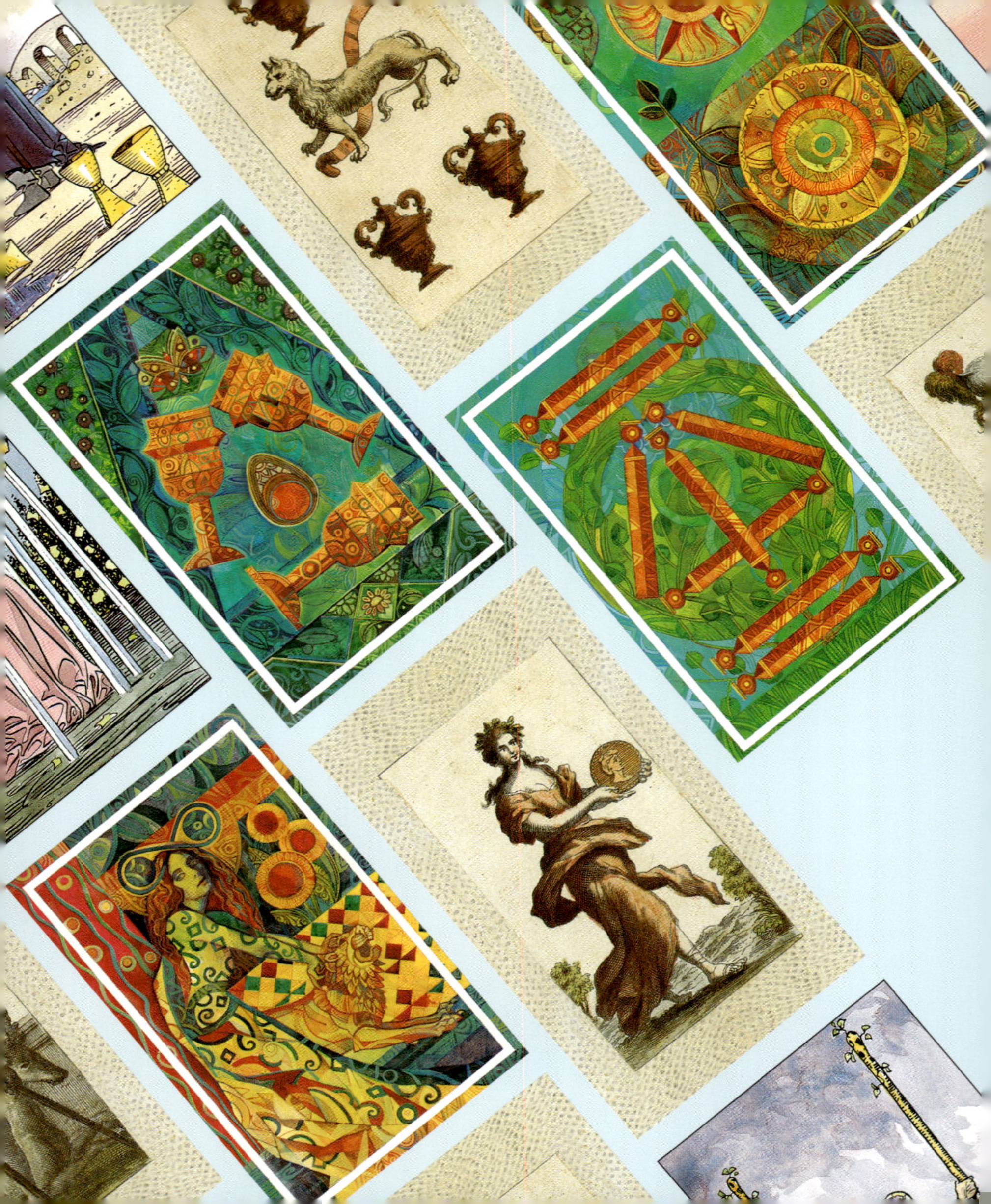

Desenvolva habilidades e o seu conhecimento

Vá mais fundo

Depois que estiver um pouco mais familiarizado com as cartas do tarô, você pode começar a ampliar seu conhecimento combinando outras técnicas divinatórias para acrescentar elementos extras às suas leituras. O tarô tem associações muito próximas com a astrologia, a Cabala e a numerologia. Essas artes antigas são parte da mesma tapeçaria tecida com a riqueza de símbolos e energias arquetípicas que permeiam a vida.

Você pode introduzir qualquer uma dessas habilidades extras às suas leituras a qualquer momento. Pode achar que alguns não se encaixam no seu trabalho pessoal ou dificultam a leitura do tarô, pois não ajudam a esclarecer a interpretação das cartas. Mas é muito útil ver como essas correspondências funcionam. A meditação é também uma ótima forma de aprender sobre o tarô de uma perspectiva diferente, pois ela permite que você entre no mundo do tarô em vez de se sentir como um observador externo, contemplando uma vida que não é a sua.

Criar suas próprias tiragens também é muito importante no desenvolvimento de suas habilidades como tarólogo. Isso permite que você brinque com números e com a geometria, as chaves para a interpretação dos símbolos. Você aumenta suas habilidades e faz perguntas e afirmações que vêm do fundo do coração, em vez de apenas seguir as instruções de um livro.

Por fim, a breve seção sobre como interagir com outras pessoas ajudará você a aprender como compartilhar suas ideias, e compreender como você atua num pequeno grupo – o reino arquetípico do tarô atuando no coletivo e não simplesmente no indivíduo.

Magia do Tarô

Escolha a carta que mais corresponde ao feitiço que você quer fazer. Acenda uma vela e coloque-a perto da carta, com a imagem voltada para cima. Concentre-se na carta por alguns minutos, repita o nome dela três vezes e o feitiço está lançado.

Cartas e velas para encantamentos

CARTA	VELA	ENCANTAMENTO
O Louco	Branca	Para novos começos, crianças, criatividade
O Mago	Amarelo	Para comunicação, proteção contra a ilusão
A Sacerdotisa	Lavanda	Para segredos, mulheres, espiritualidade
A Imperatriz	Rosa	Para casamento, fertilidade, lealdade, verdade
O Imperador	Azul-escuro	Para sucesso, fortalecimentos, assuntos de carreira
O Hierofante	Roxo	Para sabedoria, encontrar objetos perdidos
Os Enamorados	Verde	Para feitiços de amor, sexo, romance
O Carro	Vermelho brilhante	Para viagem, mudanças de casa, autoconfiança
A Força	Vermelho-escuro	Para paciência, superar limitações
O Eremita	Prateada	Para integridade pessoal
A Roda da Fortuna	Laranja	Para assuntos dinheiro, boa sorte
A Justiça	Cinza	Para tomar decisões, negociações
O Enforcado	Verde-escuro	Para aceitar a si mesmo, abandonar vícios
A Morte	Marrom-escuro	Para se livrar de bagagem emocional, novos começos
A Temperança	Lilás	Para acalmar sentimentos, novas perspectivas, conter paixões
O Diabo	Ocre	Para superar o medo e a dúvida em si mesmo
A Torre	Baunilha	Para ética, sexualidade, proteção
A Estrela	Amarelo-claro	Para fama, reconhecimento
A Lua	Branco-amarelado	Para beleza, paz, atração
O Sol	Dourado	Para felicidade, energia, criatividade
O Julgamento	Índigo	Para perdão, libertação
O Mundo	Multicor	Para autoconfiança, novas ideias, viagem

Numerologia

Muitas culturas antigas acreditavam no significado e no poder dos números, particularmente os gregos e os hebreus, que desenvolveram os sistemas usados hoje na numerologia.

O matemático e filósofo grego Pitágoras escreveu, no século VI a.C., que "os números são a base de toda a natureza". Segundo essa teoria, tudo era simbolizado ou reduzido a um único dígito numérico. Os números não tinham apenas um significado matemático, mas eram o centro de tudo o que existia no universo. Eles eram a chave para toda a sabedoria. Os números primários de um a nove vibram cada um numa frequência diferente, e essas vibrações ecoam pelo universo. Essa "música das esferas" era uma expressão dos corpos celestes, que tinham seus próprios valores numéricos e vibrações harmônicas. Vários símbolos são usados por diferentes culturas para simbolizar os números, mas o sistema pitagórico, baseado nos nove números primários, é o mais comum.

Numerologia e o tarô

O tarô é rico em valor e significado numérico. Os Arcanos Maiores consistem num estranho número de cartas – por que 22 cartas? O número 22 é conhecido por ser o número mais perfeitamente equilibrado. Diz-se que ele traz em si a evolução espiritual; sucesso terreno; a união de razão, intelecto, visão, sentimento e habilidade. Ele combina todos esses elementos em equilíbrio.

Note que as cartas da corte de cada naipe geralmente recebem valores como: Valete = 4, Cavaleiro = 3, Rainha = 2, Rei = 1.

Valete *Cavaleiro* *Rainha* *Rei*
(quatro) *(três)* *(dois)* *(um)*

Usando números nas leituras de tarô

Como cada carta do tarô tem seu próprio número, você pode usar isso de duas maneiras diferentes para dar uma outra dimensão à sua leitura. Somando todos os números das cartas escolhidas numa tiragem e reduzindo-as a um único dígito, você pode obter uma informação mais abrangente sobre a orientação a *longo prazo* de uma leitura. Esse Número Fundamental é um guia abrangente e representa o propósito da leitura em questão.

Digamos que você escolha o Seis de Paus, o Rei de Espadas, o Mago e a Imperatriz numa tiragem. Seus valores são:

6 + 1 + 1 + 3 = 11
1 + 1 = 2

O Número Fundamental é 2.

Datas específicas

Você também pode combinar o tarô e a numerologia para interpretar datas especiais, encontrar o dia mais auspicioso para organizar um evento, para se encontrar com um novo admirador ou simplesmente para mandar seu currículo.

Se você tem um dia importante que você queira checar, escreva os números que compõem essa data e some-os. Jane queria que seu casamento fosse em 17 de julho de 2007. Sua mãe sugeriu 3 de julho e sua sogra sugeriu dia 9 de agosto. Ela escreveu os três números no formato numérico:

1 + 7 + 7 + 2 + 7 = 24
2 + 4 = 6

3 + 7 + 2 + 7 = 19
1 + 9 = 10 = 1

9 + 8 + 2 + 7 = 26
2 + 6 = 8

Para encontrar o melhor dia, Jane embaralhou o tarô e então tirou da pilha a sexta carta (com a imagem voltada para baixo), seguida da primeira carta (o número seguinte), seguida da oitava carta. Então ela leu as interpretações para cada carta para determinar qual data era a melhor para o seu casamento. Você pode fazer o mesmo para qualquer data que quiser.

O que vai acontecer neste dia?

Se tiver perguntas sobre uma data específica (por exemplo, "eu começarei meu novo trabalho em 23 de fevereiro de 2007. O que eu posso esperar desse dia? Qual é a orientação a longo prazo com relação a isso?"), você pode usar a carta de tarô que tirou aleatoriamente como uma resposta para a primeira pergunta e então o Número Fundamental como uma resposta para a segunda pergunta. A data é 23 de fevereiro de 2007:

$2 + 3 + 2 + 2 + 7 = 16 = 7$

Some esse número à sua data de nascimento, por exemplo, 9 de março de 1970:

$9 + 3 + 1 + 9 + 7 = 29 = 11 = 2$
$7 + 2 = 9$

Depois de embaralhar as cartas, tire a nona carta do baralho, para descobrir o que você pode esperar desse dia. A seguir, verifique na tabela ao lado o significado do número nove para ter uma interpretação numerológica e um panorama a longo prazo.

O que cada Número Fundamental significa

NÚMERO	SIGNIFICADO
Um	O número da ação. Determinado e independente, o número um indica que você deve ser inovador e motivado para ter sucesso em seus planos.
Dois	O número das negociações. Cooperativo e descontraído, esse número está lhe dizendo que é preciso se adaptar às circunstâncias para realizar seu sonho.
Três	O número da comunicação. Expresse-se através de uma válvula de escape criativa e sua jornada de vida se beneficiará de relacionamentos divertidos.
Quatro	O número do pensamento realista. Se você é prático e confia em si mesmo, terá motivação para conquistar o que quer e pode virar qualquer situação ao seu favor.
Cinco	O número da aventura criativa. É hora de ser mais extrovertido, explorador e questionar os motivos dos outros. O lado expressivo de sua natureza lhe permitirá fazer mudanças benéficas.
Seis	O número do protetor. É hora de ser útil de alguma maneira para trazer à tona seu lado afetuoso. Entretanto, o seis também é um lembrete para não deixar que os outros decidam seu futuro.
Sete	O número do misticismo. Na sua jornada de vida, você encontrará muitas pessoas envolvidas com a cura. Você tem um talento extraordinário para compreender o mundo. Ouça sua intuição para as respostas de um dilema atual.
Oito	O número da ambição. Neste momento, você tem uma inclinação secreta para o sucesso e o poder. E se sente traído quando não alcança os resultados materiais. Faça planos, organize suas finanças e os resultados serão iguais ao seu objetivo.
Nove	O número da visão. Você tem uma perspectiva extraordinária para o futuro, mas não será fácil fazer as coisas acontecerem. Você precisa evitar promessas que não pode cumprir, e então ganhará o primeiro prêmio.

A astrologia e o tarô

O tarô incorpora uma rica fonte de correspondências astrológicas e, quando combinadas, elas proporcionam uma compreensão mais profunda de você mesmo e da leitura em questão.

Cada carta dos Arcanos Maiores corresponde a um signo solar ou planeta específico do sistema do zodíaco. O conhecimento dessas correspondências pode enriquecer as informações obtidas em qualquer leitura. Por exemplo, se a sua carta "você agora" é o Mundo, você pode ver que ela corresponde à Capricórnio. A interpretação adicional para Capricórnio pode dar a você mais revelações do significado da carta. Sendo você capricorniano ou não, essa carta também pergunta "quais qualidades de Capricórnio estão faltando ou estão acentuadas demais em sua vida neste momento?"

Com essas correspondências de signo solar e planetas, você pode obter mais revelações sobre o seu problema atual. Aprofunde essas interpretações, consultando informações mais detalhadas sobre as qualidades dos planetas e dos signos solares em livros de astrologia.

Signos solares e suas associações Cartas dos Arcanos Maiores

	SIGNO	CARTA
♈	Áries	O Imperador
♉	Touro	O Hierofante
♊	Gêmeos	Os Enamorados
♋	Câncer	O Carro
♌	Leão	A Força
♍	Virgem	O Eremita
♎	Libra	A Justiça
♏	Escorpião	A Morte
♐	Sagitário	A Temperança
♑	Capricórnio	O Diabo
♒	Aquário	A Estrela
♓	Peixes	A Lua

Planetas e suas associações Cartas dos Arcanos Maiores

	PLANETA	CARTA
☉	Sol	O Sol
☽	Lua	A Sacerdotisa
☿	Mercúrio	O Mago
♀	Vênus	A Imperatriz
♂	Marte	A Torre
♃	Júpiter	A Roda da Fortuna
♄	Saturno	O Mundo
♅	Urano	O Louco
♆	Netuno	O Enforcado
♇	Plutão	O Julgamento

Interpretações da carta do signo solar

Use as interpretações a seguir para dar mais dimensão às suas leituras de tarô.

Áries e o Imperador

Áries está relacionado a ser mais assertivo, a assumir o controle da sua vida, a mostrar quem manda. Manter o foco vai fazer você avançar agora, mas, se você já está se identificando ou se associando com essa energia ou sabe que a está expressando, então tome cuidado para não pressionar demais os outros.

Touro e o Hierofante

Touro precisa se sentir seguro. Quando você tirar esta carta, reflita se você está carente, sendo possessivo ou preocupado em obter sucesso material. Se você já está expressando essa energia, então evite ficar obsessivo com relação ao seu objetivo. Se sente que essa energia está lhe faltando, você precisa confiar mais nos fatos e cultivar seu senso de segurança interior.

Gêmeos e os Enamorados

Gêmeos confia no raciocínio e no cérebro. Então você está usando sua cabeça para tomar uma decisão ou confiando no seu coração? Se você não está expressando essa energia, então é hora de usar sua lógica. Se sua mente anda trabalhando demais, então talvez precise entrar em contato com seu coração.

Câncer e o Carro

Câncer quer fazer parte de algo. Quando tirar a carta do Carro, perceba se você sente pertencer a alguma coisa ou alguém – uma tribo, um clã, família, a pessoa amada, um círculo de amigos ou instituição? Você se apoia desesperadamente em alguém ou alguma coisa por medo de ficar sozinho? Não esconda seus verdadeiros sentimentos. Se essa energia está faltando, então é hora de abraçar alguém e sentir que você não está sozinho no mundo. Se quer se libertar, então faça isso.

Leão e a Força

Leão quer ser especial. Quando tira a Força, observe se está sob os holofotes, se gosta de ser o centro das atenções. Ou você se sente abandonado ou carente de elogios? Se essa qualidade está faltando em sua vida, seus próprios talentos e dons trarão para você a atenção que você merece. Se essa qualidade está exagerada, então tome cuidado para não presumir que os holofotes são apenas para você.

Virgem e o Eremita

Virgem é analista, mas crítico. Quando você tirar o Eremita, pergunte a si mesmo se está sendo muito crítico consigo mesmo ou se está exigindo demais de si mesmo e dos outros? Se sente que essa energia está faltando, você pode precisar de mais tempo para refletir sobre a sua vida.

Libra e a Justiça

Libra busca equilíbrio e diplomacia. Se esta energia é forte para você agora, ceder demais significa que você está abrindo mão de suas próprias crenças ou opiniões apenas para fazer os outros felizes. Se acredita que ela está faltando, aprenda a ser diplomático ao resolver um problema e seja mais civilizado na vida.

Escorpião e a Morte

Escorpião é sobre paixão e poder. Quando você tirar a Morte, saiba que o aspecto astrológico desta carta é o poder de transformar a sua vida – terminar um ciclo que não lhe serve mais e começar um novo. Mas se você se identificar muito facilmente com esta carta, observe se não está exercendo poder apenas pelo prazer que isso dá.

Sagitário e a Temperança

Sagitário é otimista e explorador. Se você tirar a Temperança, tem a chance de concretizar seus sonhos e avançar rumo aos seus objetivos. Se você se identifica muito facilmente com essa energia, então modere seus planos, repense e reformule-os antes de entrar de cabeça em alguma coisa nova.

Capricórnio e o Diabo

Capricórnio confia em si mesmo e é convencional. Você está atualmente seguindo regras tradicionais sobre como agir, se comportar ou amar a tal ponto que chega a negar seus verdadeiros sentimentos? Não deixe pensamentos sombrios dominarem você; é hora de lutar pelos direitos individuais também.

Aquário e a Estrela
Aquário é idealista e independente. Se você tira a Estrela e sente que essa energia está faltando em sua vida, é hora de acreditar em você mesmo e fazer as coisas à sua moda. Se você se identifica com essa energia independente, então tome cuidado para não tentar influenciar os outros sem pensar por um minuto nas necessidades pessoais deles.

Peixes e a Lua
Peixes é impressionável. Se você se identifica com essa energia, será que está sendo influenciado pelo que os outros dizem, fazem ou acreditam, ou consegue ver além das promessas vazias? Você está se esforçando demais para fazer alguém feliz? Se você acredita que essa qualidade está faltando em sua vida, é hora de ficar mais em contato com sua intuição e seus sentimentos.

Os planetas

O Sol (rege Leão)
Carta do tarô: o Sol

O Sol astrológico aconselha você a agir positivamente e com total confiança em suas capacidades. Mas tome cuidado para não ser arrogante ou egoísta.

A Lua (rege Câncer)
Carta do tarô: a Sacerdotisa

A Sacerdotisa astrológica aconselha você a ouvir sua intuição, esperar o momento certo de agir e não se deixar levar pelas opiniões dos outros.

Mercúrio (rege Gêmeos e Virgem)
Carta do tarô: o Mago
O Mago astrológico aconselha você a ter cuidado com a desonestidade ou picaretagens dos outros. Seja esperto e procure enxergar mais adiante, fazendo seus planos de acordo com o que vê.

Vênus (rege Touro e Libra)
Carta do tarô: a Imperatriz
A Imperatriz astrológica aconselha você a pensar sobre seus verdadeiros valores. Você está vivendo uma mentira ou o que o deixa feliz é servir as outras pessoas e estar com elas?

Marte (rege Áries)
Carta do tarô: a Torre
A Torre astrológica aconselha você a abalar o *status quo*. Saia e faça o que sabe fazer, e deixe de lado quaisquer limitações impostas pelos outros.

Júpiter (rege Sagitário)
Carta do tarô: a Roda da Fortuna
A Roda da Fortuna astrológica aconselha você a tirar vantagem de quaisquer oportunidades novas ou inesperadas. Amplie sua perspectiva e siga em frente enquanto pode.

Saturno (rege Capricórnio)
Carta do tarô: o Mundo

O Mundo astrológico aconselha você a encarar a realidade, colocar os pés no chão e aceitar o que é possível e o que não é. Você pode conquistar muito, mas terá que trabalhar duro para isso. Você não pode ter tudo o que quer sem se esforçar para isso.

Urano (rege Aquário)
Carta do tarô: o Louco

O Louco astrológico aconselha você a seguir em frente e tentar seguir em outra direção, mesmo que isso pareça um pouco arriscado. Essa é sua chance de fazer o que quer fazer e progredir.

Netuno (rege Peixes)
Carta do tarô: o Enforcado

O Enforcado astrológico aconselha você a abrir mão de sua ligação com coisas ou pessoas que não têm mais nenhum propósito para você. Você tem uma vida, então viva-a.

Plutão (rege Escorpião)
Carta de tarô: o Julgamento

A carta do Julgamento astrológico aconselha você a deixar o passado para trás, esquecer ressentimentos fúteis e abraçar o futuro. Faça a mudança agora enquanto pode e sinta-se mais livre.

Cabala

A Cabala é um antigo caminho esotérico e mágico da tradição hebraica que oferece profunda sabedoria e iluminação espiritual. A palavra *kabbalah* é derivada de uma palavra hebraica que significa "receber". O elemento central da Cabala é a Árvore da Vida, uma representação do universo que busca revelar os aspectos interconectados de toda vida.

Em meados do século XIX, Éliphas Lévi (nascido Alphonse Louis Constant), um ex-padre que virou professor e escritor, fez as primeiras associações entre a Cabala e o tarô. Ele notou que as cartas dos 22 Arcanos Maiores pareciam corresponder às 22 letras do alfabeto hebraico, que são parte dos caminhos da Árvore da Vida. Essas letras e caminhos conectavam cada carta com caminhos específicos para a iluminação. Lévi também ligou o restante do baralho de tarô a outros aspectos da Árvore da Vida.

Mesmo na sua forma mais simples, a Árvore da Vida pode oferecer um poderoso esquema para um sistema divinatório pessoal, quando usado com o tarô. Não há espaço o bastante neste livro para discutir os elementos mais profundos do uso da Cabala. Mas as seguintes correspondências e a tiragem da Árvore da Vida usando o tarô vão aprofundar seu conhecimento.

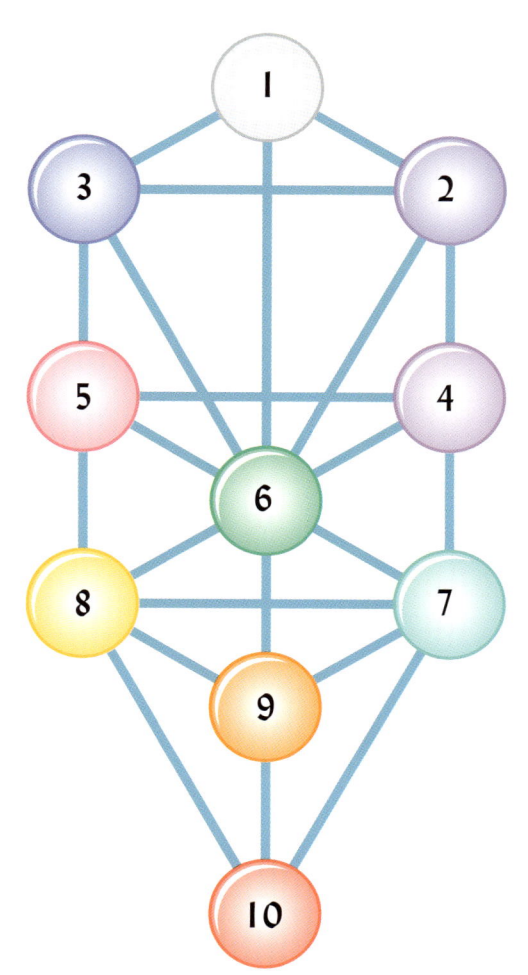

A Árvore da Vida

1 Kether (Unidade)
2 Chokmah (Sabedoria)
3 Binah (Compreensão)
4 Chesed (Dons)
5 Geburah (Desafios)
6 Tiphareth (O cerne do problema)
7 Netzach (Desejos/sentimentos)
8 Hod (O intelecto)
9 Yesod (O inconsciente)
10 Malkuth (Ambiente/resultado)

Os Arcanos Menores

As dez esferas circulares numeradas de um a dez, na Árvore da Vida, estão relacionadas às cartas numeradas. Em outras palavras, a Esfera Um se relaciona com os Ases; a Esfera Dois, com os Dois; a Esfera Três, com os Três; e assim por diante. As cartas da corte são representadas em cada nível, então, os Reis e Rainhas estão nas Esferas Dois e Três; os Cavaleiros, na Esfera Seis; e os Valetes ou Princesas, na Esfera Dez.

Os Arcanos Maiores

As Esferas estão conectadas por 22 linhas ou caminhos. A cada um desses caminhos é atribuída uma letra do alfabeto hebraico e cada caminho tem uma associação com uma das cartas dos Arcanos Maiores. Se você quiser mais informações sobre o uso dos caminhos, consulte alguns dos muitos livros especializados em tarô e Cabala.

Daath

Há também uma esfera invisível no meio do caminho entre Kether e Tiphareth, chamada Daath. Você também pode usar isso como um lugar nas leituras, mas tome cuidado, porque ela representa o Conhecimento Oculto ou o Abismo, que separa o finito do infinito e o divino do humano.

Se você usar esse local em sua tiragem, ele revelará seus motivos mais profundos, o que está se passando no seu inconsciente, o reino entre a realidade e a ilusão. Esse conhecimento não pode ser usado para ganho pessoal ou material, mas apenas para maior autoconsciência.

Leitura da Árvore da Vida

Use essa tiragem quando você estiver precisando de uma direção na vida ou de desenvolvimento pessoal. Leia a tiragem de baixo para cima; apenas siga o fluxo da tiragem e foque nos pontos fortes e fracos de cada carta, na posição em que ela está.

Agora leia a tiragem de cima para baixo, o que é chamado leitura "relâmpago". Sem analisar ou tentar interpretar cada carta, apenas contemple-as em relação uma a outra, e você de repente vai ter uma "revelação fulminante" do real significado dessa tiragem para você. Isso pode não acontecer da primeira vez que você fizer, então não se pressione. É o poder do segredo da Árvore da Vida que vai lhe permitir ver através das ilusões do seu problema atual e vislumbrar o verdadeiro cerne do problema.

Tiragem da Árvore da Vida

1 Kether (Unidade)
2 Chokmah (Sabedoria)
3 Binah (Compreensão)
4 Chesed (Dons)
5 Geburah (Desafios)
6 Tiphareth (O cerne do problema)
7 Netzach (Desejos/sentimentos)
8 Hod (Intelecto)
9 Yesod (O inconsciente)
10 Malkuth (Ambiente/resultado)

Cristais

Muito tempo atrás, em 4000 a.C., o povo caldeu da Mesopotâmia acreditava que cristais encontrados na terra estavam ligados aos planetas, e por isso refletiam as vibrações do Cosmos. Desde tempos antigos, acredita-se que os cristais têm poderes divinatórios.

Por correspondência, cada cristal se alinha com uma das energias associadas a cada carta do tarô, especialmente os Arcanos Maiores. Ao longo da história, os cristais têm sido usados na divinação por sua natureza vibracional sutil, que está ligada aos poderes vibracionais do Cosmos. Como instrumento divinatório, eles podem ser usados em tiragens simples de um, dois ou três cristais, de modo parecido com qualquer uma das tiragens de tarô.

Os cristais que correspondem a cada um dos 22 Arcanos Maiores são destacados no quadro a seguir. No entanto, você não precisa usar esses cristais específicos; sinta-se à vontade para criar seu próprio jogo de cristal de tarô da seguinte maneira.

Pegue 22 cristais de tipos variados de que você goste de verdade, coloque-os em um saquinho de tecido e agite-o delicadamente. A seguir, pegue as 22 cartas dos Arcanos Maiores do baralho, embaralhe-as e tire uma aleatoriamente. Coloque-a na mesa com a imagem voltada para baixo. Pegue a esmo um cristal do saquinho e coloque-o sobre a carta. Repita esse processo até que haja um cristal em cima de cada carta.

Vire as cartas uma por uma e recoloque os cristais sobre as cartas. Anote qual o cristal correspondente a cada Arcano Maior. Tome nota por escrito, pois é fácil esquecer no começo. Reserve algum tempo diariamente para refletir sobre o significado por trás de seus cristais, quando combinados com o significado da carta do tarô que representam.

Os Cristais e os Arcanos Maiores

CARTA	CRISTAL	PALAVRA-CHAVE
O Louco	Cornalina Laranja	Rebelião
O Mago	Topázio	Compreensão
A Sacerdotisa	Opala	Sensibilidade
A Imperatriz	Turmalina	Compaixão
O Imperador	Cornalina Vermelha	Ação
O Hierofante	Quartzo Rosa	Valor
Os Enamorados	Citrino	Comunicação
O Carro	Pedra da Lua	Controle
A Força	Olho de Tigre	Inspiração
O Eremita	Peridoto	Discriminação
A Roda da Fortuna	Lápis-lazúli	Sabedoria
A Justiça	Jade	Harmonia
O Enforcado	Ágata Azul	Sacrifício
A Morte	Malaquita	Transformação
A Temperança	Turquesa	Seguir com a maré
O Diabo	Obsidiana	Libertação
A Torre	Ágata Vermelha	Avanço
A Estrela	Âmbar	Racionalização
A Lua	Água Marinha	Fantasia
O Sol	Quartzo Transparente	Otimismo
O Julgamento	Ametista	Despertar
O Mundo	Ônix	Estrutura

Como energizar os cristais

Você pode carregar qualquer cristal com a essência de um arquétipo do tarô. Esse procedimento energiza o cristal com poderes específicos para que ele produza um determinado efeito por um período ou permanentemente. Quando você segurar o cristal na mão para absorver sua energia ou para irradiar a sua, o arquétipo do tarô é transmitido para o cristal, de modo que, ao carregá-lo com você ou usá-lo, você também carrega a energia psíquica da carta.

Guia passo a passo

1. Decida que carta é mais apropriada para o seu propósito e certifique-se de que esse propósito não é prejudicial a ninguém. Talvez você esteja em busca de um novo amor, por isso pode usar a carta dos Enamorados.

2. Coloque o cristal da sua escolha sobre a carta e repita o nome da carta três vezes em voz alta. Depois peça para a essência da carta impregnar o cristal, para o seu propósito específico.

3. Para que essa impregnação seja mais duradoura – digamos que você quisesse encontrar um caminho espiritual compatível com você e ter uma confirmação disso no futuro –, deixe a carta e o cristal numa janela durante uma noite de lua cheia, mesmo que o céu esteja nublado.

Essências do tarô para energizar os cristais

Eis a seguir um breve guia dos arquétipos do tarô. No entanto, leia também as interpretações de cada carta, para obter um conhecimento mais profundo da energia que você quer enfatizar na sua vida.

CARTA	INTERPRETAÇÃO
O Louco	Nova jornada, exploração, espírito livre, confiança no universo
O Mago	Foco, magia, comunicação, intelecto
A Sacerdotisa	Clarividência, orientação interior, energia psíquica, sabedoria profunda
A Imperatriz	Nutrir, pôr os pés no chão, criatividade, nova vida
O Imperador	Autoridade, fazer valer seus direitos, novos projetos
O Hierofante	Centrar-se, ensinar, transmitir ideias
Os Enamorados	Romances, fazer escolhas, equilibrar a energia
O Carro	Felicidade doméstica, saber para onde vai
A Força	Coragem, autoconfiança, concretizar sonho
O Eremita	Iluminação ou direção espiritual, paz interior, paciência
A Roda da Fortuna	Fazer escolhas, ser inspirado, sorte, mudança
A Justiça	Lucidez, assuntos legais ou financeiros, acordos, concessões
O Enforcado	Poderes místicos, ver a verdade, abandonar maus hábitos
A Morte	Novos começos, transformação, livrar-se de bagagem
A Temperança	Relacionamentos equilibrados, liberdade com comprometimento, crença em si
O Diabo	Vitalidade sexual, atração sexual
A Torre	Romper maus hábitos, purgar sentimentos, agitação emocional
A Estrela	Meditação, orientação espiritual, liberdade, sabedoria intelectual
A Lua	Magia dos relacionamentos, interpretação de sonhos, entendimento profundo, guardar um segredo
O Sol	Descoberta da verdade, criatividade, sucesso, nascimento
O Julgamento	Transições, uma nova visão, transformação
O Mundo	Viagens, integração, conclusão, realização

A psicologia e os arquétipos

Os arquétipos são o ponto central de todos os sistemas divinatórios simbólicos. O grande psicanalista do século XX, Carl Jung, cunhou o termo "arquétipo" para definir as forças instintivas ou padrões de comportamento que operam nas profundezas da psique humana e que são universais.

Esses arquétipos atuam dentro da nossa psique, assim como os instintos corporais atuam no corpo físico. Quando nos sentimos física ou emocionalmente ameaçados, produzimos mais adrenalina, os mecanismos instintivos de "lutar ou fugir" entram em ação e nós reagimos. Isso não é algo que fazemos conscientemente. Não vemos esses instintos nem vemos os arquétipos. E não teremos muito controle sobre os padrões mais sombrios que vivem se repetindo na nossa vida se não tomarmos consciência dessas forças que irrompem nos nossos porões psicológicos.

Esses arquétipos são um pouco diferentes dependendo da atmosfera cultural e social da época (e das nossas diferenças pessoais), mas eles são basicamente universais. Incluem a Mãe, o Pai, o Herói, a Heroína, o Amante, o Peregrino, o Sábio, o Louco, o Salvador, a Vítima etc. Os 22 Arcanos Maiores invocam todas essas imagens arquetípicas de uma maneira ou de outra.

Dimensão psicológica

As leituras modernas do tarô se originaram do método simples de leitura da sorte, e se desenvolveram incorporando as dimensões psicológicas da divinação. Ironicamente, essas interpretações clichês da leitura de sorte, como a do "estranho moreno e alto cruzando o seu caminho", também são válidas. Afinal de contas, quem é o estranho moreno e alto se não a personificação arquetípica do herói no nosso mundo ocidental? Ele desencadeia uma reação interior ao arquétipo que incorpora amor, mistério, perigo e romance. E quem é o "adivinho" se não alguém que representa a energia da bruxa, do feiticeiro, do mago, do clarividente arquetípicos em todos nós?

O que projetamos sobre o tarô é exatamente quem somos. Como destacou Jung, confrontando as energias arquetípicas e nos libertando do seu elemento compulsivo, podemos começar a assumir a responsabilidade pelas nossas escolhas e nos tornarmos quem realmente somos.

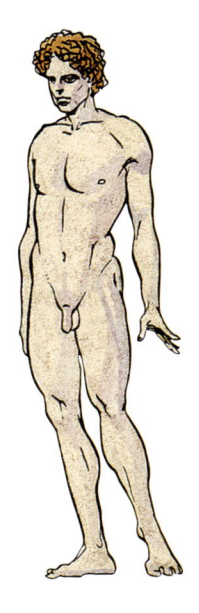

Meditação

Com seu rico simbolismo arquetípico e imagético, o tarô pode facilmente ser usado para a meditação. O tarô ativa a sua intuição. Fica ao seu critério abrir-se para essa intuição, que está sempre à sua disposição. Simplesmente se concentrando numa carta e deixando as imagens fluírem livremente na sua mente, você começará a desenvolver suas próprias habilidades de interpretação, sem ter que recorrer a um livro.

O estado meditativo dissipa todos os pensamentos conscientes, medos, preocupações e ansiedades, que podem bloquear o fluxo dos arquétipos e simbolismos que falam com você. A dinâmica do inconsciente flui profundamente dentro de todos nós, e nem sempre é fácil acessá-la nos nossos mundinhos centrados em nós mesmos. Mas com a meditação, você pode destrancar as portas e acessar a sabedoria mais profunda do universo. Lembre-se, a meditação não é uma não experiência. Na verdade, você perceberá que passará a ficar mais em sintonia com seus sentidos. Sua audição ficará mais acurada, as cores podem parecer mais vívidas, você passa a sentir o cheiro das cartas assim como as toca, e por fim entra em contato e em harmonia com os aspectos ocultos de você mesmo.

A meditação é uma ótima maneira de se abrir para o seu inconsciente.

Desenvolva habilidades e o seu conhecimento

Meditação passo a passo

Não há regras rígidas e bem definidas para a meditação, mas o relaxamento é a chave.

1 Num cômodo onde você não será perturbado, sente-se numa posição confortável. A mais comum é sentar de pernas cruzadas no chão com as palmas das mãos para cima, descansando sobre os joelhos.

2 Tire uma carta do baralho ou escolha uma carta específica de que você goste ou que queira conhecer melhor. Coloque a carta com a imagem voltada para cima diante de você ou apoie-a contra uma parede, onde pode focá-la sem forçar seus olhos.

3 Concentre-se na carta. Preste atenção na sua respiração.

Feche os olhos e abra a mente, o corpo e a alma para as imagens do tarô.

4 Ao inspirar, deixe ir qualquer pensamento que venha até você, exceto a consciência da sua respiração. Ao expirar, comece a contar. Quando chegar a dez, volte para o um e mantenha-se concentrado. Se a sua mente começar a vagar, comece novamente do um.

5 Depois de alguns minutos, abra a mente, o corpo e a alma para as imagens do tarô. Concentre-se numa cor, numa imagem, num número ou em qualquer outra coisa específica na carta. Ao respirar, visualize gradualmente que você está dentro da carta e faz parte daquele mundo. Como está entrando nos reinos arquetípicos, você pode encontrar "personagens" que conhece – amigos, inimigos, família, pessoas amadas, que personificam a qualidade daquela carta em particular.

6 Quando quiser, deixe de se concentrar na carta, ligue-se com sua respiração e feche os olhos por um momento, depois abra-os novamente. Tire os olhos da carta e afirme para você mesmo que você está em harmonia com o tarô, e então devolva a carta para o baralho.

7 Deixe as imagens, ideias e sentimentos que você absorveu durante a meditação permanecerem com você. Você descobrirá algumas conexões entre a carta e sua situação atual nos próximos dias.

Crie suas próprias cartas e tiragens

Depois de usar e ler o tarô por algum tempo, e ter se familiarizado com seus símbolos e arquétipos, você talvez queira criar seu próprio conjunto de cartas. Do mesmo modo, depois que se familiarizou com algumas tiragens padrão, você pode achar um desafio criar suas próprias tiragens e estabelecer sua própria lista de perguntas.

Criando seu próprio baralho

Você pode se inspirar apenas num tema ou basear seu baralho num conceito metafísico ou numa crença. Você não precisa ser um artista para criar seu próprio conjunto único de cartas de tarô. Não precisa nem mesmo criar todas as 78 cartas. Você pode apenas se limitar aos 22 Arcanos Maiores, ou simplesmente criar um jogo das 12 cartas do zodíaco, uma para cada mês do ano.

Talvez você possa usar colagem para fazer suas imagens de tarô. Selecione imagens que lhe interessem e tente incorporá-las aos seus desenhos. Se você achar que tem um pouco de artista, faça uma série de rascunhos das imagens de tarô primeiro. Pense no que os arquétipos significam para você pessoalmente. Dos vários baralhos que você viu por aí, que imagens se destacam mais em sua mente?

Criando suas próprias tiragens

Depois que você se estiver sentindo razoavelmente confiante

com relação às tiragens, é hora de começar a criar as suas próprias tiragens. Há muitas tiragens neste livro, mas você também pode adaptar as ideias, desenhos e temas para criar versões próprias, mais ricas. Não há regras, mas talvez você possa basear suas ideias num padrão ou estrutura metafísica – por exemplo, a Árvore da Vida, o zodíaco ou os chakras.

Você pode usar os temas das próprias cartas do tarô, talvez uma tiragem do "Eremita" ou uma tiragem do "Mundo", ou pode se basear nos seus valores numéricos. Por exemplo, uma tiragem mais complexa pode conter 22 cartas. O número 22 é o número da unidade. Você pode criar uma tiragem com 22 cartas ou duas tiragens lado a lado, de 11 cartas cada uma. Cada carta representa um fator na sua vida que precisa ser expresso para que você se sinta inteiro ou se sinta unificado em mente, corpo, alma e espírito.

Mandalas de tarô

Você também pode fazer sua própria "mandala" de tarô. Essa mandala consiste simplesmente num padrão formado pelas suas cartas favoritas, e pode se tornar tanto uma leitura por si só, como uma imagem geométrica bonita para você usar na meditação. Você pode adicionar cartas ou tirá-las como desejar. Também pode transformar o padrão, mudar as imagens e então trabalhar suas próprias ideias e sentimentos por meio da mudança do padrão. A seguir, há um exemplo de como criar uma mandala de tarô.

Embaralhe as cartas normalmente e, então, sem escolher cartas específicas, apenas tire uma de cada vez do topo da pilha e coloque-as no ponto central de qualquer padrão geométrico. Ele pode ser baseado em círculos, cruzes, números, triângulos, quadrados, espirais, ou padrões dos círculos de plantações, mas o importante é continuar colocando as cartas até você sentir que a mandala entra em ressonância com algo dentro de você. Essa mandala simboliza os padrões de energia que fluem no seu inconsciente. Cada carta é uma expressão de seus sentimentos, estados de espírito ou desejos atuais.

Adaptando as tiragens de três cartas

Se você tem uma questão ou problema específico, então pode adaptar as tiragens de três cartas usadas neste livro, transformando-as em simples problemas de perguntas e respostas. Uma tiragem de três cartas pode representar muitas situações – por exemplo: passado, presente e futuro. Amor, carreira, dinheiro. Segredos, desejos, necessidades. Amanhã, depois de amanhã, próxima semana.

O mais importante é não começar com tiragens complexas demais ou você vai encontrar dificuldade para interpretá-las. Finalmente, sempre anote por escrito as suas tiragens, para se lembrar das que não funcionam e não continuar a usá-las. As melhores tiragens de tarô são aquelas que funcionam melhor para você.

Você pode querer começar inventando um padrão geométrico com as cartas e decidir do que se trata essa tiragem. Você pode ter tiragens de ódio, tiragens de amor, tiragens de energia, tiragens de transformação, tiragens de metas e paixões. Na verdade, use seus próprios problemas para guiar você, porque o tarô espelha tudo o que você é. Se você quer examinar uma situação em detalhes, então uma tiragem que inclua posições de passado, presente e futuro é geralmente muito reveladora. Você pode investigar que influências ou experiências do passado levaram você às circunstâncias atuais e decidir como lidar com elas.

Trabalho em par e em grupo

O tarô é uma ferramenta maravilhosa para o desenvolvimento pessoal, mas nem sempre tem que ser uma experiência solitária. Na verdade, algumas vezes ele é menos subjetivo e mais revelador se você fizer a leitura do tarô na companhia de outras pessoas.

Se já tentou as tiragens de relacionamento com um parceiro ou amigo, você sabe que trabalhar com alguém pode provocar reações emocionais em você. Mas é compensador no final.

Um outro modo de usar o tarô entre dois amigos é alternar rodadas de leitura como se fosse para um cliente. Essa é uma boa prática se você quiser algum dia ler tarô para outras pessoas, porque faz você perceber como é ser o cliente. Você tira três cartas e coloca-as na mesa com a imagem para cima. Conforme cada carta é escolhida, seu amigo interpreta suas cartas para você. Você não deve dizer uma palavra. Depois, discuta que reações você teve às interpretações do seu amigo. Você se sentiu desconfortável? Ficou secretamente satisfeito com o que ele disse? Teria falado o que acreditou que ela significava porque você acha que sua interpretação é a única válida? Então, troquem os papéis e repita o desafio.

Trabalho em grupo

Pode ser muito estimulante analisar o relacionamento entre as pessoas de um grupo. Obviamente, "cozinheiros demais estragam o caldo", então o número ideal para esse tipo de trabalho é entre três e sete.

Assegure-se de que todo mundo tenha sua vez de embaralhar as cartas. Em geral, alguém assume o papel do líder do time e se responsabiliza por colocar as cartas sobrepostas numa fileira ou segurá-las em leque para que as cartas sejam escolhidas. A seguir, cada pessoa escolhe uma carta e coloca-a com a imagem para baixo sobre a mesa ou no chão. Quando todos tiverem terminado de escolher as cartas aleatoriamente, a primeira pessoa vira sua carta, que se relaciona à pessoa sentada à sua esquerda, e assim por diante. Cada pessoa faz sua interpretação em voz alta, dizendo o que, na visão dela, a carta revela sobre seu vizinho. Isso é altamente interativo e, embora seja muito desafiador, também pode ser muito divertido. Esse trabalho pode realmente ajudar você a descobrir mais sobre si mesmo e as pessoas que você conhece.

Usar o tarô com outras pessoas pode ser incrivelmente divertido e gratificante.

Glossário

Ano astrológico
Começando no grau 0 de Áries, o ano astrológico se alinha com a trajetória do Sol (a eclíptica) enquanto ele parece se mover através de cada seção do zodíaco. O último grau de Peixes marca o fim do ano astrológico, completando então seu ciclo de 360 graus.

Arcano/Arcanum
Os Arcanos Maiores e os Arcanos Menores são duas séries bastante diferentes de cartas do baralho do tarô. *Arcanum* é uma palavra em latim que significa "segredo". Sua forma plural é Arcana, portanto Arcanos Maiores e Menores significam "grandes segredos" e "pequenos segredos".

Áries
O primeiro signo do zodíaco. Regido pelo planeta Marte, Áries está associado a potência, vontade, ousadia e impulso.

Arquétipos
Forças universais ou padrões de comportamento que operam de maneira autônoma nas profundezas da psique humana.

Arte da memória
Um artifício inventado pelos antigos gregos para imprimir imagens na mente com a ajuda de associações simbólicas. Os últimos sistemas de memória da Renascença foram posteriormente ligados a talismãs mágicos e práticas ocultas.

Astrologia
Antigo sistema divinatório que estuda os padrões e localiza os planetas do sistema solar enquanto eles parecem viajar através do cinturão zodiacal.

Cabala
A Cabala é um antigo caminho esotérico e mágico da tradição hebraica que oferece profunda sabedoria e iluminação espiritual. A palavra "Cabala" é derivada da palavra hebraica que significa "receber". O elemento central da Cabala é a Árvore da Vida, um esquema do universo que busca revelar os aspectos interconectados de toda a vida.

Carta de futuro
Carta que fica numa determinada posição e significa o resultado de um problema em foco. A carta de futuro indica o próximo passo ou fase da sua jornada.

Carta de obstáculo
Uma "carta de obstáculo" é uma carta do tarô que cruza outra carta ou fica posicionada em ângulos retos com ela.

Carta "você agora"
A primeira carta colocada é geralmente chamada de carta "você agora" e significa o estado atual do consulente e os problemas que o cercam.

Cavaleiros Templários
Fundada como Os Pobres Cavaleiros de Cristo e do Templo de Salomão em 1118, era uma ordem religiosa e militar de proteção aos peregrinos para a Terra Santa. A ordem se tornou rica e poderosa, e foi eliminada em 1312, mas continuou atuando em segredo.

Chakra
Muitas tradições orientais afirmam que um sistema de energia flui através do corpo, ligado por sete ou mais centros energéticos conhecidos como chakras.

Cruz Celta
Uma das tiragens mais antigas e populares para a leitura do tarô. A. E. Waite identificou este método em 1910, mas pouco se sabe sobre suas origens. A tiragem é

em forma de uma cruz mística de pedra encontrada por toda a Irlanda. As cartas são posicionadas em cruz com uma coluna vertical representando a busca espiritual humana.

Divinação

Divinação significa literalmente "ver antecipadamente, antever, predizer ou prenunciar, e vem da palavra em latim *divinus*, que significa "ser inspirado pelos deuses". Muitas culturas espalhadas pelo mundo preveem o futuro usando qualquer coisa, desde galhos, moedas e folhas de chá até padrões em poças d'água depois da chuva. O desejo de saber o que "será" é uma inclinação humana muito forte.

Elementos

Os quatro "elementos" são usados na astrologia e na psicologia junguiana. Na astrologia, eles são divididos entre os signos de Fogo, Áries, Leão e Sagitário; os signos do Ar, Gêmeos, Libra e Aquário; os signos de Água, Câncer, Escorpião e Peixes; e os signos da Terra, Touro, Virgem e Capricórnio. Jung os associou às formas básicas de se experimentar o mundo – Fogo para intuição, Ar para pensamento, Água para sentimento e Terra para sensação. Os elementos representam qualidades e características nas pessoas.

Livro de Thoth

De acordo com Gébelin, um estudioso do século XVIII, o tarô é na verdade um antigo livro egípcio, o Livro de Thoth, salvo das ruínas de templos incendiados. Thoth foi tanto um deus, equivalente ao deus grego Hermes, quanto um antigo rei egípcio, que supostamente inventou hieróglifos e letras ou símbolos místicos que estudiosos do oculto reconhecem no tarô.

Maçom

Membro de uma fraternidade internacional, caracterizada por seus segredos, rituais e práticas supostamente ocultos. Os maços originais eram pedreiros habilidosos do século XIV, que usavam sinais secretos para se comunicarem.

Magi
Plural de *Magus*, palavra latina do antigo persa "magus", que significa mago.

Número Fundamental (ou quintessencial)
Número simbolicamente perfeito, formado pela soma de todos os outros números de uma leitura numerológica. Esse "Número Fundamental" é considerado o guia supremo e o propósito da leitura em questão.

Numerologia
Arte divinatória que usa números e foi considerada crucial para tudo o que acontece no universo. Os números primários, de 1 a 9, vibram cada um numa frequência diferente, e essas vibrações ecoam pelo universo. Essa "música das esferas" foi uma expressão para os corpos celestes, que tinham seu próprio valor numérico e vibração harmônica.

Oculto
Da palavra em latim *occultus*, significa escondido, misterioso. Usada desde o século XV como um verbo que significa ocultar. Usada no século XIX para descrever o sobrenatural e crenças e práticas mágicas.

Ordem da Aurora Dourada
Um dos grupos ocultistas mais influentes fundado em 1888 por William Wynn Westcott, um doutor e mestre maçom, junto com um personagem extravagante da sociedade vitoriana chamado Samuel Mathers. Bebendo da fonte de várias crenças esotéricas, Mathers fundiu os sistemas mágicos egípcios com textos mágicos medievais e crenças esotéricas ocidentais para criar um sistema mágico funcional que também incorporava a Cabala.

Papi
Forma plural da palavra latina *papa*, que significa papa, pai, bispo. As primeiras 35 cartas do Tarô Minchiate eram chamadas "papi", e numeradas com algarismos

romanos. Possivelmente para inferir uma afinidade com ligações cristãs, em vez de alguma coisa mística. Entretanto, ela é também uma corruptela da exclamação "papae", que significa "maravilhoso!" ou "que estranho!".

Pentáculo

Objeto ou talismã mágico geralmente em forma de disco e usado com um símbolo do elemento Terra. Um dos nomes de um dos naipes do tarô – ouros –, também chamado de moedas ou discos. A palavra deriva do termo latino "pentáculo", relacionado ao pentagrama ou à estrela mística e mágica de cinco pontas.

Projeção

Projeção é um processo inconsciente no qual vemos numa pessoa, coisa, objeto, experiência ou acontecimento potenciais, falhas, rancores e amores que na verdade pertencem a nós. Nós criamos um mundo à nossa volta para os personagens, mitos, heróis e vilões que são parte do mesmo teatro oculto dentro de nós.

Psique

Termo derivado de uma palavra grega que significa "ar, suspiro, vida, espírito", também usado hoje em dia para descrever a alma humana nos campos psicológicos.

Símbolo

Sinal de reconhecimento ou insígnia, com raízes numa antiga palavra grega que significa "algo lançado junto".

Sincronicidade

A crença de que tudo no universo está interconectado e que eventos, padrões no zodíaco, a xícara de chá na vida de uma pessoa ou em qualquer lugar na Terra são todos interface de uma força invisível. Em outras palavras, a aleatoriedade da divinação é por si mesma parte desse processo.

O psicólogo Carl Jung cunhou a palavra "sincronicidade" para descrever tais coincidências significativas. Ele acreditava que a escolha de uma carta de tarô é movida por um aspecto interior que precisa ser expresso ou pode se manifestar no mundo exterior naquele momento.

Tarô

Algumas fontes sugerem que a palavra "tarot" é derivada do nome do deus Thoth, deus egípcio da magia e das palavras. Outros acreditam que ela tenha origens hebraicas ou árabes, possivelmente uma corruptela da "torah", o livro da Lei. Alguns estudiosos também afirmam que ela poderia ser parte de um anagrama de *rota*, uma palavra em latim que significa "roda".

Zoroastrismo

Fundado por Zoroastro no século VI a.C., religião monoteísta da antiga Pérsia que se tornou um culto entre os ocultistas do final do século XIX como uma cosmologia dualística da verdade contra a inverdade.

Índice Remissivo

A
alfabeto enochiano 19
alfabeto hebraico 364, 366
alquimia 12
amor 14, 26, 27, 28, 71, 264, 265, 280, 282, 318–19
ano astrológico 384
Aquário 334, 363, 385
    afinidade zodiacal com A Estrela 118, 357, 361
arcanos 83
Arcanos Maiores 9, 12, 16–17, 18, 30, 30–31, 31, 35, 36, 38, 43, 50, 62, 64, 72, 80–127, 279, 344, 352, 378, 384
    Diabo, O 114–15
    e a Cabala 364, 366
    e checagem 82–3
    e cristais 368, 369
    e imagens arquetípicas 373
    e os planetas 356, 357
    e os signos solares 356, 357
    Enamorados, Os 96–7
    Enforcado, O 108–9
    Eremita, O 102–3
    Estrela, A 118–19
    Força, A 100–101
    Hierofante, O 94–5
    Imperador, O 92–3
    Imperatriz, A 90–91
    Julgamento, O 124–5
    Justiça, A 106–7
    Louco, O 84–5
    Lua, A 120–21
    Mago, O 86–7
    Morte, A 110–111
    Mundo, O 126–7
    O Carro 98–9
    Roda da Fortuna, A 104–5
    Sacerdotisa, A 88–9
    Sol, O 122–3
    Temperança, A 112–13
    Torre, A 116–17
Arcanos Menores 12, 16, 17, 20, 30, 31, 32–3, 34, 36, 38, 43, 50, 51, 64, 128–253, 384
    compreenda os Arcanos Menores 130–33
    Copas (Cálices) 31, 33
    e a Cabala 366
    Espadas 31, 32
    Ouros (Discos, Moedas, Pentáculos) 31, 33
    Paus 31, 32
arie 35
Áries 134, 334, 340, 362, 384, 385
    afinidade zodiacal com O Imperador 92, 357, 358
armadilhas do uso do tarô 46
arquétipos 12, 13, 23, 28, 39, 66, 82, 372–3, 374, 378, 384
arte da memória 17, 384
artes ocultas negras 6, 16
Árvore da Vida 364, 365, 366, 379, 386
    leitura 367
Ás
    de Copas 166–7, 287, 317, 335, 337
    de Espadas 196–7, 263, 293, 317
    de Ouros 226–7, 327
    de Paus 136–7, 275, 289, 311, 321
    palavras-chave 133

associação livre 50, 72
associações 62–3
astrologia 9, 12, 26, 133, 350, 356–63, 384, 385
   interpretações do signo solar 358–61
   os planetas 361–3
   planetas cartas associadas dos Arcanos Maiores 357
   tiragens 9, 331
Atlântida, Tarô de 48, 48
autoanálise 22, 22
autoaperfeiçoamento 23
autoconhecimento/compreensão de si mesmo 7, 13, 82
autoconsciência 8, 13, 14, 23, 46, 366
autodescoberta 6, 9, 14, 15, 21
autodesenvolvimento 12, 76, 264
   veja também desenvolvimento/crescimento pessoal.

B

baralhos *veja* tarôs
Bastões *veja* Paus
Binah (Compreensão) 365, 367
Burdel, Claude 36

C

Cabala 9, 12, 20, 26, 350, 364–7, 386, 387
Cálices *veja* Copas
Câncer 334, 361, 385
   afinidade zodiacal com O Carro 98, 357, 359
Capricórnio 334, 356, 363, 385
   afinidade zodiacal com O Diabo 114, 357, 360
Caridade 34
Carro, O 30, 30, 98–9, 266, 281, 291, 297, 317, 327, 333, 345, 357, 359, 369, 371
carta de relacionamento 278, 279
carta do dia 23, 57, 72–3
   tiragem 260
cartas da corte 17, 31, 35, 51, 130, 344, 352, 366
   exercício 132
cartas energéticas 135
cartas favoritas 9
cartas invertidas 9, 71, 71, 74–5
cartas na posição correta 71, 71
cartas numéricas 17, 20, 34, 35, 37, 39, 133, 366, 387
Cavaleiro 31, 34, 38, 130, 131, 132
   de Copas 188–9, 309, 327, 333, 345
   de Espadas 218–19, 289, 293, 317, 339
   de Ouros 248–9
   de Paus 158–9, 289, 295, 297, 337
   valor 352, 352
Cavaleiros Templários 16, 386
Cetros *veja* Paus
chakras 342–3, 379, 385
   chakra da base (da raiz) 342, 343
   chakra da coroa 342, 343
   chakra da garganta 342, 343
   chakra do coração 342, 343
   chakra do plexo solar 342, 343
   chakra do sacro 342, 343
   chakra do terceiro olho 342, 343
Chesed (Dons) 365, 367
Chokmah (Sabedoria) 365, 367
ciganos andarilhos 16
Cinco palavras-chave 133
   de Copas 174–5, 307, 323
   de Espadas 204–5, 273, 291, 297, 307, 315
   de Ouros 234–5, 305, 333

de Paus 144–5, 327, 333, 339
significado do Número Fundamental 355
círculo mágico 53
Clavas *veja* Paus
como escolher e tirar as cartas 57, 58
como o tarô funciona 24–5
como ver um ao outro 284–5
   mágoas 292–3
   o teste do amor 282–3
conheça as cartas 50–51
conhecimento 9, 14, 19, 68, 69, 331
Copas (Cálices) 31, 33, 36, 130, 164–93, 258
   Ás de 166–7, 287, 317, 335, 337
   Cavaleiro de 188–9, 309, 327, 333, 345
   Nove de 182–3, 264, 299, 309, 335, 343
   Cinco de 174–5, 307, 323
   Dez de 184–5, 283, 293, 295, 311, 337, 339, 343
   Dois de 168–9, 271, 295, 313, 335
   exercício 165
   Oito de 180–81, 297, 313
   Quatro de 172–3, 295, 315
   Rainha de 190–91, 273, 327
   Rei de 37, 192–3, 307, 319
   Seis de 176–7, 264, 287, 311, 325, 339
   Sete de 178–9, 260, 287, 315
   Três de 170–71, 293, 299, 317, 323, 333
   Valete de 186–7, 275, 285, 321
crescimento pessoal 6, 302
crescimento psicológico 8
   veja também desenvolvimento/crescimento pessoal; autodesenvolvimento
crie suas próprias tiragens 378–9
cristais 9, 53, 368–71
   como energizar os cristais 370–71
   e os Arcanos Maiores 369

Crowley, Aleister 21, 21, 37–8, 37, 38
Crowley, Tarô de *veja* Tarô de Thoth
Cruz Celta 322, 331, 385
   tiragens 9, 57, 332–3
cuidados com o seu baralho 49, 52–3

D

Daath 366
datas especiais 353–4
Dee, John 17, 18
desejos 266, 380
desenvolva habilidades e o seu conhecimento 348–83
   a astrologia e o tarô 356–63
   a psicologia e os arquétipos 372–3
   Cabala 364–7
   crie as suas próprias cartas e tiragens 378–81
   cristais 368–71
   leitura da Árvore da Vida 367
   magia do tarô 351
   meditação 374, 374, 376–7
   numerologia 352–5
   trabalho em dupla e em grupo 382–3, 383
   vá mais fundo 350
desenvolvimento pessoal/crescimento 6, 9, 13, 302
   veja também crescimento psicológico; autodesenvolvimento
desenvolvimento psicológico
Dez de Copas 184–5, 283, 293, 295, 311, 337, 339, 343
   de Espadas 214–15, 291, 339
   de Ouros 244–5, 265, 319, 341, 347
   de Paus 154–5, 313, 327, 335
   palavras-chave 133

Diabo, O 30, 31, 36, 71, 82, 114–15, 264, 295, 313, 314, 335, 343, 357, 360, 369, 371
Discos *veja* Ouros
divinação 12, 19, 22, 24, 372, 373, 385
Dois
   de Copas 168–9, 271, 295, 313, 335
   de Espadas 198–9, 325
   de Ouros 228–9, 264, 271, 319
   de Paus 138–9, 337
   palavras-chave 133
   significado do Número Fundamental 355

E
elemento Água 31, 33
elemento Ar 31, 32
   associado a Espadas 194
elemento Fogo 31, 32
   associados com Paus 134
elemento Terra 31, 33
elementos 31, 32–3, 35, 385, 387
embaralhamento, técnicas de 9, 54–5, 55
Enamorados, Os 30, 30, 82, 96–7, 273, 281, 291, 293, 299, 314, 325, 337, 341, 345, 347, 357, 358, 369, 370, 371
energia 14, 23, 49, 59, 72, 77, 342, 380, 385
   arquetípica 74, 268, 373
   negativa 49, 52–3, 53
   psíquica 370
   tiragem da energia do dia 261
Enforcado, O 30, 31, 108–9, 262, 283, 315, 345, 357, 363, 369, 371
Eremita, O 30, 30, 73, 102–3, 265, 275, 283, 313, 335, 345, 357, 359, 369, 371, 379

escolhas 7, 8, 13, 14, 22, 23, 24
   escolhendo cartas 57
   escolhendo um baralho 48
   vida 302
Escorpião 334, 363, 385
   afinidade zodiacal com A Morte 110, 357, 360
espaço sagrado 52, 53
Espadas 31, 32, 36, 130, 194–223, 258
   Ás de 196–7, 263, 293, 317
   Oito de 210–211, 311
espelho, o tarô como um 12, 15, 15, 23, 28, 29, 47, 59, 278
Esperança 34
Estrela de Prata 21
Estrela, A 30, 31, 35, 68, 69, 83, 118–19, 263, 266, 281, 297, 333, 357, 361, 369, 371
exercício 195
   Cinco de 204–5, 273, 291, 297, 307, 315
   Quatro de 202–3, 295, 325, 333
Extremo Oriente 16

F
fé 34
feitiços 351
Fibba, François 18
filosofia oriental 12
finanças 68–9
flechas 26
Força, A 30, 30, 39, 83, 100–101, 260, 269, 287, 309, 321, 345, 357, 359, 369, 371

G
Gébelin, Antoine Court de 16, 385
   O Mundo Primitivo, Analisado e Comparado com o Mundo Moderno 17
Geburah (Desafios) 365, 367

Gêmeos 334, 362, 385
    afinidade zodiacal com Os Enamorados 96, 357, 358
glossário 384–9
gregos, os 17, 352, 384

H
Haggard, Rider 37
Harris, Lady Frieda 21, 37
hebreus 352
Hierofante, O 30, 30, 68, 69, 83, 94–5, 285, 319, 335, 337, 357, 358, 369, 371
história do tarô 16–21
    avanços renascentistas 18–19
    o renascimento no século XIX 19
    Waite, Crowley e a Aurora Dourada 19–21
Hod (Intelecto) 365, 367
humor, clima 14, 50, 52, 266, 380

I
I-Ching 24
Igreja, a 6, 15, 39
Imperador, O 30, 30, 92–3, 261, 289, 314, 315, 317, 345, 357, 358, 369, 371
Imperatriz, A 30, 30, 90–91, 297, 319, 333, 341, 353, 357, 362, 369, 371
incenso 52, 53, 258
inconsciente, o 374, 374, 380
Índia 16
inspiração 68, 69
instintos 23
interpretação 9, 42, 50, 51, 53, 64–5, 374
    desenvolva suas habilidades de interpretação 66–9
intuição 9, 14, 23, 47, 62, 63, 64

J
Julgamento, O 30, 31, 83, 124–5, 275, 285, 341, 357, 363, 369, 371
Jung, Carl Gustav 24, 25, 331, 372, 373, 385, 388
Juno 39
Júpiter 39
    afinidade zodiacal com A Roda da Fortuna 104, 357, 362
Justiça, A 30, 30, 106–7, 291, 295, 313, 323, 357, 360, 369, 371

K
Kether (Unidade) 365, 366, 367
Klimt, Gustav 39

L
Leão 134, 334, 361, 385
    afinidade zodiacal com A Força 100, 357, 359
leitura "relâmpago" 367
leitura da sorte 12, 19, 21, 22, 368, 373
leitura para os outros 78–9, 78, 79
leitura para você mesmo 76–7, 76
Lévi, Éliphas (Alphonse Louis Constant) 19, 364
liberdade 68, 69
Libra 334, 362, 385
    afinidade zodiacal com A Justiça 106, 357, 360
linguagem universal 12–13
Livro de Thoth 16, 385
Louco, O 16, 30, 30, 62, 83, 84–5, 279, 287, 295, 323, 339, 357, 363, 369, 371
Lua, A 30, 31, 34, 35, 74–5, 75, 83, 120–21, 269, 291, 299, 313, 325, 337, 357, 369, 371

afinidade zodiacal com A Sacerdotisa 88, 357, 361

M

maçonaria 386
magia 19, 21, 351
Mago, O 30, 30, 51, 83, 86–7, 267, 283, 309, 325, 353, 357, 362, 369, 371
magos 17–18
magus, magi 16, 19, 38, 386
mal 6, 14–15
Malkuth (Ambiente/resultado) 365, 367
Mandalas de tarô 379–80
Mantegna, Tarô de 19
Marselha, Tarô de 19, 36, 36, 48, 133
Marte 384
    afinidade zodiacal com A Torre 116, 357, 362
Mathers, Samuel 19–20, 37, 387
meditação 23, 350, 374, 374, 376–7, 379
Mercúrio, afinidade zodiacal com O Mago 86, 357, 362
Milão, Duque de 18
milho 26
Minchiate Etruria, Tarô de 35, 35, 133
misticismo cristão 12
misticismo esotérico 19
Moedas *veja* Ouros
Morte, A 30, 31, 58, 59, 82, 110–111, 299, 311, 357, 360, 369, 371
Munch, Edward 37
Mundo, O 30, 31, 35, 65, 71, 126-7, 281, 305, 337, 356, 357, 363, 369, 371, 379
Museu Britânico, Londres 19
música 52, 258
música das esferas 386

N

Netuno, afinidade zodiacal com O Enforcado 108, 357, 363
Netzach (Desejos/sentimentos) 365, 367
Nove
    cartas numeradas 31, 35, 51, 130, 133
    de Copas 182–3, 264, 299, 309, 335, 343
    de Espadas 212–13, 293, 305
    de Ouros 242–3, 271, 321, 343
    de Paus 152–3
    palavras-chave 133
    palavras-chave para 133
    significado do Número Fundamental 355
Número Fundamental 353, 354, 388
    o que cada número significa 355
numerologia 9, 12, 26, 133, 350, 352–5, 386, 388
    datas específicas 353–4
    numerologia e o tarô 352
    o que cada Número Fundamental significa 355
    o que vai acontecer neste dia? 354
    usando números para as leituras de tarô 353
números primários 386

O

o que eu preciso aprender 312–13
o que perguntar 60-61
oculto, ocultismo, o 15, 19, 21, 387
    práticas ocultas 17, 21, 384
Oito
    de Copas 180–81, 297, 313
    de Espadas 210–211, 311
    de Ouros 240–41, 260, 266, 275, 295
    de Paus 150–51, 266, 299, 319, 335
    palavras-chave 133

significado do Número Fundamental 355
Ordem da Aurora Dourada, Hermética (mais tarde Sagrada) 19, 20, 21, 36–7, 38, 387
Ouros (Discos, Moedas, Pentáculos) 31, 33, 36, 130, 224–53, 258, 387
  Ás de 226–7, 327
  Cavaleiro de 131, 132, 248–9
  Cinco de 234–5, 305, 333
  Dez de 244–5, 265, 319, 341, 347
  Dois de 228–9, 264, 271, 319
  exercício 225
  Nove de 242–3, 271, 321, 343
  Oito de 240–41, 260, 266, 275, 295
  Quatro de 232–3, 285, 337, 339, 341
  Rainha de 250–51, 269, 289, 345
  Rei de 252–3
  Seis de 236–7, 305, 327, 335
  Sete de 238–9, 339
  Três de 230–31, 275, 321, 333
  Valete de 246–7, 262, 323

P

Pajem *veja* Valete
Papa, O 39
papi 35, 387
Papisa, A 39
parceiro, leitura de tiragens com um 279
passado, presente, futuro 67, 67, 270–71, 338, 381
Paus 31, 32, 36, 130, 134–63, 258
  Ás de 136–7, 275, 289, 311, 321
  Cavaleiro de 158–9, 289, 295, 297, 337
  Cinco de 144–5, 327, 333, 339
  Dez de 154–5, 313, 327, 335
  Dois de 138–9, 337
  exercício 135
  Nove de 152–3
  Oito de 150–51, 266, 299, 319, 335
  Quatro de 68, 69, 142–3, 261, 283
  Rainha de 160–61, 285, 335, 337, 345
  Rei de 38, 162–3, 291, 305, 325
  Seis de 146–7, 267, 297, 299, 317, 341, 353
  Sete de 148–9, 263, 293, 333
  Três de 140–41, 265, 309
  Valete de 156–7, 283, 297, 311, 345
Peixes 334, 363, 384, 385
  afinidade zodiacal com A Lua 120, 357, 361
pêndulo 53, 53
pentagrama 387
perguntas 60–61
Pitágoras 352
planetas, e os Arcanos Maiores 356, 357
plenitude pessoal 65
Plutão, afinidade zodiacal com O Julgamento 124, 357, 363
Pobres Cavaleiros de Cristo e o Templo de Salomão 386
posição "futuro" 42, 83, 386
posição "obstáculo" 42, 83, 384
posição "passado" 83
posição "você agora" 42, 83, 389
potenciais do uso do tarô 47
povo caldeu 368
prepare o ambiente 52–3
previsão 13–14, 19
primeira leitura 64–5
Princesa 31, 38
Príncipe 38
problema, sugestão e resposta 306–7

o que eu estou fazendo com a minha vida? 304–5
projeções 9, 24–5, 28, 79, 344–5, 388
   resistindo a 58–9
psicologia 12, 372–3, 385
psique 15, 23, 372, 388

Q

qualidades 66, 76, 82
Quatro
   de Copas 29, 172–3, 295, 315
   de Espadas 202–3, 295, 325, 333
   de Ouros 232–3, 285, 337, 339, 341
   de Paus 142–3, 261, 283
   palavras-chave 133
   significado do Número Fundamental 355
questões de carreira 23, 264

R

Rainha 31, 38, 130, 131, 132
   de Copas 190–91, 273, 327
   de Espadas 220–21, 264, 297, 299, 313, 335, 343
   de Ouros 250–51, 269, 289, 345
   de Paus 160–61, 285, 335, 337, 345
razões para usar o tarô 22–3
refletindo 296–7
   lição de química sexual 288–9
   o relacionamento neste momento 280–81
   para onde eu vou daqui? 286–7
   segredos 298–9
   tiragem da verdade e parceria 294–5
   você e eu 290–91
Rei 31, 38, 130, 131, 132
   de Copas 37, 192–3, 307, 319
   de Espadas 222–3, 261, 271, 275, 289, 295, 323, 341, 353
   de Ouros 252–3
   de Paus 162–3, 291, 305, 325
   valor 352, 352
Rei de 222–3, 261, 271, 275, 289, 295, 323, 341, 353
   Cavaleiro de 218–19, 289, 293, 317, 339
   Dez de 214–15, 291, 339
   Dois de 198–9, 325
   Nove de 212–13, 293, 305
   Rainha de 220–21, 264, 297, 299, 313, 335, 343
   Seis de 206–7, 285, 337
   Sete de 208–9, 283, 309, 337
   Três de 200–201, 262, 295, 309
   Valete de 216–17, 325, 345
relacionamentos 13, 13, 14, 23, 60, 60
respiração 52, 376–7
revelações, intuição 14, 53
Rider-Waite, Tarô de 19, 34, 36–7, 38, 48
rituais 49, 52–3, 258
ritual de limpeza 49
Roda da Fortuna, A 30, 104-5, 262, 293, 313, 345, 357, 362, 369, 371
rosas 26, 27
rota (roda) 18, 389

S

sabedoria interior 14
Sacerdotisa, A 30, 30, 88–9, 271, 281, 299, 311, 321, 327, 357, 361, 369, 371
Sagitário 134, 334, 362, 385
   afinidade zodiacal com A Temperança 112, 357, 360

Saturno, afinidade zodiacal com O Mundo 126, 357, 363
Scarabeo, Lo 39
Seis
  de Copas 176–7, 264, 287, 311, 325, 339
  de Espadas 206–7, 285, 337
  de Ouros 236–7, 305, 327, 335
  de Paus 146–7, 267, 297, 299, 317, 341, 353
  palavras-chave 133
  significado do Número Fundamental 355
sentimentos 266, 380
Sete
  de Copas 178–9, 260, 287, 315
  de Espadas 208–9, 283, 309, 337
  de Ouros 238–9, 339
  de Paus 148–9, 263, 293, 333
  palavras-chave 133
  significado do Número Fundamental 355
signos da Água 385
signos de Fogo 385
signos de Terra 385
signos solares e cartas associadas dos Arcanos Maiores 357
signos solares, e os Arcanos Maiores 356, 357
símbolos, simbolismo 12–13, 21, 23, 23, 34, 38, 48, 50, 374, 388
  linguagem simbólica 26–7
sincronicidade 24, 25, 388
sistemas de memória 17–18, 384
Smith, Pamela Colman 19, 36–7
Sol, afinidade zodiacal com O Sol 122, 357, 361
Sol, O 30, 31, 35, 35, 83, 122–3, 273, 281, 335, 357, 369, 371
Stoker, Bram 37
Strindberg, August 37

T
talismãs mágicos 17, 384, 387
tarô de cristal 39, 39
Tarô de IJJ 39
tarô mítico 48
tarô universal 20, 34, 37, 48, 133, 134
tarô, história 16–21
  diário 51, 53, 61, 61, 258
  magia 351
  mandalas 379–80
  origem do mundo 18, 389
tarocchi, *tarocchino* 18
tarôs 18–19, 34–9
  Atlântida 48, 48
  crie seu próprio 378
  Cristal 39, 39
  cuidados com o seu tarô 49, 52–3
  escolha de um tarô 48
  IJJ 39
  Marselha 36, 36, 133
  Minchiate Etruria 35, 35, 38, 133
  Mítico 48
  Rider-Waite 19, 34, 36–7, 38, 48
  Thoth (Crowley) 21, 37–8, 37, 38
  universal 20, 34, 37, 48, 133, 134
  Visconti-Sforza 18, 34, 34
Temperança, A 30, 31, 82, 83, 112–13, 281, 287, 299, 323, 357, 360, 369, 371
Thoth 16, 18, 389
Thoth, Tarô de 21, 37–8, 37, 38
Tiphareth (o cerne do problema) 365, 366, 367
tiragens ciganas 9
tiragens de duas cartas 9, 67
tiragens de relacionamento 9, 71, 276–99
  como usá-las 278–9

tiragens de revelação 9, 300–327
  aspirações e objetivos 326–7
  atitude exterior, verdade interior 308–9
  como eu encontro o amor? 318–19
  como usá-las 302–3
  deixando o passado para trás 314–15
  desafios atuais, resultados futuros 310–311
  desvendando a mim mesmo 324–5
  dissipando dúvidas e medos 316–17
  o sete místico 322–3
  tomando decisões 320–21
tiragens de três cartas 9, 67
  adaptando 381
tiragens diárias 9, 254–75
  antes de começar 258–9
  cartas favorita e menos favorita 268–9
  como usar 256
  meu maior ponto forte, meu maior ponto fraco 262–3
  minhas prioridades neste momento 264–5
  o eu secreto 266–7
  prática diária 260–61
  problema do passado, obstáculo no presente, visão do futuro 270–71
  quem eu sou agora e para onde estou indo 274–5
  tudo muda 272–3
tiragens do ano à frente 9
tiragens do destino 9, 328–47
  a lista de desejos 346–
  astrológica, gangorra 336–7
  cigana 338–9
  como usá-las 330–31
  Cruz Celta tradicional 332–3
  o ano a frente 340–41
  o zodíaco 334–5

  os chakras 342–3
  projeção 344–5
torá 18, 389
Torre, A 30, 31, 116–17, 267, 293, 305, 327, 339, 345, 357, 362, 369, 371
Touro 334, 362, 385
  afinidade zodiacal com O Hierofante 94, 357, 358
trabalho em dupla 382
trabalho em grupo 382–3, 383
tradições espirituais orientais 342
Três
  de Copas 170–71, 293, 299, 317, 323, 333
  de Espadas 200–201, 262, 295, 309
  de Ouros 230–31, 275, 321, 333
  de Paus 140–41, 265, 309
  palavras-chave 133
  significado do Número Fundamental 355
Trevisan, Elisabetta 39
Trunfos 18

U
Último Julgamento (ou Fama) 35
Um significado do Número Fundamental 355
Urano, afinidade zodiacal com O Louco 84, 357, 363

V
Valete 31, 34, 130, 131, 132
  de Copas 186–7, 275, 285, 321
  de Espadas 216–17, 325, 345
  de Ouros 246–7, 262, 323
  de Paus 156–7, 283, 297, 311, 345
  valor 352, 352
valor 352, 352
Varas *veja* Paus

Varas *veja* Paus
velas 52, 53, 258, 351
Vênus, afinidade zodiacal com A Imperatriz 90, 357, 362
Virgem 334, 362, 385
    afinidade zodiacal com O Eremita 102, 357, 359
virtudes, quatro 35
Visconti-Sforza, Tarô de 18, 34, 34

W
Waite, Dr. Arthur Edward 19, 20, 36, 37, 385
Westcott, William Wynn 19, 37, 387
Woodman, William 37

Y
Yeats, William Butler 37
Yesod (O inconsciente) 365, 367

Z
zodíaco 379
    cartas 378
    signos 35, 50
    tiragens 9, 334-5
zoroastrismo 16, 389
Zoroastro 389

Agradecimentos

Tarot images ©Lo Scarabeo.

Outras imagens: AKG, London 34. **Corbis UK Limited** 22, 61, 79, 303; /Bettmann 21, 25; /E. O. Hoppe 20; /Michael Nicholson 17; /The Cover Story 56–57.
Creatas 13. **Getty Images**/Altrendo Images 383. **ImageSource** 78, 302, 375.
Octopus Publishing Group Limited 18, 60, 256–257, 278, 331, 370 alto da página; /Walter Gardiner 76; /Mike Hemsley da Walter Gardiner Photographers 330, 376; /Andy Komorowski 370 em cima à esquerda, 370 em cima à direita; /Ian Parsons 7, 8, 24, 46, 49, 53, 65; /Mike Prior 47, 368 no alto; /William Reavell 15; /Guy Ryecart 27; /Russell Sadur 58 esquerda, 368 em baixo; /Gareth Sambidge 23; /Ian Wallace 52; /Mark Winwood 29, 258. **Photolibrary Group** 54–55. **The Picture Desk Limited/Art Archive**/Eileen Tweedy 38. **TopFoto** 37.